FORMAÇÃO ECONÔMICA DO BRASIL

Retrato de Celso Furtado por Samson Flexor, feito a bordo do Le Jamaique, *em 1948.*

CELSO FURTADO

Formação econômica do Brasil

22ª reimpressão

Copyright © 2006 by Espólio de Celso Furtado

Grafia atualizada segundo o Acordo Ortográfico da Língua Portuguesa de 1990, que entrou em vigor no Brasil em 2009.

Coordenação
Rosa Freire d'Aguiar

Capa
Mariana Newlands sobre *Abstrato* (1954), de Flexor, óleo s/ tela, 38 x 46,5 cm. Col. Beth Barreto. Reprodução de Rômulo Fialdini

Preparação
Denise Pessoa

Índice remissivo
Luciano Marchiori

Revisão
Otacílio Nunes
Isabel Jorge Cury
Eduardo Russo

Esta obra teve 33 edições anteriores, pela Editora Fundo de Cultura, de janeiro de 1959 a 1966, e pela Companhia Editora Nacional, de 1967 a 2006.

Dados Internacionais de Catalogação na Publicação (CIP)
(Câmara Brasileira do Livro, SP, Brasil)

Furtado, Celso, 1920-2004.
    Formação econômica do Brasil / Celso Furtado. — 34ª
ed. — São Paulo : Companhia das Letras, 2007.

    Bibliografia.
    ISBN 978-85-359-0952-4

    1. Brasil – Condições econômicas I. Título.

06-9322   CDD-330.981

Índices para catálogo sistemático:
1. Brasil : Condições econômicas   330.981
2. Brasil : Formação econômica   330.981

Todos os direitos desta edição reservados à
EDITORA SCHWARCZ S.A.
Rua Bandeira Paulista, 702, cj. 32
04532-002 — São Paulo — SP
Telefone: (11) 3707-3500
www.companhiadasletras.com.br
www.blogdacompanhia.com.br
facebook.com/companhiadasletras
instagram.com/companhiadasletras
twitter.com/cialetras

A meus pais

Sumário

Prefácio, 11

Introdução, 21

PARTE UM

FUNDAMENTOS ECONÔMICOS DA OCUPAÇÃO TERRITORIAL

1. Da expansão comercial à empresa agrícola, 25
2. Fatores do êxito da empresa agrícola, 31
3. Razões do monopólio, 37
4. Desarticulação do sistema, 42
5. As colônias de povoamento do hemisfério norte, 46
6. Consequências da penetração do açúcar nas Antilhas, 52
7. Encerramento da etapa colonial, 63

PARTE DOIS

ECONOMIA ESCRAVISTA DE AGRICULTURA TROPICAL

SÉCULOS XVI E XVII

8. Capitalização e nível de renda na colônia açucareira, 75
9. Fluxo de renda e crescimento, 83

10. Projeção da economia açucareira: a pecuária, 92
11. Formação do complexo econômico nordestino, 101
12. Contração econômica e expansão territorial, 107

PARTE TRÊS
ECONOMIA ESCRAVISTA MINEIRA
SÉCULO XVIII

13. Povoamento e articulação das regiões meridionais, 117
14. Fluxo da renda, 124
15. Regressão econômica e expansão da área
de subsistência, 132

PARTE QUATRO
ECONOMIA DE TRANSIÇÃO PARA O TRABALHO ASSALARIADO
SÉCULO XIX

16. O Maranhão e a falsa euforia do fim da época colonial, 137
17. Passivo colonial, crise financeira
e instabilidade política, 142
18. Confronto com o desenvolvimento dos EUA, 150
19. Declínio a longo prazo do nível de renda:
primeira metade do século XIX, 159
20. Gestação da economia cafeeira, 164
21. O problema da mão de obra. I. Oferta interna
potencial, 173
22. O problema da mão de obra. II. A imigração europeia, 181
23. O problema da mão de obra. III. Transumância
amazônica, 189
24. O problema da mão de obra. IV. Eliminação
do trabalho escravo, 198
25. Nível de renda e ritmo de crescimento na segunda
metade do século XIX, 206

26. O fluxo de renda na economia de trabalho assalariado, 218
27. A tendência ao desequilíbrio externo, 223
28. A defesa do nível de emprego e a concentração da renda, 232
29. A descentralização republicana e a formação de novos grupos de pressão, 242

PARTE CINCO
ECONOMIA DE TRANSIÇÃO PARA UM SISTEMA INDUSTRIAL
SÉCULO XX

30. A crise da economia cafeeira, 251
31. Os mecanismos de defesa e a crise de 1929, 263
32. Deslocamento do centro dinâmico, 274
33. O desequilíbrio externo e sua propagação, 286
34. Reajustamento do coeficiente de importações, 302
35. Os dois lados do processo inflacionário, 310
36. Perspectiva dos próximos decênios, 323

Apêndice, 337
Índice remissivo, 345

Prefácio

Em *Formação econômica do Brasil*, Celso Furtado define uma perspectiva teórica pouco usual para guiar a sua investigação. Ela é construída da forma mais recomendável nas chamadas ciências sociais, ou seja, pelo processo lógico-histórico de constituição do objeto. Furtado executa com maestria o método que o professor João Manuel Cardoso de Mello chamou de "estudo da dinâmica das estruturas". O ponto de partida da investigação é a economia brasileira já em processo de industrialização. Como em Marx, são as formas mais avançadas que "explicam" as pretéritas, e não o contrário. Na mesma linha, Furtado rejeita as abstrações típicas do economicismo ao estabelecer a conexão entre as relações sociais de produção, o estágio das forças produtivas e as formas de poder político que definem determinada etapa histórica, entendida como uma totalidade em movimento.

Começo com uma reflexão de outro mestre, o professor Fernando Novais. Diz ele, em seu livro de ensaios *Aproximações*, que "embora seja um lugar-comum afirmar que o Brasil é fruto da colonização europeia, nem sempre se levam na devida conta todas as implicações envolvidas nessa assertiva".*

Adam Smith incorreu no vício da má abstração, típica dos economistas, ao reduzir o mercantilismo a uma lamentável confusão entre riqueza e acumulação de ouro e prata mediante políticas protecionistas de comércio exterior. Nada mais falso. As invectivas de Smith exprimiam a necessidade de justificar, no final do século XVIII, o caráter "natural" do mercado autorregulado e as vantagens de se desvencilhar o comércio exterior da tutela do Estado.

Na etapa mercantil do capitalismo, prevalecia, sim, o "artificialismo" da política. Cabia ao Estado nacional manter a operação do *sistema colonial*. Isso incluía fomentar o tráfico de escravos e a escravidão nas colônias e, ao mesmo tempo, criar as condições para a liberação da mão de obra na metrópole, garantir a expansão do mercado nacional, protegê-lo da incursão hostil de outros Estados rivais, combinar a centralização tributária com o provimento — mediante a acumulação de reservas monetárias — da oferta adequada de crédito para o financiamento da dívida pública e, assim, dar curso à expansão da manufatura doméstica.

No capítulo sobre a "acumulação primitiva" em *O capital*, Marx aponta as características centrais do regime de transição entre a economia feudal e o capitalismo:

> As diversas fases da acumulação primitiva têm seu centro, numa ordem cronológica mais ou menos precisa, na Espanha, Portugal, Holanda, França e Inglaterra. É aqui, na Inglaterra, que no final do século XVII se resumem e sintetizam sistematicamente no *sistema colonial* a dívida pública, o moderno sistema tributário e o prote-

---

* FERNANDO NOVAIS, *Aproximações: Estudos de história e historiografia*, São Paulo, Cosac Naify, 2005.

PREFÁCIO

cionismo. Esses métodos se baseiam, como ocorre no sistema colonial, na mais avassaladora das forças. Todos eles se valem do poder do Estado, ou seja, da força concentrada e organizada da sociedade, para acelerar a passos agigantados o processo de transformação do regime feudal de produção no regime capitalista.*

Foram, na verdade, diversas as formas assumidas pela expansão mercantil ultramarina no Novo Mundo, assim como suas trajetórias e resultados. Furtado, ao discutir os fundamentos econômicos da ocupação territorial, faz uma constatação tão decisiva quanto chocante em sua simplicidade. O leitor desavisado corre o risco de deixar escapar as consequências e implicações desse achado aparentemente banal. Furtado diz que a empresa colonial espanhola, dominada pela exploração mineira, determinou a decadência da economia da metrópole. "Fora da exploração mineira, nenhuma outra empresa econômica de envergadura chegou a ser encetada." (Já eram então perceptíveis os efeitos nefastos do que, mais tarde, seria conhecido como o "mal holandês", ou seja, o entorpecimento da empresa produtiva e da manufatura pelas comodidades da acumulação de riqueza monetária estéril.)

O empreendimento açucareiro português teria fracassado, tivesse a Espanha explorado suas terras férteis e mais próximas da Europa. Apoiado na cooperação com a Holanda e sua poderosa engrenagem comercial e financeira, Portugal chegou ao limiar do século XVII gozando de invejável prosperidade. Fernand Braudel, em sua obra magna, *Civilização material, economia e capitalismo*, refuta a tese defendida por alguns estudiosos que viam a Holanda como uma ilha de liberdades mercantis cer-

* KARL MARX, *O capital*, vol. I, Rio de Janeiro, Civilização Brasileira, 2003.

FORMAÇÃO ECONÔMICA DO BRASIL

cada de monopólios e mão de obra escrava por todos os lados. Braudel sustenta que "a Holanda não escapa ao espírito de seu tempo. Toda a sua atividade estava marcada pelo monopólio de fato. [...] Todas as colônias da Europa eram consideradas campos de caça, submetidos ao exclusivo metropolitano".*

Os rumos — sucessos e fracassos — da aventura colonial ibérica nas Américas não podem ser apartados das transformações e vicissitudes decorrentes dos conflitos e rivalidades entre os Estados nacionais metropolitanos. A absorção de Portugal pela Espanha e a guerra com a Holanda determinaram o fim da cooperação virtuosa. Suas consequências foram muito além da invasão holandesa no nordeste brasileiro. Expulsos do Brasil, os holandeses dariam início à exploração açucareira, em grande escala, no Caribe, o que iria afetar profundamente os preços e a rentabilidade do empreendimento português no Brasil. Furtado reconhece que "o principal acontecimento da história americana no século XVII foi, para o Brasil, o surgimento de uma poderosa economia concorrente no mercado dos produtos tropicais".

Ademais, o prolongado conflito entre a França e a Inglaterra no século XVII ensejou o desenvolvimento de "uma etapa nova na história da América". As colônias de povoamento da Nova Inglaterra na América do Norte constituíram uma forma de ocupação territorial e de exploração econômica distinta dos padrões impostos pela expansão colonial ibérica. "Dirigida de dentro para fora, produzindo principalmente para o mercado interno, sem uma separação fundamental entre as atividades produtivas destinadas à exportação e aquelas ligadas ao mercado interno", a economia do norte dos Estados Unidos estava em flagrante contradição com os princípios da economia colonial. Isso não teria sido possí-

---

* FERNAND BRAUDEL, *Civilização material, economia e capitalismo: séculos XV- -XVIII*, vol. 2: *Os jogos das trocas*, São Paulo, Martins Fontes, 1996.

PREFÁCIO

vel sem a articulação com a próspera economia de agricultura tropical das Antilhas, submetida às dificuldades de abastecimento e de meios de transporte marítimo provocadas pelo conflito entre França e Inglaterra.

A vitória da manufatura inglesa e de sua burguesia foi, sem dúvida, fruto das políticas mercantilistas executadas por um Estado forte e centralizador. Mas ao nascer das entranhas do mercantilismo, a Revolução Industrial desferiu o golpe de misericórdia no sistema colonial. Na posteridade, a Inglaterra exerceria a sua hegemonia sob as normas do livre-comércio, ou seja, conforme os interesses do seu monopólio industrial.

Merece especial atenção a análise de Furtado sobre as consequências da Revolução Industrial no Brasil e nos Estados Unidos. Ele mostra como a divisão internacional do trabalho desenhada pela Inglaterra suscitou o avanço do capitalismo industrial no nordeste dos Estados Unidos. O desenvolvimento econômico americano na primeira metade do século XIX estava amparado em uma articulação singular: as exportações do algodão produzido com trabalho escravo nas terras do sul para a indústria têxtil inglesa financiavam as políticas protecionistas e industrialistas patrocinadas pelo Estado e estimulavam o ingresso de capitais de empréstimo atraídos para o financiamento da infraestrutura de transportes americana, primeiro os canais e depois as ferrovias.

O Brasil foi apanhado pelas rápidas transformações do final do século XVIII e princípio do XIX em plena crise da economia da mineração, com as exportações em queda e, consequentemente, a redução do fluxo de renda. A despeito da abertura dos portos e das tentativas modernizadoras, a primeira metade do século XIX foi marcada pela decadência econômica, só estancada quando o café rearticulou os nexos econômicos do Brasil com o exterior.

João Manuel Cardoso de Mello, no clássico *O capitalismo tardio*, diz que na América Latina a Revolução Industrial traz consigo o início da crise das economias coloniais. Não destrói seu fundamento último, o trabalho compulsório, mas tão somente estimula de maneira decisiva a ruptura do pacto colonial e a constituição dos Estados nacionais. Isso significa também, segundo Cardoso de Mello, a queda do binômio monopólio de comércio/dominação política metropolitana, o que abriria inteiramente os mercados latino-americanos ao capital industrial inglês. No entanto, "a história latino-americana deixa de ser reflexa, e o industrialismo livre-cambista teve, no máximo, força para assestar baterias contra o tráfico negreiro e usar toda sorte de pressões, mas foi impotente, em si mesmo, para fazer valer seus objetivos".*

Os capítulos de *Formação econômica do Brasil* que tratam da transição para o trabalho assalariado apontam para algumas questões cruciais que irão, em boa medida, determinar o desenvolvimento da formação socioeconômica brasileira, mesmo depois de superado o modelo primário-exportador e iniciado o processo de industrialização.

A instabilidade das economias coloniais — do açúcar do nordeste à mineração do ouro nas Gerais — provocava, nos períodos de decadência, a regressão dos produtores para a economia de subsistência nas propriedades dos grandes latifundiários ou em minifúndios que produziam para consumo próprio. Esse movimento estruturalmente defensivo iria dificultar, com a extinção do tráfico, em meados do século XIX, o abastecimento de mão de obra à economia cafeeira em expansão. O problema seria solucionado no final do século, com a imigração.

Aqui começam a prevalecer as características estruturais e dinâmicas do que Wilson Cano chamou de "complexo cafeeiro". A economia exportadora de trabalho assalariado, e portanto obri-

---

* J. M. CARDOSO DE MELLO, *O capitalismo tardio*, São Paulo, Brasiliense, 1982.

PREFÁCIO

gada à rápida monetização das relações econômicas, era capaz de induzir efeitos "virtuosos" internos, como a construção da infraestrutura de transportes, a urbanização e seus serviços e o desenvolvimento de algumas indústrias de bens de consumo.

A densidade de relações intrassetoriais criadas pela expansão do complexo cafeeiro criou a possibilidade da multiplicação da renda monetária a partir das receitas das exportações e, ao mesmo tempo, o risco de crises de balanço de pagamentos, quando os termos de troca se tornavam desfavoráveis, fenômeno recorrente que suscitou as políticas de defesa do preço do café. "O complicado mecanismo de defesa da economia cafeeira funcionou com relativa eficiência até fins do terceiro decênio do século xx", diz Furtado.

Ao impulsionar artificialmente a produção cafeeira e sustentar os seus preços no final dos anos 1920, em meio a uma conjuntura internacional de liquidez abundante e especulação com estoques de matérias-primas, os mecanismos de defesa ajudaram a aprofundar o colapso dos preços, a superprodução e a violenta contração da renda deflagrados pelo crash de 1929.

Diante das características do complexo cafeeiro, a grande depressão dos anos 1930 e o colapso do comércio mundial praticamente impuseram a política de defesa da renda interna, mediante o financiamento dos estoques de café com crédito doméstico.

Ao manter-se a procura interna com maior firmeza que a externa, o setor que produzia para o mercado interno passa a oferecer melhores oportunidades de inversão que o setor exportador. Cria-se, em consequência, uma situação praticamente nova na economia brasileira, que era a preponderância do setor ligado ao mercado interno no processo de formação de capital.

Furtado estabelece uma distinção entre o crescimento da produção industrial induzido pelo aumento das exportações e a industrialização substitutiva de importações, enquanto processo de diversificação da indústria "capaz de autogerar a demanda".* Isso supõe, diz ele, a instalação das indústrias de equipamentos e outras cujo produto fosse absorvido pelo próprio setor industrial e demais atividades produtivas.

Assim, Celso Furtado define as condições histórico-estruturais — as possibilidades e limitações — do processo brasileiro de industrialização por substituição de importações, que avançou com forte participação do Estado, vez por outra açoitado por crises de balanço de pagamentos.

Durante todo o pós-guerra, até a crise da dívida externa de 1982, o Brasil manteve um ritmo acelerado de crescimento econômico. Entre 1947 e 1980 o PIB cresceu em média 7,1 por cento, uma marca não igualada, no período, nem mesmo pelo Japão ou pelos celebrados Tigres Asiáticos.

As críticas à industrialização brasileira concentraram-se na denúncia de uma suposta tendência à autarquia, à ineficiência, à falta de competitividade externa e à estatização. Estes, diziam os detratores, eram males congênitos do processo de substituição de importações. É bom notar que muita gente já havia apontado a exaustão do chamado "modelo de substituição de importações", sublinhando, aliás, alguns desafios importantes que estavam presentes em sua dinâmica: *a)* a criação dos instrumentos e instituições de mobilização da "poupança" doméstica, particularmente para suportar o financiamento de longo prazo; *b)* a reestruturação competitiva e a modernização organizacional da grande empresa de capital nacional e de suas relações com o Estado; *c)* a constituição do que Fernando Fajnzylber chamava de "núcleo endógeno de inovação tecnológica".

* CELSO FURTADO, *Formação econômica da América Latina*, Rio de Janeiro, Lia Editora, 1969.

PREFÁCIO

Os ciclos de crescimento e desaceleração da economia brasileira ao longo dos últimos vinte anos mostram uma tendência preocupante: a partir do início dos anos 1980 as taxas médias de crescimento caem sensivelmente, as flutuações tornam-se mais intensas, e os surtos de expansão são mais curtos.

O debate atual sobre o desenvolvimento brasileiro está concentrado em demasia sobre as políticas macroeconômicas de curto prazo, em prejuízo das investigações que tomem como guia a "dinâmica das estruturas", ou seja, as transformações financeiras, tecnológicas, patrimoniais e *espaciais* determinadas pela interação entre o centro hegemônico e as estratégias nacionais de "inserção" das regiões periféricas.

Hoje essas transformações são impulsionadas pelo jogo estratégico entre o "polo dominante" — no caso a economia americana, sua capacidade tecnológica, a liquidez e profundidade de seu mercado financeiro, o poder de *seignorage* de sua moeda — e a capacidade de "resposta" dos países em desenvolvimento às alterações no ambiente internacional.

É desnecessário dizer que as economias periféricas dispõem de estruturas e trajetórias sociais, econômicas e políticas muito dessemelhantes, o que dificulta para umas e facilita para outras a chamada "integração competitiva" nas diversas etapas de evolução do capitalismo. Assim, por exemplo, o sucesso do Brasil até o início dos anos 1980 desencadeou a crise que iria provocar o seu reiterado "fracasso" na tentativa de se ajustar às novas condições internacionais. No polo oposto, o fracasso chinês até os anos 1980 propiciou condições iniciais mais favoráveis para o sucesso das reformas empreendidas a partir de então.

Luiz Gonzaga de Mello Belluzzo

Introdução

O presente livro pretende ser tão somente um esboço do processo histórico de formação da economia brasileira. Ao escrevê-lo, em 1958, o autor teve em mira apresentar um texto introdutório, acessível ao leitor sem formação técnica e de interesse para as pessoas — cujo número cresce dia a dia — desejosas de tomar um primeiro contato em forma ordenada com os problemas econômicos do país. A preocupação central consistiu em descortinar uma perspectiva o mais possível ampla. Na opinião do autor, sem uma adequada profundidade de perspectiva torna-se impossível captar as inter-relações e as cadeias de causalidade que constituem a urdidura dos processos econômicos.

Embora dirigindo-se a um público mais amplo, o autor teve, de modo especial, em mente, ao preparar o presente trabalho, os estudantes de ciências sociais, das faculdades de economia e filosofia em particular. A assimilação das teorias econômicas requer mais e mais ser completada, em nível universitário, pela aplicação dessas teorias aos processos históricos subjacentes à realidade na qual vive o estudante e sobre a qual possivelmente terá de atuar. Como simples esboço que é, este livro sugere um conjunto de temas que poderiam servir de base a um curso introdutório ao estudo da economia brasileira.

Omite-se quase totalmente a bibliografia histórica brasileira, pois escapa ao campo específico do presente estudo, que é simplesmente a análise dos processos econômicos, e não reconstituição dos eventos históricos que estão por trás desses processos. Sem embargo, as referências bibliográficas, incluídas nas notas de pé de página, poderão apresentar algum interesse do ponto de vista de análise histórico-comparativa.

Na última parte (principalmente capítulos 28 a 32) o autor seguiu de perto o texto de análise apresentado em trabalho anterior (*A economia brasileira*, Rio de Janeiro, 1954). Todavia, os dados quantitativos foram todos revisados e estão agora referidos a suas respectivas fontes. Se bem que não haja discrepância no que respeita às conclusões fundamentais entre os dois trabalhos, em muitos pontos a mudança de enfoque ou ênfase e a inclusão de material novo adquirem particular relevância.

Celso Furtado

PARTE UM

FUNDAMENTOS ECONÔMICOS
DA OCUPAÇÃO TERRITORIAL

1. Da expansão comercial à empresa agrícola

A ocupação econômica das terras americanas constitui um episódio da expansão comercial da Europa. Não se trata de deslocamentos de população provocados por pressão demográfica — como fora o caso da Grécia — ou de grandes movimentos de povos determinados pela ruptura de um sistema cujo equilíbrio se mantivesse pela força — caso das migrações germânicas em direção ao ocidente e ao sul da Europa. O comércio interno europeu, em intenso crescimento a partir do século XI, havia alcançado um elevado grau de desenvolvimento no século XV, quando as invasões turcas começaram a criar dificuldades crescentes às linhas orientais de abastecimento de produtos de alta qualidade, inclusive manufaturas. O restabelecimento dessas linhas, contornando o obstáculo otomano, constitui sem dúvida alguma a maior realização dos europeus na segunda metade desse século.[1]

---

1. O desenvolvimento econômico de Portugal no século XV — a exploração da costa africana, a expansão agrícola nas ilhas do Atlântico e finalmente a abertura da rota marítima das Índias Orientais — constitui um fenômeno autônomo

A descoberta das terras americanas é, basicamente, um episódio dessa obra ingente. De início pareceu ser episódio secundário. E na verdade o foi para os portugueses durante todo um meio século. Aos espanhóis revertem em sua totalidade os primeiros frutos, que são também os mais fáceis de colher. O ouro acumulado pelas velhas civilizações da meseta mexicana e do altiplano andino é a razão de ser da América, como objetivo dos europeus, em sua primeira etapa de existência histórica. A legenda de riquezas inapreciáveis por descobrir corre a Europa e suscita um enorme interesse pelas novas terras. Esse interesse contrapõe Espanha e Portugal, "donos" dessas terras, às demais nações europeias. A partir desse momento a ocupação da América deixa de ser um problema exclusivamente comercial: intervêm nele importantes fatores políticos. A Espanha — a quem coubera um tesouro como até então não se conhecera no mundo — tratará de transformar os seus domínios numa imensa cidadela. Outros países tentarão estabelecer-se em posições fortes, seja como ponto de partida para desco-

---

na expansão comercial europeia, em grande parte independente das vicissitudes crescentes criadas ao comércio do Mediterrâneo oriental pela penetração otomana. A produção de açúcar na Madeira e São Tomé alcançou seus pontos altos na segunda metade do século xv, época em que os venezianos ainda conservavam intactas suas fontes de abastecimento nas ilhas do Mediterrâneo oriental. O mesmo se pode dizer do comércio das especiarias das Índias, pois a ocupação do Egito — entreposto principal — pelos turcos só ocorreu um quarto de século depois da viagem de Vasco da Gama. A imediata consequência da abertura da nova rota foi uma brusca queda dos preços das especiarias: os venezianos passaram a comprar pimenta em Lisboa pela metade do preço que pagavam aos árabes em Alexandria. Veja-se sobre este ponto FREDDY THIRIET, *Histoire de Venise*, Paris, 1952, p. 104. O grande feito português, eliminando os intermediários árabes, antecipando-se à ameaça turca, quebrando o monopólio dos venezianos e baixando o preço dos produtos, foi de fundamental importância para o subsequente desenvolvimento comercial da Europa. Sobre as causas do início da expansão marítima portuguesa, veja-se o lúcido estudo de ANTÓNIO SÉRGIO, *A conquista de Ceuta, Ensaios*, tomo I, 2ª ed., Coimbra, 1949.

DA EXPANSÃO COMERCIAL À EMPRESA AGRÍCOLA

bertas compensatórias, seja como plataforma para atacar os espanhóis. Não fora a miragem desses tesouros, de que, nos primeiros dois séculos da história americana, somente os espanhóis desfrutaram, e muito provavelmente a exploração e ocupação do continente teriam progredido muito mais lentamente.

O início da ocupação econômica do território brasileiro é em boa medida uma consequência da pressão política exercida sobre Portugal e Espanha pelas demais nações europeias. Nestas últimas prevalecia o princípio de que espanhóis e portugueses não tinham direito senão àquelas terras que houvessem efetivamente ocupado. Dessa forma, quando, por motivos religiosos, mas com apoio governamental, os franceses organizam sua primeira expedição para criar uma colônia de povoamento nas novas terras — aliás a primeira colônia de povoamento do continente —, é para a costa setentrional do Brasil que voltam as vistas. Os portugueses acompanhavam de perto esses movimentos e até pelo suborno atuaram na corte francesa para desviar as atenções do Brasil. Contudo tornava-se cada dia mais claro que se perderiam as terras americanas a menos que fosse realizado um esforço de monta para ocupá-las permanentemente. Esse esforço significava desviar recursos de empresas muito mais produtivas no Oriente. A miragem do ouro que existia no interior das terras do Brasil — à qual não era estranha a pressão crescente dos franceses — pesou seguramente na decisão tomada de realizar um esforço relativamente grande para conservar as terras americanas. Sem embargo, os recursos de que dispunha Portugal para colocar improdutivamente no Brasil eram limitados e dificilmente teriam sido suficientes para defender as novas terras por muito tempo. A Espanha, cujos recursos eram incomparavelmente superiores, teve que ceder à pressão dos invasores em grande parte das terras que lhe cabiam pelo Tratado de Tordesilhas. Para tornar mais efetiva a defesa de seu quinhão, foi-lhe necessário reduzir o perímetro deste. Demais, fez-se indispensá-

FORMAÇÃO ECONÔMICA DO BRASIL

vel criar colônias de povoamento de reduzida importância econômica — como no caso de Cuba — com fins de abastecimento e de defesa. Fora das regiões ligadas à grande empresa militar-mineira espanhola, o continente apresentava escasso interesse econômico, e defendê-lo de forma efetiva e permanente constituiria sorvedouro enorme de recursos. O comércio de peles e madeiras com os índios, que se desenvolve durante o século XVI em toda a costa oriental do continente, é de reduzido alcance e não exige mais que o estabelecimento de precárias feitorias.

Os traços de maior relevo do primeiro século da história americana estão ligados a essas lutas em torno de terras de escassa ou nenhuma utilização econômica. Espanha e Portugal se creem com direito à totalidade das novas terras, direito esse que é contestado pelas nações europeias em mais rápida expansão comercial na época: Holanda, França e Inglaterra. A Espanha recolhe de imediato pingues frutos que lhe permitem financiar a defesa de seu rico quinhão. Contudo, tão grande é este e tão inúteis lhe parecem muitas das novas terras, que decide concentrar seu sistema de defesa em torno ao eixo produtor de metais preciosos, México-Peru. Esse sistema de defesa estendia-se da Flórida à embocadura do rio da Prata. Ainda assim, e não obstante a abundância dos recursos de que dispunha, a Espanha não conseguiu evitar que seus inimigos penetrassem no centro mesmo de suas linhas de defesa, as Antilhas. Essa cunha antilhana foi de início uma operação basicamente militar.[2] Contudo, nos séculos seguintes ela terá enorme importância econômica, como veremos mais adiante.

---

2. O povoamento das Antilhas pelos franceses "*fut envisagé d'abord sous l'angle défense coloniale et attaque en Amérique espagnole*".* LÉON VIGNOLES, "Les Antilles françaises sous l'ancien régime", *Revue d'Histoire Economique et Sociale*, nº 1, 1928, p. 34.
* Os trechos citados em idioma estrangeiro, tanto no corpo do texto como nas notas de rodapé, encontram-se traduzidos em apêndice no final deste volume, p. 337. (N. E.)

28

DA EXPANSÃO COMERCIAL À EMPRESA AGRÍCOLA

Coube a Portugal a tarefa de encontrar uma forma de utilização econômica das terras americanas que não fosse a fácil extração de metais preciosos. Somente assim seria possível cobrir os gastos de defesa dessas terras. Este problema foi discutido amplamente e em alto nível, com a interferência de gente — como Damião de Góis — que via o desenvolvimento da Europa contemporânea a partir de uma ampla perspectiva. Das medidas políticas que então foram tomadas resultou o início da exploração agrícola das terras brasileiras, acontecimento de enorme importância na história americana. De simples empresa espoliativa e extrativa — idêntica à que na mesma época estava sendo empreendida na costa da África e nas Índias Orientais —, a América passa a constituir parte integrante da economia reprodutiva europeia, cuja técnica e capitais nela se aplicam para criar de forma permanente um fluxo de bens destinados ao mercado europeu.

A exploração econômica das terras americanas deveria parecer, no século XVI, uma empresa completamente inviável. Por essa época nenhum produto agrícola era objeto de comércio em grande escala na Europa. O principal produto da terra — o trigo — dispunha de abundantes fontes de abastecimento dentro do continente. Os fretes eram de tal forma elevados — em razão da insegurança no transporte a grandes distâncias — que somente os produtos manufaturados e as chamadas especiarias do Oriente podiam comportá-los. Demais, era fácil imaginar os enormes custos que não teria de enfrentar uma empresa agrícola nas distantes terras da América. É fato universalmente conhecido que aos portugueses coube a primazia nesse empreendimento.[3] Se

---

3. "*Brazil was the first of the European settlements in America to attempt the cultivation of the soil.*" *The Cambridge modern history*, Cambridge, 1909, vol. VI, p. 389. É sabido que os espanhóis nas Antilhas e no México tentaram empreendimentos agrícolas com anterioridade aos portugueses. Sem embargo, esses empreendimentos não passaram do estágio experimental.

seus esforços não tivessem sido coroados de êxito, a defesa das terras no Brasil ter-se-ia transformado em ônus demasiado grande, e — excluída a hipótese de antecipação na descoberta do ouro — dificilmente Portugal teria perdurado como grande potência colonial na América.

2. Fatores do êxito da empresa agrícola

Um conjunto de fatores particularmente favoráveis tornou possível o êxito dessa primeira grande empresa colonial agrícola europeia. Os portugueses haviam já iniciado há algumas dezenas de anos a produção, em escala relativamente grande, nas ilhas do Atlântico, de uma das especiarias mais apreciadas no mercado europeu: o açúcar. Essa experiência resultou ser de enorme importância, pois, demais de permitir a solução dos problemas técnicos relacionados com a produção do açúcar, fomentou o desenvolvimento em Portugal da indústria de equipamentos para os engenhos açucareiros. Se se têm em conta as dificuldades que se enfrentavam na época para conhecer qualquer técnica de produção e as proibições que havia para exportação de equipamentos, compreende-se facilmente que, sem o relativo avanço técnico de Portugal nesse setor, o êxito da empresa brasileira teria sido mais difícil ou mais remoto.[4]

---

4. A técnica de produção do açúcar era relativamente difundida no Mediterrâneo, pois desde a Síria até a Espanha se produzia esse artigo por toda parte, se

FORMAÇÃO ECONÔMICA DO BRASIL

A significação maior da experiência das ilhas do Atlântico foi possivelmente no campo comercial. Tudo indica que o açúcar português inicialmente entrou nos canais tradicionais controlados pelos comerciantes das cidades italianas.[5] A baixa de preços que tem lugar no último quartel do século xv leva a crer, sem embargo, que esses canais não se ampliaram na medida requerida pela expansão da produção. A crise de superprodução dessa época indica claramente que nas áreas comerciais estabelecidas tradicionalmente pelas cidades mediterrâneas o açúcar não podia ser absorvido senão em escala relativamente limitada. Ocorre, entretanto, que uma das consequências principais da entrada da produção portuguesa no mercado fora a ruptura do monopólio que mantinham os venezianos do acesso às fontes de produção. Desde cedo a produção portuguesa passa a ser encaminhada em proporção considerável para Flandres. Quando em 1496 o governo português, sob a pressão da baixa de preço,

---

bem que em escala reduzida. Contudo, a produção de um artigo de primeira classe, como o que se obtinha em Chipre, envolvia segredos técnicos. O fato de que haja referência a um genovês como principal produtor na Madeira indica que os italianos — na época senhores da produção e do comércio do açúcar — estiveram presentes na expansão agrícola das ilhas portuguesas do Atlântico. Os segredos da técnica de refinação foram conservados muito mais zelosamente: ainda em 1612 o Conselho de Veneza — cidade que durante muito tempo havia monopolizado a refinação de todo o açúcar que se consumia na Europa — proibia a exportação de equipamentos, técnicos e capitais ligados a essa indústria. Veja-se NOEL DEER, The history of sugar, Londres, 1949, tomo I, p. 100, e tomo II, p. 452.

5. O fato de que hajam surgido refinarias fora de Veneza na época em que se expande a produção portuguesa — em Bolonha, por exemplo, a partir de 1470 — pareceria indicar a ruptura do monopólio dos venezianos por essa época. A forte queda de preços que se observa no último decênio do século talvez seja uma consequência da passagem de um mercado de monopólio para um de concorrência.

FATORES DO ÊXITO DA EMPRESA AGRÍCOLA

decidiu restringir a produção, a terça parte desta já se encaminhava para os portos flamengos.[6]

A partir da metade do século XVI a produção portuguesa de açúcar passa a ser mais e mais uma empresa em comum com os flamengos, inicialmente representados pelos interesses de Antuérpia e em seguida pelos de Amsterdam. Os flamengos recolhiam o produto em Lisboa, refinavam-no e faziam a distribuição por toda a Europa, particularmente o Báltico, a França e a Inglaterra.[7]

A contribuição dos flamengos — particularmente a dos holandeses — para a grande expansão do mercado do açúcar, na segunda metade do século XVI, constitui um fator fundamental do êxito da colonização do Brasil. Especializados no comércio intraeuropeu, grande parte do qual financiavam, os holandeses eram nessa época o único povo que dispunha de suficiente organização comercial para criar um mercado de grandes dimensões para um produto praticamente novo, como era o açúcar. Se se têm em conta, por um lado, as grandes dificuldades encontradas inicialmente para colocar a pequena produção da Madeira, e por outro, a estupenda expansão subsequente do mercado, que absorveu com preços firmes a grande produção brasileira, torna-se

---

6. D. Manuel I fixou, em 1496, a produção máxima em 120 mil arrobas, das quais 40 mil para Flandres, 16 mil para Veneza, 13 mil para Gênova, 15 mil para Quios e 7 mil para a Inglaterra. HENRIQUE DA GAMA BARROS, *História da administração pública em Portugal*, Lisboa, 1777, IV, cap. V. Citado por NOEL DEER, op. cit., I, p. 101.

7. "*The date at which the first refinery was built* [em Antuérpia] *is not on record, but it must have been soon after the beginning of the sixteenth century.* [...] *By 1550 there were thirteen refineries, increased by 1556 to nineteen.* [...] *After the enforced closing down of the Antwerp refineries the Continental trade moved to Amsterdam.* [...] *By 1587 there is ample evidence that a number of refineries were working, of which some had been established by refugees from Antwerp.*" NOEL DEER, op. cit., II, p. 453.

33

evidente a importância da etapa comercial para o êxito de toda a empresa açucareira.

E não somente com sua experiência comercial contribuíram os holandeses. Parte substancial dos capitais requeridos pela empresa açucareira viera dos Países Baixos. Existem indícios abundantes de que os capitalistas holandeses não se limitaram a financiar a refinação e comercialização do produto. Tudo indica que capitais flamengos participaram no financiamento das instalações produtivas no Brasil bem como no da importação da mão de obra escrava. O menos que se pode admitir é que, uma vez demonstrada a viabilidade da empresa e comprovada sua alta rentabilidade, a tarefa de financiar-lhe a expansão não haja apresentado maiores dificuldades. Poderosos grupos financeiros holandeses, interessados como estavam na expansão das vendas do produto brasileiro, seguramente terão facilitado os recursos requeridos para a expansão da capacidade produtiva.[8]

Mas não bastavam a experiência técnica dos portugueses na fase produtiva e a capacidade comercial e o poder financeiro dos holandeses para tornar viável a empresa colonizadora agrícola das terras do Brasil. Demais, existia o problema da mão de obra. Transportá-la na quantidade necessária da Europa teria requerido uma inversão demasiadamente grande, que provavelmente tornaria antieconômica toda a empresa. As condições de trabalho eram tais que somente pagando salários bem mais elevados que os da Europa seria possível atrair mão de obra dessa região. A possibilidade de reduzir os custos retribuindo com terras o

---

8. Se se tem em conta que os holandeses controlavam o transporte (inclusive parte do transporte entre o Brasil e Portugal), a refinação e a comercialização do produto, depreende-se que o negócio do açúcar era na realidade mais deles que dos portugueses. Somente os lucros da refinação alcançavam aproximadamente a terça parte do valor do açúcar em bruto. Ver sobre esse ponto NOEL DEER, op. cit., II, p. 453.

FATORES DO ÊXITO DA EMPRESA AGRÍCOLA

trabalho que o colono realizasse durante um certo número de anos não apresentava atrativo ou viabilidade, pois, sem grandes concentrações de capital, as terras praticamente não tinham valia econômica. Por último, havia a considerar a escassez de oferta de mão de obra que prevalecia em Portugal, particularmente nessa etapa de magnífico florescimento da empresa das Índias Orientais. Sem embargo, também neste caso uma circunstância veio facilitar enormemente a solução do problema. Por essa época os portugueses eram já senhores de um completo conhecimento do mercado africano de escravos. As operações de guerra para captura de negros pagãos, iniciadas quase um século antes, nos tempos de d. Henrique, haviam evoluído num bem organizado e lucrativo escambo que abastecia certas regiões da Europa de mão de obra escrava. Mediante recursos suficientes, seria possível ampliar esse negócio e organizar a transferência para a nova colônia agrícola da mão de obra barata, sem a qual ela seria economicamente inviável.[9]

Cada um dos problemas referidos — técnica de produção, criação de mercado, financiamento, mão de obra — pôde ser resolvido no tempo oportuno, independentemente da existência de um plano geral preestabelecido. O que importa ter em conta é que houve um conjunto de circunstâncias favoráveis sem o qual a empresa não teria conhecido o enorme êxito que alcançou. Não há dúvida de que por trás de tudo estavam o desejo e o empenho do governo português de conservar a parte que lhe cabia

---

9. A ideia de utilizar a mão de obra indígena foi parte integrante dos primeiros projetos de colonização. O vulto dos capitais imobilizados que representava a importação de escravos africanos só permitiu que se cogitasse dessa solução alternativa quando o negócio demonstrou que era altamente rentável. Contudo, ali onde os núcleos coloniais não encontravam uma base econômica firme para expandir-se, a mão de obra indígena desempenhou sempre um papel fundamental.

das terras da América, das quais sempre se esperava que um dia sairia o ouro em grande escala. Sem embargo, esse desejo só poderia transformar-se em política atuante se encontrasse algo concreto em que se apoiar. Caso a defesa das novas terras houvesse permanecido por muito tempo como uma carga financeira para o pequeno reino, seria de esperar que tendesse a relaxar-se. O êxito da grande empresa agrícola do século XVI — única na época — constituiu portanto a razão de ser da continuidade da presença dos portugueses em uma grande extensão das terras americanas. No século seguinte, quando se modifica a relação de forças na Europa com o predomínio das nações excluídas da América pelo Tratado de Tordesilhas, Portugal já havia avançado enormemente na ocupação efetiva da parte que lhe coubera.

3. Razões do monopólio

Os magníficos resultados financeiros da colonização agrícola do Brasil abriram perspectivas atraentes à utilização econômica das novas terras. Sem embargo, os espanhóis continuaram concentrados em sua tarefa de extrair metais preciosos. Ao aumentar a pressão de seus adversários, limitaram-se a reforçar o cordão de isolamento em torno do seu rico quinhão. As terras onde estavam concentrados se singularizavam na América por serem densamente povoadas. Na verdade, a empresa colonial espanhola tinha como base a exploração dessa mão de obra. A Espanha não chegou a interessar-se em fomentar um intercâmbio com as colônias ou entre estas. A forma como estavam organizadas as relações entre Metrópole e colônias criava uma permanente escassez de meios de transporte; e era a causa de fretes excessivamente elevados.[10] A política espanhola estava orientada

---

10. As Leis das Índias impediam rigorosamente a entrada de barcos não espanhóis nos portos americanos e limitavam o tráfego com a Espanha ao porto de Sevilha. Para esse porto partia da América anualmente apenas uma frota, na

no sentido de transformar as colônias em sistemas econômicos o quanto possível autossuficientes e produtores de um excedente líquido — na forma de metais preciosos — que se transferia periodicamente para a Metrópole. Esse afluxo de metais preciosos alcançou enormes proporções relativas e provocou profundas transformações estruturais na economia espanhola. O poder econômico do Estado cresceu desmesuradamente, e o enorme aumento no fluxo de renda gerado pelos gastos públicos — ou por gastos privados subsidiados pelo governo — provocou uma crônica inflação que se traduziu em persistente déficit na balança comercial. Sendo a Espanha o centro de uma inflação que chegou a propagar-se por toda a Europa, não é de estranhar que o nível geral de preços haja sido persistentemente mais elevado nesse país que em seus vizinhos, o que necessariamente teria de provocar um aumento de importações e uma diminuição de exportações.[11] Em consequência, os metais preciosos que a Espanha recebia da América sob a forma de transferências unilaterais provocavam um afluxo de importação de efeitos negativos sobre a produção interna e altamente estimulante para as demais eco-

---

qual dificilmente se podia obter praça. Mesmo na época em que Portugal estava ligado à Espanha, os equipamentos para os engenhos açucareiros que se fabricavam em Lisboa tinham que transportar-se a Sevilha para serem embarcados a altos fretes para as colônias espanholas. Veja-se RAMIRO GUERRA Y SÁNCHEZ, Azúcar y población en las Antillas, La Habana, 1944, 3ª ed., p. 50.

11. Os estudos realizados por J. HAMILTON sobre o abastecimento da frota em Sevilha puseram amplamente em evidência que o mesmo se fazia em grande parte com mercadorias importadas, seja manufaturas, seja alimentos. Veja-se, entre vários trabalhos desse autor, American treasure and the price revolution in Spain, 1501-1610, Cambridge, Mass., 1934. A luta pela conquista do mercado espanhol passou a ser um objetivo comum dos demais países europeus. COLBERT mesmo escreveu: "Plus chacun Etat a du commerce avec les Espagnols plus il a d'argent". Veja-se E. LEVASSEUR, Histoire du commerce de la France, Paris, 1911, tomo I, p. 413.

nomias europeias. Por outro lado, a possibilidade de viver direta ou indiretamente de subsídios do Estado fez crescer o número de pessoas economicamente inativas, reduzindo a importância relativa na sociedade espanhola e na orientação da política estatal dos grupos dirigentes ligados às atividades produtivas. A decadência econômica da Espanha prejudicou enormemente suas colônias americanas. Fora da exploração mineira, nenhuma outra empresa econômica de envergadura chegou a ser encetada. As exportações agrícolas de toda a imensa região em nenhum momento alcançaram importância significativa em três séculos de vida do grande império colonial. O abastecimento de manufaturas das grandes massas de população indígena continuou a basear-se no artesanato local, o que retardou a transformação das economias de subsistência preexistentes na região. Não fora o retrocesso da economia espanhola — particularmente acentuado no século XVII[12] —, e a exportação de manufaturas de produção metropolitana para as colônias teria necessariamente evoluído, dando lugar a vínculos econômicos de natureza bem mais complexa que a simples transferência periódica de um excedente de produção sob a forma de metais preciosos. O consumo de manufaturas europeias pelas densas populações da meseta mexicana e do altiplano andino teria criado a necessidade de uma contrapartida de exportações de produtos locais, seja para consumo na Espanha, seja para reexportação. Um intercâmbio desse

---

12. A indicação mais clara dessa decadência se traduz no fato de que entre os censos de 1594 e 1694 a população do país diminuiu 25 por cento. *"Almost all manufacturing cities suffered a catastrophic decline in population [...]; Valladolid, Toledo and Segovia, for example, lost more than half of their inhabitants."* Pela metade do século XVIII, Francisco Martinez Mata observava o desaparecimento de inúmeras corporações, inclusive as de trabalhadores do ferro, aço, cobre, estanho e enxofre. Veja-se J. HAMILTON, "The decline of Spain", in *Essays in economic history*, Londres, 1954, p. 218.

FORMAÇÃO ECONÔMICA DO BRASIL

tipo provocaria necessariamente transformações nas estruturas arcaicas das economias indígenas e possibilitaria maior penetração de capitais e técnica europeus.

Houvesse a colonização espanhola evoluído nesse sentido, e muito maiores teriam sido as dificuldades enfrentadas pela empresa portuguesa para vencer. A abundância de terras da melhor qualidade para produzir açúcar de que dispunha — terras essas bem mais próximas da Europa —, a barateza de uma mão de obra indígena mais evoluída do ponto de vista agrícola,[13] bem como o enorme poder financeiro concentrado em suas mãos, tudo indica que os espanhóis podiam ter dominado o mercado de produtos tropicais — particularmente o do açúcar[14] — desde o século XVI. A razão principal de isso não ter acontecido foi, muito provavelmente, a própria decadência econômica da Espanha. Não existindo por trás um fator político — como ocorreu em Portugal —, o desenvolvimento de linhas de exportação de produtos agrícolas americanos teria que ser provocado por grupos econômicos poderosos, interessados em vender seus produtos nos mercados coloniais. Seria de esperar que os produtores de manufaturas liderassem esse movimento, não fora a decadência em que entrou esse setor na etapa das grandes importações de metais preciosos e da concentração da renda em mãos do Estado espa-

---

13. As populações indígenas mais evoluídas do ponto de vista agrícola eram as das terras altas do México e dos Andes, e não se habituaram facilmente ao trabalho nas plantações de cana, localizadas em terras baixas e úmidas. Por essa razão a mão de obra negra também foi introduzida nos engenhos de açúcar instalados para abastecer as populações dessas regiões. A densa população das Antilhas, que poderia ter servido de base para o desenvolvimento agrícola da região, foi em grande parte transferida para o trabalho nas minas, em condições climáticas distintas, desaparecendo em grande escala.

14. A exportação de açúcar pelas colônias americanas estava proibida para evitar concorrência, no mercado interno da Espanha, à pequena produção que se obtinha na Andaluzia.

RAZÕES DO MONOPÓLIO

nhol. Cabe portanto admitir que um dos fatores do êxito da empresa colonizadora agrícola portuguesa foi a decadência mesma da economia espanhola, a qual se deveu principalmente à descoberta precoce dos metais preciosos.

4. Desarticulação do sistema

O quadro político-econômico dentro do qual nasceu e progrediu de forma surpreendente a empresa agrícola em que assentou a colonização do Brasil foi profundamente modificado pela absorção de Portugal na Espanha. A guerra que contra este último país promoveu a Holanda,[15] durante esse período, reper-

15. As terras compreendidas atualmente pela Holanda, a Bélgica e parte do norte da França eram conhecidas, no começo dos tempos modernos, pela designação geral de Nederlanden, isto é, Países Baixos. Quando as sete províncias setentrionais — entre as quais se destacavam a Holanda e a Zelândia — conquistaram sua independência, em fins do século XVI, as demais passaram a chamar-se Países Baixos *espanhóis* e, a partir do século XVIII, *austríacos*. A parte independente chamou-se então Províncias Unidas, prevalecendo subsequentemente o nome Holanda. A independência das Províncias Unidas data, oficialmente, de 1579 (União de Utrecht), mas a guerra com a Espanha continuou pelos trinta anos seguintes, até a trégua de doze anos firmada em 1609. Dessa forma, os flamengos das Províncias Unidas, que haviam desenvolvido enormemente o comércio com Portugal quando estavam submetidos à Espanha, foram obrigados a abandoná-lo quando adquiriram a independência, pois no ano seguinte a Espanha ocupava Portugal.

DESARTICULAÇÃO DO SISTEMA

cutiu profundamente na colônia portuguesa da América. No começo do século XVII os holandeses controlavam praticamente todo o comércio dos países europeus realizado por mar.[16] Distribuir o açúcar pela Europa sem a cooperação dos comerciantes holandeses evidentemente era impraticável. Por outro lado, estes de nenhuma maneira pretendiam renunciar à parte substancial que tinham nesse importante negócio, cujo êxito fora em boa parte obra sua. A luta pelo controle do açúcar torna-se, destarte, uma das razões de ser da guerra sem quartel que promovem os holandeses contra a Espanha. E um dos episódios dessa guerra foi a ocupação pelos batavos, durante um quarto de século, de grande parte da região produtora de açúcar no Brasil.[17]

16. *"It is now safe to assume that practical monopoly of European transport and commerce which the Dutch established in the early seventeenth century by reason of their geographical position, their superior commercial organization and technique, and the economic backwardness of their neighbours, stood intact until about 1730."* C. H. WILSON, "The economic decline of the Netherlands", in *Essays in economic history*, Londres, 1954, p. 254.

17. No período anterior à trégua de 1609 os holandeses abriram grandes brechas no império português das Índias Orientais, ao mesmo tempo que continuavam a recolher o açúcar em Lisboa usando vários subterfúgios, principalmente a conivência dos próprios portugueses, que viam nos flamengos o inimigo do espanhol ocupante do país. Durante a trégua de doze anos a penetração holandesa aumentou, estendendo-se ao comércio diretamente com o Brasil. *"It was during the truce of 1609-21 that their trade with Brazil expanded greatly, despite the Spanish crown's explicit and reiterated prohibitions of foreign trade with the colony. A representation of Dutch merchants concerned in this business, which was submitted to the States General in 1622, explains how this enviable position had been achieved. Dutch trade with Brazil had always been driven through the intermediary of many good and honest portuguese mostly living at Vianna and 'O Porto', who, after the first formal prohibition of Dutch participation in this trade in 1594, had spontaneously offered to continue it under cover of their names and flag. [...] The magistrate of Vianna do Castelo, in particular, had always 'tipped--off' the local Dutch Factors and their agents as to 'how they could guard themselves against damage from the Spaniards'. [...] The Dutch merchants estimated*

FORMAÇÃO ECONÔMICA DO BRASIL

As consequências da ruptura do sistema cooperativo anterior serão, entretanto, muito mais duradouras que a ocupação militar. Durante sua permanência no Brasil, os holandeses adquiriram o conhecimento de todos os aspectos técnicos e organizacionais da indústria açucareira. Esses conhecimentos vão constituir a base para a implantação e desenvolvimento de uma indústria concorrente, de grande escala, na região do Caribe. A partir desse momento, estaria perdido o monopólio que nos três quartos de século anteriores se assentara na identidade de interesse entre os produtores portugueses e os grupos financeiros holandeses que controlavam o comércio europeu. No terceiro quartel do século XVII os preços do açúcar estarão reduzidos à metade e persistirão nesse nível relativamente baixo durante todo o século seguinte.

A etapa de máxima rentabilidade da empresa agrícola-colonial portuguesa havia sido ultrapassada. O volume das exportações médias anuais da segunda metade do século XVII dificilmente alcança cinquenta por cento dos pontos mais altos atingidos em torno de 1650. E essas reduzidas exportações se liquidavam a preços que não superavam a metade daqueles que haviam prevalecido na etapa anterior. Tudo indica que a renda real gerada pela produção açucareira estava reduzida a um quarto do que havia sido em sua melhor época. A depreciação, com respeito ao ouro, da moeda portuguesa observada nessa época é praticamente das mesmas proporções, o que indica claramente a enorme importância para a

---

that they had secured between one-half and two-thirds of the carrying-trade between Brazil and Europe." C. R. BOXER, *The Dutch in Brazil*, Oxford, 1957, p. 20 [*Os holandeses no Brasil: 1624-1654*, Recife, Editora de Pernambuco, 2004]. Reiniciada a guerra com a Espanha, os holandeses empreenderam a ocupação militar da colônia açucareira, a qual, em vários aspectos, estava financeira e economicamente integrada com as Províncias Unidas.

DESARTICULAÇÃO DO SISTEMA

balança de pagamentos de Portugal que tinha o açúcar brasileiro. Fora Portugal o principal abastecedor da colônia, e essa desvalorização significaria uma importante transferência de renda real em benefício do núcleo colonial. Mas, como é sabido, por essa época o Brasil se abastecia principalmente de manufaturas que os portugueses recebiam de outros países europeus. Demais, como os artigos de produção interna que Portugal exportava para o Brasil eram, via de regra, os mesmos que exportava para outras partes, o mais provável é que seus preços estivessem fixados em ouro. Sendo assim, as transferências de renda provocadas pela desvalorização revertiam principalmente em benefício dos exportadores metropolitanos portugueses.[18]

18. A depreciação da moeda portuguesa com respeito ao ouro era uma consequência natural da redução substancial no valor real das exportações, decorrente da queda de preços e contração do volume do açúcar vendido. A depreciação minorava os prejuízos dos comerciantes que tinham capitais empatados nos negócios do açúcar, permitindo que esses negócios continuassem operando. Se outros fatores (a descoberta do ouro, meio século antes, por exemplo) houvessem impedido a depreciação, muito mais profunda teria sido a decadência das regiões açucareiras na segunda metade do século XVII.

45

5. As colônias de povoamento do hemisfério norte

O principal acontecimento da história americana no século XVII foi, para o Brasil, o surgimento de uma poderosa economia concorrente no mercado dos produtos tropicais. O advento dessa economia decorreu, em boa medida, do debilitamento da potência militar espanhola na primeira metade do século XVII, debilitamento esse observado de perto pelas três potências cujo poder crescia na mesma época: Holanda, França e Inglaterra. A ideia de apoderar-se da rica presa, que era o quinhão espanhol da América, estava sempre presente nesses países, e se não chegou a concretizar-se em maior escala foi graças às rivalidades crescentes entre a Inglaterra e a França. Estes dois países trataram de apoderar-se das estratégicas ilhas do Caribe para nelas instalar colônias de povoamento com objetivos militares. *"On n'eut dans les débuts"*, diz um autor francês, *"qu'une idée maîtresse: conquête des terres à métaux précieux ou, à défaut, des terres donnant accès à celles-là."* [19]

19. LÉON VIGNOLES, op. cit., loc. cit.

AS COLÔNIAS DE POVOAMENTO DO HEMISFÉRIO NORTE

Franceses e ingleses se empenham, assim, no começo do século XVII, em concentrar nas Antilhas importantes núcleos de população europeia, na expectativa de um assalto em larga escala aos ricos domínios da grande potência enferma desse século. Referindo-se aos objetivos de Richelieu com respeito à colonização da Martinica, observa um historiador francês: *"Il devenait urgent d'avoir au plus tôt une forte milice et qu'elle fût durable. C'est de ce principe que l'on part et à ce principe que l'on s'accroche: il faut aux îles des colons nombreux, cultivateurs et soldats"*.[20] Em razão de seus objetivos políticos, essa colonização deveria basear-se no sistema da pequena propriedade. Os colonos eram atraídos com propaganda e engodos, ou eram recrutados entre criminosos, ou mesmo sequestrados.[21] A cada um se atribuía um pedaço de terra limitado que deveria ser pago com o fruto de seu trabalho futuro.

As Antilhas inglesas se povoaram com maior rapidez que as francesas e com menos assistência financeira do governo, provavelmente devido à maior facilidade de recrutamento de colonos que apresentavam as Ilhas Britânicas. O século XVII foi uma etapa de grandes transformações sociais e de profunda intranquilidade política e religiosa nessas ilhas. Nos três quartos de século que antecederam ao *Toleration Act* (Lei da Tolerância) de 1689 a intolerância política e religiosa deu origem a importantes deslo-

---

20. J.-B. DELAWARDE, *Les défricheurs et les petits colons de la Martinique au XVIIème siècle*, Paris, 1935, p. 30.

21. Em alguns casos também se realizaram transferências em massa de populações rebeldes. Com respeito aos irlandeses revoltados, Cromwell deu a seguinte ordem: *"When they submitted these officers were knocked on the head, and every tenth man of the soldiers killed, and the rest shipped for Barbados"*. Veja-se V. T. HARLOW, *A history of Barbados*, Oxford, 1926, p. 295. *"Political criminals, prisoners of war, vagabonds, children of vagabonds were carried to America by merchants under contract with the government. Others were kidnapped, or induced to go under false pretenses."* JULIUS ISAAC, *Economics of migration*, Londres, 1947, p. 17.

FORMAÇÃO ECONÔMICA DO BRASIL

camentos de população dentro das ilhas e para o exterior.[22] Esses movimentos de população provocados por fatores religiosos e políticos estão intimamente ligados ao início da expansão colonizadora inglesa da primeira metade do século XVII, mas de nenhuma forma explicam esta última. O transporte de populações através do Atlântico requeria na época vultosas inversões. Sem embargo, o fato de que importantes grupos de população estivessem dispostos a aceitar as mais duras condições para emigrar criou a possibilidade de exploração de mão de obra europeia em condições relativamente favoráveis. Organizam-se importantes companhias com o objetivo de financiar o translado desses grupos de população, as quais conseguem amplos privilégios econômicos sobre as colônias que chegassem a fundar. Somente em casos excepcionais e com objetivos militares explicitamente declarados — como ocorreu na Geórgia já em pleno século XVIII — o governo inglês tomará a seu cargo o financiamento do translado da população colonizadora.

A colonização de povoamento que se inicia na América no século XVII constitui, portanto, seja uma operação com objetivos políticos, seja uma forma de exploração de mão de obra europeia que um conjunto de circunstâncias tornara relativamente barata nas Ilhas Britânicas. Ao contrário do que ocorrera com a Espanha e Portugal, que se viram afligidos por uma permanente escassez de mão de obra quando iniciaram a ocupação da América, a

---

22. "*The English settlements developed in the course of the seventeenth century owe their existence mainly to the immigration of refugees from religious or political intolerance who left Britain before the Toleration Act of 1689. Puritans founded the first successful settlement in New England in 1620. English Dissenters established settlements in Massachusetts, where the Massachusetts Bay Company had been granted a charter in 1629. Refugee immigration brought about the founding of Connecticut in 1633 and of Rhode Island in 1636. At about the same time discontented Catholics turned to the West Indies, were the Earl of Carlisle had received a charter.*" JULIUS ISAAC, op. cit., p. 16.

AS COLÔNIAS DE POVOAMENTO DO HEMISFÉRIO NORTE

Inglaterra do século XVII apresentava um considerável excedente de população, graças às profundas modificações de sua agricultura iniciadas no século anterior.[23] Essa população sobrante, que abandonava os campos à medida que o velho sistema de agricultura coletiva ia sendo eliminado, e que as terras agrícolas eram desviadas para a criação de gado lanígero, vivia em condições suficientemente precárias para submeter-se a um regime de servidão por tempo limitado, com o fim de acumular um pequeno patrimônio. A pessoa interessada assinava um contrato na Inglaterra, pelo qual se comprometia a trabalhar para outra por um prazo de cinco a sete anos, recebendo em compensação o pagamento da passagem, manutenção e, ao final do contrato, um pedaço de terra ou uma indenização em dinheiro. Tudo indica que essa gente recebia um tratamento igual ou pior ao dado aos escravos africanos.[24]

O início dessa colonização de povoamento no século XVII abre uma etapa nova na história da América. Em seus primeiros tempos essas colônias acarretam vultosos prejuízos para as com-

---

23. "*Britain could afford to send so many emigrants overseas without endangering the ample supply of cheap labour for her home industry. The changes in agricultural organization, particularly enclosures, had created in England a surplus rural population which brought wages down to subsistence level, and provided a large reserve in the labour market.*" JULIUS ISAAC, op. cit., p. 17. A ideia de que a Espanha foi empobrecida pela emigração em massa para a América carece de fundamento, pois o tipo de colônia que os espanhóis criaram nas terras americanas não exigiu grandes translados da população europeia. Na verdade, se estima que entre 1509 e 1790 emigraram da Espanha para a América cerca de 150 mil pessoas. Somente no século XVII das Ilhas Britânicas saíram cerca de 500 mil. Veja-se IMRE FERENCZ, "Migrations", in *Encyclopaedia of Social Sciences*, Nova York, 1936.

24. "*The most significant feature of this question of treatment is the general agreement among contemporary writers, that the European servant was in a less favoured position than the negro slave.*" V. T. HARLOW, op. cit., p. 302.

49

FORMAÇÃO ECONÔMICA DO BRASIL

panhias que as organizam. Particularmente grandes são os prejuízos dados pelas colônias que se instalam na América do Norte.[25] O êxito da colonização agrícola portuguesa tivera como base a produção de um artigo cujo mercado se expandira extraordinariamente. A busca de artigos capazes de criar mercados em expansão constitui a preocupação dos novos núcleos coloniais. Demais, era necessário encontrar artigos que pudessem ser produzidos em pequenas propriedades, condição sem a qual não perduraria o recrutamento de mão de obra europeia. Em tais condições, os núcleos situados na região norte da América setentrional encontraram sérias dificuldades para criar uma base econômica estável. Do ponto de vista das companhias que financiaram os gastos iniciais de translado e instalação, a colonização dessa parte da América constitui um efetivo fracasso. Não foi possível encontrar nenhum produto, adaptável à região, que alimentasse uma corrente de exportação para a Europa capaz de remunerar os capitais invertidos. Com efeito, o que se podia produzir na Nova Inglaterra era exatamente aquilo que se produzia na Europa, onde os salários estavam determinados por um nível de subsistência extremamente baixo na época. Demais, o custo do transporte era de tal forma elevado, relativamente ao custo de

25. A companhia que primeiro empreendeu a colonização da Virgínia não chegou a pagar um centavo de remuneração aos acionistas e encerrou suas contas com mais de 100 mil libras de prejuízo. Veja-se EDWARD C. KIRKLAND, *Historia económica de Estados Unidos*, México, 1941. Referindo-se ao fato de que o Canadá constituía uma carga para a França, e sua perda representava de certa forma um alívio, diz E. LEVASSEUR: "*En France les hommes d'Etat et les publicistes ne sentirent pas la gravité de cette perte.* [...] *Cette population, il est vrai, n'était pas riche; elle vivait de culture et de chasse.* [...] *L'abbé Raynal dit qu'en 1715 les exportations du Canada en France avaient à peine une valeur de 300 000 livres, qu'à l'époque la plus florissante elles ne dépassaient pas 1 300 000 livres, et que, de 1750 à 1760, le gouvernement y avait depensé 127 millions ½: ce que ne contribuait pas à rendre le Canada populaire dans l'administration française*". Op. cit., I, p. 484.

50

AS COLÔNIAS DE POVOAMENTO DO HEMISFÉRIO NORTE

produção dos artigos primários, que uma diferença mesmo substancial nos salários reais teria sido de escassa significação. Explica-se assim o lento desenvolvimento inicial das colônias do norte do continente, as quais muito possivelmente teriam permanecido em segundo plano por muito tempo se acontecimentos a que nos referiremos mais adiante não tivessem modificado os dados do problema.

As condições climáticas das Antilhas permitiam a produção de um certo número de artigos — como o algodão, o anil, o café e principalmente o fumo — com promissoras perspectivas nos mercados da Europa. A produção desses artigos era compatível com o regime da pequena propriedade agrícola e permitia que as companhias colonizadoras realizassem lucros substanciais ao mesmo tempo que os governos das potências expansionistas — França e Inglaterra — viam crescer as suas milícias.

Os esforços realizados, principalmente na Inglaterra, para recrutar mão de obra no regime prevalecente de servidão temporária se intensificaram com a prosperidade dos negócios. Por todos os meios procurava-se induzir as pessoas que haviam cometido qualquer crime ou mesmo contravenção a vender-se para trabalhar na América em vez de ir para o cárcere. Contudo, o suprimento de mão de obra deveria ser insuficiente, pois a prática do rapto de adultos e crianças tendeu a transformar-se em calamidade pública nesse país.[26] Por esse e outros métodos a população europeia das Antilhas cresceu intensamente, e só a ilha de Barbados chegou a ter, em 1634, 37,2 mil habitantes dessa origem.

---

26. Veja-se V. T. HARLOW, op. cit., passim.

6. Consequências da penetração do açúcar nas Antilhas

À medida que a agricultura tropical — particularmente a do fumo — transformava-se num êxito comercial, cresciam as dificuldades apresentadas pelo abastecimento de mão de obra europeia. Do ponto de vista das companhias interessadas no comércio das novas colônias, a solução natural do problema estava na introdução da mão de obra africana escrava. Na Virgínia, onde as terras não estavam todas divididas em mãos de pequenos produtores, a formação de grandes unidades agrícolas se desenvolveu mais rapidamente. Surge assim uma situação completamente nova no mercado dos produtos tropicais: uma intensa concorrência entre regiões que exploram mão de obra escrava de grandes unidades produtivas e regiões de pequenas propriedades e população europeia. A consequente baixa dos preços ocorrida nos mercados internacionais cria sérias dificuldades às populações antilhanas e vem demonstrar a fragilidade de todo o sistema de colonização ensaiado naquelas regiões tropicais.[27] As

27. *"Aucun bénéfice n'était plus possible: tandis que le colon anglais parvenait à remplacer la main-d'oeuvre blanche par des nègres achetés à bon compte ou à cré-*

CONSEQUÊNCIAS DA PENETRAÇÃO DO AÇÚCAR NAS ANTILHAS

colônias de povoamento dessas regiões, com efeito, resultaram ser simples estações experimentais para a produção de artigos de potencialidade econômica ainda incerta. Superada essa etapa de incerteza, as inversões maciças exigidas pelas grandes plantações escravistas demonstram ser negócio muito vantajoso.

A partir desse momento se modifica o curso da colonização antilhana, e essa modificação será de importância fundamental para o Brasil. A ideia original de colonização dessas regiões tropicais, à base de pequena propriedade, excluía per se toda cogitação em torno da produção de açúcar. Entre os produtos tropicais, mais que qualquer outro, este era incompatível com o sistema da pequena propriedade. Nesta primeira fase da colonização agrícola não portuguesa das terras americanas, aparentemente se dava por assentado que ao Brasil cabia o monopólio da produção açucareira. Às colônias antilhanas ficavam reservados os demais produtos tropicais. A razão de ser dessa divisão de tarefas derivava dos próprios objetivos políticos da colonização antilhana, onde franceses e ingleses pretendiam reunir fortes núcleos de população europeia. Sem embargo, esses objetivos políticos tiveram de ser abandonados sob a forte pressão de fatores econômicos.

É provável entretanto que as transformações da economia antilhana tivessem ocorrido muito mais lentamente, não fora a ação de um poderoso fator exógeno em fins da primeira metade do século XVII. Esse fator foi a expulsão definitiva dos holandeses da região nordeste do Brasil. Senhores da técnica de produção e muito provavelmente aparelhados para a fabricação[28] de equipa-

---

dit." LOUIS-PHILIPPE MAY, *Histoire economique de la Martinique* (1665-1763), Paris, 1930, p. 89.

28. O problema de se os holandeses conseguiram ou não dominar eles mesmos a técnica de produção de açúcar, ou permitiram a vinda ao Brasil de produtores antilhanos que aperfeiçoaram os seus conhecimentos, carece de significação real. Veja-se sobre este assunto A. P. CANABRAVA, "A influência do Brasil na técnica do fabrico de açúcar nas Antilhas francesas e inglesas no meado do século

mentos para a indústria açucareira, os holandeses se empenharam firmemente em criar fora do Brasil um importante núcleo produtor de açúcar. É tão favorável a situação que encontram nas Antilhas francesas e inglesas que preferem colaborar com os colonos dessas regiões a ocupar novas terras e instalar por conta própria a indústria. Na Martinica, as dificuldades causadas pela baixa dos preços do fumo eram grandes, o que facilita o início de qualquer negócio tendente a restaurar a prosperidade da ilha. Nas Antilhas inglesas, as dificuldades econômicas haviam sido agravadas pela guerra civil que se prolongava nas Ilhas Britânicas. Praticamente isoladas da Metrópole, as colônias inglesas acolheram com grande entusiasmo a possibilidade de um intenso comércio com os holandeses. Estes não somente deram a necessária ajuda técnica, como também propiciaram crédito fácil para comprar equipamentos, escravos e terra.[29] Em pouco tempo se constituíram nas ilhas poderosos grupos financeiros que controlavam grandes quantidades de terras e possuíam engenhos açucareiros de grandes proporções. Dessa forma, menos de um decênio depois da expulsão dos holandeses do Brasil, operava nas Antilhas uma economia açucareira de consideráveis proporções, cujos equipamentos eram totalmente novos e que se beneficiava de mais favorável posição geográfica.

As consequências dessa autêntica eclosão de um sistema econômico dentro de outro foram profundas. A população de origem

---

XVII", *Anuário da Faculdade de Ciências Econômicas e Administrativas, 1946- -47*, São Paulo, 1947.

29. *"It was thanks to Dutch refugees from Brazil, which was now being reconquered by the Portuguese, that the technique of sugar cultivation and manufacture came to Barbados. Dutch capital helped the planters to buy the necessary machinery, Dutch credit provided them with negro slaves to work on the sugar estates, and Dutch ships bought their sugar and supplied them with food and other goods which England could no longer supply owing to internal troubles."* ALAN BURNS, *History of the British West Indies*, Londres, 1954, p. 232.

CONSEQUÊNCIAS DA PENETRAÇÃO DO AÇÚCAR NAS ANTILHAS

europeia decresceu rapidamente, tanto nas Antilhas francesas como nas inglesas, enquanto crescia verticalmente o número de escravos africanos. Em Barbados, por exemplo, a população branca se reduziu à metade e a negra mais que decuplicou no correr de dois decênios. Nesse ínterim, a riqueza da ilha tinha aumentado quarenta vezes.[30] Na França, onde o governo estava menos submetido à influência das companhias de comércio, a reação provocada pelas rápidas transformações econômico-sociais das ilhas foi maior. Inúmeras medidas foram tomadas para deter o seu abandono pela população branca e a rápida transformação das colônias de povoamento em grandes plantações de açúcar. Tratou-se inclusive — contra a orientação da política colonial da época — de introduzir nas ilhas atividades manufatureiras. Colbert tomou o assunto em suas mãos, sugeriu inúmeras soluções, enviou operários especializados em missões técnicas para estudar os recursos da ilha. Tudo inutilmente. A valorização das terras provocada pela introdução do açúcar agiu inexoravelmente, destruindo em pouco tempo esse prematuro ensaio de colonização de povoamento das regiões tropicais da América.[31]

30. *"Already, in 1667, this substitution of the negro slave for the white servant had reached an advanced stage. In that year Major Scott stated that after examining all the Barbarians records he found that since 1643 no less than 12,000 'good men' had left the island for other plantations, and that the number of landowners had decreased from 11,200 small-holders in 1645 to 745 owners of large estates on 1667; while during the same period the negroes had increased from 5,680 to 82,023. Finally he summed up the situation by saying that in 1667 the island 'was not half so strong, and forty times as rich as in the year' 1645."* V. T. HARLOW, op. cit., p. 310.
31. Existe uma ampla correspondência trocada entre COLBERT e o governador da Martinica. Vários planos foram postos em prática para proteger o pequeno cultivador, que rapidamente estava sendo eliminado pelas grandes plantações de cana. *"En 1683, des ouvriers et ouvrières experts sont transportés à la Martinique, des graines distribuées avec des arbres, de par l'initiative du seul pouvoir Central. En 1685, le roi renouvelle son désir, il envoie encore des grains et souhaite l'éta-*

FORMAÇÃO ECONÔMICA DO BRASIL

Se a economia açucareira ao florescer nas Antilhas fez desaparecerem as colônias de povoamento que se havia tentado instalar nessas ilhas, por outro lado contribuiu grandemente para tornar economicamente viáveis as colônias desse tipo que os ingleses haviam estabelecido na região norte do continente. Conforme já indicamos, estas últimas estiveram longe de ser um êxito econômico para as companhias que haviam financiado sua instalação, pois os únicos produtos que na época justificavam um comércio transatlântico nelas não podiam ser produzidos. Contudo, os membros dessas colônias que sobreviveram às vicissitudes da etapa de instalação empenharam-se em criar uma economia autossuficiente, suplementada por algumas atividades comerciais que lhes permitiam atender a um mínimo indispensável de importações. Essas colônias pareciam fadadas a um lento desenvolvimento — o que aliás ocorreu com os grupos de população francesa situados no Canadá — quando o advento da economia açucareira antilhana, no começo da segunda metade do século XVII, veio abrir-lhes inesperadas perspectivas.

A penetração do açúcar nas ilhas caribenhas expeliu uma parte substancial da população branca nelas estabelecida, boa parte da qual foi instalar-se nas colônias do norte. Tratava-se, em grande parte, de pequenos proprietários que se viram na contingência de alienar suas terras e que se transferiram com algum ca-

---

blissement d'une manufacture." ADRIEN DESSALLES, *Histoire générale des Antilles*, Paris, 1847-48, II, p. 59. Em 1687 COLBERT escrevia ao governador da ilha: "*Il est nécessaire de les obliger* [les habitants] *à partager la culture de leurs terres en indigo, rocou, cacao, casse, gingembre, coton et autres fruits qu'ils peuvent cultiver.* [...] *La perte infaillible des îles sera causée par l'excessive quantité de cannes de sucre*". Veja-se LUCIEN PEYTRAND, *L'esclavage aux Antilles Françaises avant 1789*, Paris, 1897. Sem embargo, a política do governo francês nem sempre foi coerente, o que se explica tendo em conta que os interesses açucareiros eram poderosos.

CONSEQUÊNCIAS DA PENETRAÇÃO DO AÇÚCAR NAS ANTILHAS

pital. Por outro lado, o açúcar desorganizou e, em algumas partes, eliminou a produção agrícola de subsistência. As ilhas se transformaram, em pouco tempo, em grandes importadoras de alimentos, e as colônias setentrionais, que havia pouco não sabiam que fazer com seu excedente de produção de trigo, se constituíram em principal fonte de abastecimento das prósperas colônias açucareiras. Como bem observa um historiador inglês: "*Starting with fish, timber and meat, the New Englander by a clever, complex system of sale and barter in which the West Indies [...] formed the connecting link, drew to themselves any sort of commodity from the Old World of which they had need*".[32]

E não ficou na exportação de bens de consumo a importante corrente comercial que se formou entre os dois grupos de colônias inglesas. Não dispondo de força hidráulica para mover os engenhos, as ilhas dependiam principalmente de animais de tiro como fonte de energia. Tampouco dispunham de madeira para fabricar as caixas em que se exportava o açúcar. Do norte vinham uma e outra coisa.[33] Esse importante comércio se efetuava principalmente em navios dos colonos da Nova Inglaterra, o que veio fomentar a indústria de construção naval nessa região. Essa indústria, encontrando condições excepcionalmente favoráveis em razão da abundância de madeira adequada, se desenvolveu intensamente, transformando-se em uma das principais atividades exportadoras das colônias setentrionais. Por último cabe mencionar a instalação de uma importante indústria derivada da cana: a destilação de bebidas alcoólicas. Neste caso a integração

---

32. V. T. HARLOW, op. cit., p. 281.

33. "*Sugar mills had sprung up for crushing the canes, but Barbados possessed no water power to drive them. The alternative was to use tread-mills worked by horses; and horses were accordingly obtained from New England. Casks and barrels too were needed in which to pack the sugar. These were provided from the abundant forests of Massachusetts and Connecticut.*" V. T. HARLOW, op. cit., p. 274.

se realizou com as Antilhas francesas. Estas, estando interditadas de usar a matéria-prima de que dispunham — para evitar a concorrência às indústrias de bebidas da Metrópole —, vendiam-na a preços extremamente baixos. Os colonos do norte se prevaleciam desses baixos preços para concorrer vantajosamente com as próprias Antilhas inglesas nesse negócio altamente lucrativo.

As colônias do norte dos EUA se desenvolveram, assim, na segunda metade do século XVII e primeira do século XVIII, como parte integrante de um sistema maior no qual o elemento dinâmico são as regiões antilhanas produtoras de artigos tropicais. O fato de que as duas partes principais do sistema — a região produtora do artigo básico de exportação e a região que abastecia a primeira — hajam estado separadas é de fundamental importância para explicar o desenvolvimento subsequente de ambas. A essa separação se deve que os capitais gerados no conjunto do sistema não tenham sido canalizados exclusivamente para a atividade açucareira, que na realidade era a mais lucrativa. Essa separação, ao tornar possível o desenvolvimento de uma economia agrícola não especializada na exportação de produtos tropicais, marca o início de uma nova etapa na ocupação econômica das terras americanas. A primeira etapa consistira basicamente na exploração da mão de obra preexistente com vistas a criar um excedente líquido de produção de metais preciosos; a segunda se concretizara na produção de artigos agrícolas tropicais por meio de grandes empresas que usavam intensamente mão de obra escrava importada.

Nesta terceira etapa surgia uma economia similar à da Europa contemporânea, isto é, dirigida de dentro para fora, produzindo principalmente para o mercado interno, sem uma separação fundamental entre as atividades produtivas destinadas à exportação e aquelas ligadas ao mercado interno. Uma economia desse tipo estava em flagrante contradição com os princípios da

CONSEQUÊNCIAS DA PENETRAÇÃO DO AÇÚCAR NAS ANTILHAS

política colonial e somente graças a um conjunto de circunstâncias favoráveis pôde desenvolver-se. Com efeito, sem o prolongado período de guerra civil por que passou a Inglaterra no século XVII, teria sido muito mais difícil aos colonos da Nova Inglaterra firmar-se tão amplamente nos mercados das prósperas ilhas antilhanas. Demais, a famosa legislação protecionista naval que no último quartel desse século excluiu os holandeses do comércio das colônias constitui outro forte aliciante não só para as exportações da Nova Inglaterra como também para sua indústria de construção de barcos. Por último, o prolongado período de guerras que a Inglaterra manteve com a França tornou precário o abastecimento das Antilhas com gêneros europeus, criando para os colonos do norte a situação favorável de abastecedores regulares das ilhas inglesas e ocasionais das francesas.[34]

Os esforços, quase malogrados, feitos pelos ingleses para eliminar os contatos comerciais desses colonos com as Antilhas francesas constituem a primeira etapa de um período de fricção e choque de interesses que se fez cada vez mais manifesto. Com efeito, uma vez lograda a supremacia e excluídos os franceses de suas posições principais na América, a Inglaterra pretendeu, na segunda metade do século XVIII, pôr cobro à crescente concorrência que as colônias setentrionais estavam fazendo à economia metropolitana. As medidas legislativas se sucederam, então, mas serviram apenas para aumentar a tensão e pôr à mostra o profundo desencontro de interesses, que já existia, precipitando a separação.

De um ponto de vista macroeconômico, as colônias da Nova Inglaterra (assim como Nova York e Pensilvânia) continuaram a ser, avançando o século XVIII, economias de produtividade

---

34. O problema do abastecimento de víveres era menos grave nas Antilhas francesas, pois o governo da França, consciente de sua impotência para manter as linhas de comércio durante os períodos prolongados de guerra, regulamentara a produção dos mesmos em cada ilha.

FORMAÇÃO ECONÔMICA DO BRASIL

relativamente baixa. O produto por habitante deveria ser substancialmente inferior ao das colônias agrícolas de grandes plantações. Contudo, o tipo de atividade econômica que nelas prevalecia era compatível com pequenas unidades produtivas, de base familiar, sem o compromisso de remunerar vultosos capitais. Por outro lado, a abundância de terras tornava atrativa a imigração europeia no regime de servidão temporária. Ao surgir para o pequeno proprietário a possibilidade de vender regularmente parte de sua produção agrícola, tornou-se para ele viável o financiamento da viagem de um imigrante cujo trabalho seria explorado durante quatro anos. Estima-se que pelo menos a metade da população europeia que emigrou para os EUA antes de 1700 era constituída de pessoas que haviam aceitado um ou outro regime de servidão temporária.[35] A principal vantagem que esse sistema apresentava para o pequeno proprietário estava em que a imobilização de capital era muito menor que a exigida pela compra do escravo, sendo também menor o risco em caso de morte. O escravo africano constituía um negócio muito mais rentável para o grande capitalista, mas de maneira geral não estava ao alcance do pequeno produtor. Por outro lado, as atividades agrícolas dessas colônias tampouco justificavam grandes inversões. Explica-se, assim, que a importação de mão de obra europeia em regime de servidão temporária tenha continuado nas colônias mais pobres e haja sido excluída das colônias mais ricas, não obstante fosse amplamente reconhecido que o trabalho escravo era o mais barato. A transição para o escravo africano só se realizou ali onde foi possível especializar a agricultura num artigo exportável em grande escala.

35. "*It has been estimated that at least half of the white immigrants before 1700 were redemptioners or had their fares paid by others.*" F. A. SHANNON, *America's Economic Growth*, Nova York, 1951, p. 64.

CONSEQUÊNCIAS DA PENETRAÇÃO DO AÇÚCAR NAS ANTILHAS

Essas colônias de pequenos proprietários, em grande parte autossuficientes, constituem comunidades com características totalmente distintas das que predominavam nas prósperas colônias agrícolas de exportação. Nelas era muito menor a concentração da renda, e as mesmas estavam muito menos sujeitas a bruscas contrações econômicas. Demais, a parte dessa renda que revertia em benefício de capitais forâneos era insignificante. Em consequência, o padrão médio de consumo era elevado, relativamente ao nível da produção per capita. Ao contrário do que ocorria nas colônias de grandes plantações, em que parte substancial dos gastos de consumo estava concentrada numa reduzida classe de proprietários e se satisfazia com importações, nas colônias do norte dos EUA os gastos de consumo se distribuíam pelo conjunto da população, sendo relativamente grande o mercado dos objetos de uso comum.

A essas diferenças de estrutura econômica teriam necessariamente de corresponder grandes disparidades de comportamento dos grupos sociais dominantes nos dois tipos de colônia. Nas Antilhas inglesas os grupos dominantes estavam intimamente ligados a poderosos grupos financeiros da Metrópole e tinham inclusive uma enorme influência no Parlamento britânico. Esse entrelaçamento de interesses inclinava os grupos que dirigiam a economia antilhana a considerá-la exclusivamente como parte integrante de importantes empresas manejadas da Inglaterra. As colônias setentrionais, ao contrário, eram dirigidas por grupos, uns ligados a interesses comerciais centralizados em Boston e Nova York — os quais frequentemente entravam em conflito com os interesses metropolitanos —, e outros representativos de populações agrícolas praticamente sem qualquer afinidade de interesses com a Metrópole. Essa independência dos grupos dominantes vis-à-vis da Metrópole teria de ser um fator de fundamental importância para o desenvolvimento da colônia,

61

pois significava que nela havia órgãos políticos capazes de interpretar seus verdadeiros interesses, em vez de apenas refletir as ocorrências do centro econômico dominante.

7. Encerramento da etapa colonial

A evolução da colônia portuguesa na América, a partir da segunda metade do século XVII, será profundamente marcada pelo novo rumo que toma Portugal como potência colonial. Na época em que esteve ligado à Espanha, perdeu esse país o melhor de seus entrepostos orientais, ao mesmo tempo que a melhor parte da colônia americana era ocupada pelos holandeses. Ao recuperar a independência, Portugal encontrou-se em posição extremamente débil, pois a ameaça da Espanha — que por mais de um quarto de século não reconheceu essa independência — pesava permanentemente sobre o território metropolitano. Por outro lado, o pequeno reino, perdido o comércio oriental e desorganizado o mercado do açúcar, não dispunha de meios para defender o que lhe sobrara das colônias numa época de crescente atividade imperialista. A neutralidade em face das grandes potências era impraticável. Portugal compreendeu, assim, que para sobreviver como Metrópole colonial deveria ligar o seu destino a uma grande potência, o que significaria necessariamente alienar parte de sua soberania. Os acordos concluídos com a Inglaterra em 1642-54-61 estruturaram essa aliança que marcará profundamente a vida política e econômica de Portugal e do Brasil durante os dois séculos seguintes.[36]

Assim como seria difícil explicar o grande êxito da empresa açucareira sem ter em conta a cooperação comercial-financeira holandesa, também só pode explicar-se a persistência do pequeno e empobrecido reino como grande potência colonial na segunda metade do século XVII, bem como sua recuperação no século XVIII — durante o qual reteve sem disputas a colônia mais lucrativa da época —, tendo em conta a situação especial de semidependência que aceitou como forma de soberania o governo português. Os privilégios conseguidos pelos comerciantes ingleses em Portugal foram de tal ordem — incluíam extensa jurisdição extraterritorial, liberdade de comércio com as colônias, controle sobre as tarifas que as mercadorias importadas da Inglaterra deveriam pagar — que os mesmos passaram a constituir um poderoso e influente grupo com ascendência crescente sobre o governo português. Nas palavras de um meticuloso estudioso da matéria: *"Portugal became virtually England's commercial vassal"*.[37] O espí-

---

36. Ao recuperar Portugal a independência, em 1640, o governo lusitano empenhou-se em chegar a um acordo com a Holanda, então principal inimiga da Espanha nos mares. As múltiplas ofertas — inclusive a divisão do Brasil — foram entretanto rejeitadas pelos holandeses, demasiadamente confiantes em seu excepcional poder marítimo e ao mesmo tempo falhos de uma orientação política geral em razão de suas profundas dissensões internas. Ao prolongar-se o estado de guerra, os portugueses fizeram mais e mais apelos a barcos ingleses, no intuito de livrar-se do bloqueio dos flamengos. Em condições assim favoráveis, a penetração inglesa se processou rapidamente. O acordo de 1654 foi imposto em seguida a uma agressão da esquadra inglesa a Portugal, num momento em que este país se encontrava em guerra com a Holanda e a Espanha. Sobre a agressão inglesa, veja-se C. R. BOXER, "Blake and the Brazilian fleets in 1650", *The Mariner's Mirror*, vol. XXXIV, 1950.

37. ALAN K. MANCHESTER, *British preeminence in Brazil, its rise and decline*, Carolina do Norte, 1933, p. 9. *"The treaty thus finally ratified was a diplomatic triumph*

ENCERRAMENTO DA ETAPA COLONIAL

rito dos vários tratados firmados entre os dois países, nos primeiros dois decênios que se seguiram à independência, era sempre o mesmo: Portugal fazia concessões econômicas, e a Inglaterra pagava com promessas ou garantias políticas. Com respeito às Índias Orientais, por exemplo, Portugal cedeu Bombaim permanentemente, e a Inglaterra prometeu utilizar sua esquadra para manter a ordem nas possessões lusitanas. Os ingleses conseguiam, demais, privilégios de manter comerciantes residentes em praticamente todas as colônias portuguesas. O acordo de 1661 incluía finalmente uma cláusula secreta pela qual os ingleses prometiam defender as colônias portuguesas contra quaisquer inimigos. Se se tem em conta que por essa época a Espanha ainda não reconhecera a separação de Portugal e que nesse mesmo ano se estava negociando a paz com a Holanda, é fácil compreender o que significava para o governo português uma aliança que lhe garantia a sobrevivência como potência colonial.

Contudo, as garantias de sobrevivência não solucionavam o problema fundamental que era a própria decadência da colônia, decorrente da desorganização do mercado do açúcar. As dificuldades econômicas do reino continuam a agravar-se, e se repetem as desvalorizações monetárias. No último quartel do século XVII toma-se consciência da necessidade de reconsiderar a política econômica do país. A ideia de encontrar solução para as dificuldades da balança comercial nos produtos coloniais de exportação já não parece suficiente. Pensa-se em reduzir as importações fomentando a produção interna no setor manufatureiro. Essa política alcançou dar alguns frutos, e durante dois decênios se

---

for the Commonwealth, for by it great commercial and religious advantages were secured from Portugal. [...] It gave a convincing proof of the ascendency of England, whose subjects trading with or residing in Portugal, were for the future in a better situation than the Portuguese themselves. Britain here laid the foundations of its privileged position in Portugal overseas dominions." pp. 11-2.

chegou mesmo a interditar a importação de tecidos de lã, principal manufatura então importada. Tal política, entretanto, não chegaria a amadurecer plenamente. O rápido desenvolvimento da produção de ouro no Brasil, a partir do primeiro decênio do século XVIII, modificaria fundamentalmente os termos do problema. Conforme veremos em detalhe em capítulos subsequentes, o acordo comercial celebrado com a Inglaterra em 1703 desempenhou papel básico no curso tomado pelos acontecimentos. Esse acordo significou para Portugal renunciar a todo desenvolvimento manufatureiro e implicou transferir para a Inglaterra o impulso dinâmico criado pela produção aurífera no Brasil. Graças a esse acordo, entretanto, Portugal conservou uma sólida posição política numa etapa que resultou ser fundamental para a consolidação definitiva do território de sua colônia americana. O mesmo agente inglês que negociou o acordo comercial de 1703 (John Methuen) também tratou das condições da entrada de Portugal na guerra que lhe valeria uma sólida posição na conferência de Utrecht. Aí conseguiu o governo lusitano que a França renunciasse a quaisquer reclamações sobre a foz do Amazonas e a quaisquer direitos de navegação nesse rio. Igualmente nessa conferência Portugal conseguiu da Espanha o reconhecimento de seus direitos sobre a Colônia do Sacramento. Ambos os acordos receberam a garantia direta da Inglaterra e vieram a constituir fundamentos da estabilidade territorial da América portuguesa.

Observada de uma perspectiva ampla, a economia luso-brasileira do século XVIII se configurava com uma articulação — e articulação fundamental — do sistema econômico em mais rápida expansão na época, ou seja, a economia inglesa. O ciclo do ouro constitui um sistema mais ou menos integrado, dentro do qual coube a Portugal a posição secundária de simples entreposto. Ao Brasil o ouro permitiu financiar uma grande expansão demográfica, que trouxe alterações fundamentais à estrutura de

ENCERRAMENTO DA ETAPA COLONIAL

sua população, na qual os escravos passaram a constituir minoria, e o elemento de origem europeia, maioria. Para a Inglaterra o ciclo do ouro brasileiro trouxe um forte estímulo ao desenvolvimento manufatureiro, uma grande flexibilidade à sua capacidade para importar, e permitiu uma concentração de reservas que fizeram do sistema bancário inglês o principal centro financeiro da Europa. A Portugal, entretanto, a economia do ouro proporcionou apenas uma aparência de riqueza, repetindo o pequeno reino a experiência da Espanha no século anterior. Como agudamente observou Pombal, na segunda metade do século, o ouro era uma riqueza puramente fictícia para Portugal: os próprios negros que trabalhavam nas minas tinham que ser vestidos pelos ingleses. Contudo, nem mesmo Pombal, que tinha uma visão lúcida da situação de dependência política em que vivia seu país[38] e uma vontade de ferro, conseguiu modificar fundamentalmente as relações com a Inglaterra. Na verdade, essas relações constituíam uma ordem superior de coisas sem a qual não seria fácil explicar a sobrevivência do pequeno reino como Metrópole de um dos mais ricos impérios coloniais da época. Não seria sem razão que opiniões contemporâneas consideravam na Inglaterra que o comércio português era *"at the present the most advantageous that we drove anywhere"*, ou *"very best branch of all our European commerce"*.[39]

O último quartel do século XVIII veria a decadência da mineração do ouro no Brasil. A Inglaterra já havia, sem embargo, entrado em plena Revolução Industrial. As necessidades de mer-

---

38. Em suas memórias, o marquês de Pombal afirma categoricamente que a Inglaterra havia reduzido Portugal a uma situação de dependência, conquistando o reino sem os inconvenientes de uma conquista militar, e que todos os movimentos do governo eram regulados de acordo com os desejos da Inglaterra.
39. Citados por ALAN K. MANCHESTER, op. cit., p. 33.

FORMAÇÃO ECONÔMICA DO BRASIL

cados cada vez mais amplos para as manufaturas em processo de rápida mecanização impõem nesse país o abandono progressivo dos princípios protecionistas. O Tratado de Methuen, que criava uma situação de privilégio para os vinhos portugueses no mercado inglês, é fortemente criticado do ponto de vista dos novos ideais liberais. O problema fundamental da Inglaterra passa a ser a abertura dos grandes mercados europeus para as suas manufaturas, e com esse fim tornava-se indispensável eliminar as ataduras da era mercantilista. Com efeito, no tratado de 1786, firmado com a França, a Inglaterra praticamente pôs fim ao privilégio aduaneiro de que desde o começo do século XVIII haviam gozado os vinhos portugueses em seu mercado, única contrapartida econômica que recebera Portugal nos 150 anos anteriores de vassalagem econômica.[40] Minguara o mercado da economia luso-brasileira com a decadência da mineração, e já não se justificava manter um privilégio que constituía um empecilho à ampla penetração no principal mercado da Europa continental, que era a França.

40. O próprio ADAM SMITH se encarregou de demonstrar que o Tratado de Methuen era prejudicial à Inglaterra, argumentando que o mesmo concedia a Portugal um privilégio alfandegário, enquanto a Inglaterra tinha que competir com outras potências produtoras de manufaturas no mercado português. Veja-se *A riqueza das nações*, passim. No tratado comercial celebrado com a França em 1786, o governo inglês tratou de cobrir-se contra qualquer reação em Portugal, respeitando na forma o acordo de Methuen. Com efeito, os impostos sobre os vinhos franceses foram reduzidos de 8 shillings e ¾ pence para 4 shillings e 6 pence, por galão imperial, mas se concedeu uma rebaixa no imposto sobre os vinhos portugueses de 4 shillings e 2 pence para 3 shillings. Ocorre porém que, ao reduzir-se a importância relativa do imposto, as diferenças passaram a ser irrelevantes. Com efeito, as importações de vinhos franceses decuplicaram no ano seguinte à assinatura do acordo. Veja-se sobre este ponto o estudo de w. o. HENDERSON, "The Anglo-French Commercial Treaty of 1786", *The Economic History Review*, vol. v, nº I.

ENCERRAMENTO DA ETAPA COLONIAL

A forma peculiar como se processou a independência da América portuguesa teve consequências fundamentais no seu subsequente desenvolvimento. Transferindo-se o governo português para o Brasil sob a proteção inglesa e operando-se a independência da colônia sem descontinuidade na chefia do governo, os privilégios econômicos de que se beneficiava a Inglaterra em Portugal passaram automaticamente para o Brasil independente. Com efeito, se bem haja conseguido separar-se de Portugal em 1822, o Brasil necessitou vários decênios mais para eliminar a tutela que, graças a sólidos acordos internacionais, mantinha sobre ele a Inglaterra. Esses acordos foram firmados em momentos difíceis e constituíam, na tradição das relações luso-inglesas, pagamentos em privilégios econômicos de importantes favores políticos. Os acordos de 1810 foram firmados contra a garantia da Inglaterra de que nenhum governo imposto por Napoleão em Portugal seria reconhecido. Por eles se transferiam para o Brasil todos os privilégios de que gozavam os ingleses em Portugal — inclusive os de extraterritorialidade — e se lhes reconhecia demais uma tarifa preferencial.[41] Tudo indica que negociando esses acordos o governo português tinha estritamente em vista a continuidade da casa reinante em Portugal, enquanto os ingleses se preocupavam em firmar-se definitivamente na colônia, cujas perspectivas comerciais eram bem mais promissoras que as de Portugal.

---

41. O Tratado de Comércio e Navegação firmado em 1810, se bem pretenda instituir "systema Liberal de Commercio fundado sobre as Bazes de Reciprocidade", cria na verdade uma série de privilégios para a Inglaterra. A tarifa para as importações procedentes desse país passara a ser quinze por cento ad valorem, contra 24 por cento para os demais países e dezesseis por cento para Portugal. Os erros de tradução do inglês para o português são de monta a demonstrar claramente que a iniciativa esteve totalmente com os ingleses e que os portugueses firmaram o acordo sem saber exatamente o que estavam fazendo. O brasileiro Hypólito José Soares da Costa, que na época editava em Londres o *Correio Braziliense*, pôs em evidência vários desses erros.

FORMAÇÃO ECONÔMICA DO BRASIL

A independência, se do ponto de vista militar constituiu uma operação simples, do ponto de vista diplomático exigiu um grande esforço. Portugal tinha em mãos uma carta de alto valor: sua dependência política da Inglaterra. Se se interpretasse a independência do Brasil como um ato de agressão a Portugal, a Inglaterra estava obrigada a vir em socorro de seu aliado agredido. As *démarches* feitas em Londres nesse sentido pelo governo lusitano foram infrutíferas, pois, para os ingleses, restabelecer o entreposto português seria obviamente mau negócio. O que importava era garantir junto ao novo governo brasileiro a continuidade dos privilégios conseguidos sobre a colônia. Assim, de uma posição excepcionalmente forte, pôde o governo inglês negociar o reconhecimento da independência da América portuguesa. Pelo tratado de 1827, o governo brasileiro[42] reconheceu à Inglaterra a situação de potência privilegiada, autolimitando sua própria soberania no campo econômico.[43]

A primeira metade do século XIX constitui um período de transição durante o qual se consolidou a integridade territorial e se firmou a independência política. Os privilégios concedidos à Inglaterra criaram sérias dificuldades econômicas, conforme veremos em capítulo subsequente. Essas dificuldades econômicas, por um lado, reduziam a capacidade de ação do poder central e, por outro, devido ao descontentamento, criavam focos de desagregação territorial. É pela metade do século que ocorrem alguns fatos que permitirão consolidar definitivamente o país, e que marcarão o sentido de seu subsequente desenvolvimento. À medida que o café aumenta sua importância dentro da economia

42. O tratado foi firmado pelo imperador, independentemente de quaisquer consultas às Câmaras.
43. O novo acordo não reconheceu, entretanto, tarifa preferencial à Inglaterra. Em razão de cláusula de nação mais favorecida, o Brasil concederia a vários outros países, posteriormente, a mesma tarifa de quinze por cento ad valorem.

ENCERRAMENTO DA ETAPA COLONIAL

brasileira, ampliam-se as relações econômicas com os EUA. Já na primeira metade do século esse país passa a ser o principal mercado importador do Brasil. Essa ligação e a ideologia nascente de solidariedade continental contribuem para firmar o sentido de independência vis-à-vis da Inglaterra. Assim, quando expira, em 1842, o acordo com este último país, o Brasil consegue resistir à forte pressão do governo inglês para firmar outro documento do mesmo estilo.[44] Eliminado o obstáculo do tratado de 1827, estava aberto o caminho para a elevação da tarifa e o consequente aumento do poder financeiro do governo central,[45] cuja autoridade se consolida definitivamente nessa etapa. O passivo político da colônia portuguesa estava liquidado. Contudo, do ponto de vista de sua estrutura econômica, o Brasil da metade do século XIX não diferia muito do que fora nos três séculos anteriores. A estrutura econômica, baseada principalmente no trabalho escravo, se mantivera imutável nas etapas de expansão e decadência. A ausência de tensões internas, resultante dessa imutabilidade, é responsável pelo atraso relativo da industrialização. A expansão cafeeira da segunda metade do século XIX, durante a qual se modificam as bases do sistema econômico, constituiu uma etapa de transição econômica, assim como a primeira metade desse século representou uma fase de transição política. É das tensões internas da economia cafeeira em sua etapa de crise que surgirão os elementos de um sistema econômico autônomo, capaz de gerar o seu próprio impulso de crescimento, concluindo-se então definitivamente a etapa colonial da economia brasileira.

---

44. O acordo expirou em 1842, mas os ingleses conseguiram fazê-lo vigorar até 1844, interpretando a seu favor uma determinada cláusula. As negociações em torno de um novo acordo duraram vários anos, vencendo os brasileiros por paciência e habilidade protelatória.
45. A receita do governo central se manteve estacionária em todo o período compreendido entre 1829-30 e 1842-43, e duplicou no decênio seguinte.

71

PARTE DOIS

ECONOMIA ESCRAVISTA
DE AGRICULTURA TROPICAL
SÉCULOS XVI E XVII

8. Capitalização e nível de renda na colônia açucareira

O rápido desenvolvimento da indústria açucareira, malgrado as enormes dificuldades decorrentes do meio físico, da hostilidade do silvícola e do custo dos transportes, indica claramente que o esforço do governo português se concentrara nesse setor. O privilégio outorgado ao donatário de só ele fabricar moenda e engenho de água denota ser a lavoura do açúcar a que se tinha especialmente em mira introduzir.[46] Favores especiais foram concedidos subsequentemente àqueles que instalassem engenhos: isenções de tributos, garantia contra a penhora dos instrumentos de produção, honrarias e títulos etc. As dificuldades maiores encontradas na etapa inicial advieram da escassez de mão de obra. O aproveitamento do escravo indígena, em que aparentemente se baseavam todos os planos iniciais,[47] resultou

---

46. Veja-se JOÃO LÚCIO DE AZEVEDO, *Épocas de Portugal econômico*, Lisboa, 1929, p. 235.

47. Entre os privilégios que receberam os donatários estavam a escravização dos índios em número ilimitado e a autorização de exportar para Portugal,

inviável na escala requerida pelas empresas agrícolas de grande envergadura que eram os engenhos de açúcar.

A escravidão demonstrou ser, desde o primeiro momento, uma condição de sobrevivência para o colono europeu na nova terra. Como observa um cronista da época, sem escravos os colonos "não se podem sustentar na terra".[48] Com efeito, para subsistir sem trabalho escravo seria necessário que os colonos se organizassem em comunidades dedicadas a produzir para auto-consumo, o que só teria sido possível se a imigração houvesse sido organizada em bases totalmente distintas. Aqueles grupos de colonos que, em razão da escassez de capital ou da escolha de uma base geográfica inadequada, encontraram maiores dificul-dades para consolidar-se economicamente tiveram de empe-nhar-se de todas as formas na captura dos homens da terra. A captura e o comércio do indígena vieram constituir, assim, a pri-meira atividade econômica estável dos grupos de população não dedicados à indústria açucareira. Essa mão de obra indígena, considerada de segunda classe, é que permitirá a subsistência dos núcleos de população localizados naquelas partes do país que não se transformaram em produtores de açúcar.

Observada de uma perspectiva ampla, a colonização do sé-culo xvi surge fundamentalmente ligada à atividade açucareira. Aí onde a produção de açúcar falhou — caso de São Vicente — o pequeno núcleo colonial conseguiu subsistir graças à relativa abundância da mão de obra indígena. O homem da terra não so-mente trabalhava para o colono, como também constituía sua

---

anualmente, certo número de escravos indígenas. O êxito que vinham alcan-çando os espanhóis na exploração da mão de obra indígena deve haver influen-ciado os portugueses nos seus cálculos sobre essa matéria.

48. GANDAVO, *Tratado da Terra do Brasil*, 1570 (?), citado por ROBERTO SIMON-SEN, *História econômica do Brasil*, 3ª ed., São Paulo, 1957, p. 127.

CAPITALIZAÇÃO E NÍVEL DE RENDA NA COLÔNIA AÇUCAREIRA

quase única mercadoria de exportação. Contudo, não fora o mercado de escravos das regiões açucareiras e de suas pequenas dependências urbanas, e a captura destes não chegaria a ser uma atividade econômica capaz de justificar a existência dos colonos de São Vicente. Portanto, mesmo aquelas comunidades que aparentemente tiveram um desenvolvimento autônomo nessa etapa da colonização deveram sua existência indiretamente ao êxito da economia açucareira.

O fato de que desde o começo da colonização algumas comunidades se hajam especializado na captura de escravos indígenas põe em evidência a importância da mão de obra nativa na etapa inicial de instalação da colônia. No processo de acumulação de riqueza quase sempre o esforço inicial é relativamente o maior. A mão de obra africana chegou para a expansão da empresa, que já estava instalada. É quando a rentabilidade do negócio está assegurada que entram em cena, na escala necessária, os escravos africanos: base de um sistema de produção mais eficiente e mais densamente capitalizado.

Superadas essas dificuldades da etapa de instalação, a colônia açucareira se desenvolve rapidamente. Ao terminar o século XVI, a produção de açúcar muito provavelmente superava os 2 milhões de arrobas,[49] sendo umas vinte vezes maior que a cota de produção que o governo português havia estabelecido um século

---

49. As cifras relativas à produção de açúcar na época colonial, que aparecem em obras de cronistas, visitantes, informes oficiais portugueses e holandeses, bem como em trabalhos de estudiosos da matéria, nacionais e estrangeiros, foram cuidadosamente escrutinadas por ROBERTO SIMONSEN, op. cit. Os dados que servem de base aos cálculos e estimativas que aparecem no texto foram todos colhidos na obra desse grande pesquisador da história econômica do Brasil. Contudo, nem sempre acolhemos na escolha o próprio critério de ROBERTO SIMONSEN, que teve sempre a preocupação de reter apenas as referências mais conservadoras.

FORMAÇÃO ECONÔMICA DO BRASIL

antes para as ilhas do Atlântico. A expansão foi particularmente intensa no último quartel do século, durante o qual decuplicou. O montante dos capitais invertidos na pequena colônia já era, por essa época, considerável. Admitindo-se a existência de apenas 120 engenhos — ao final do século XVI — e um valor médio de 15 mil libras esterlinas por engenho, o total dos capitais aplicados na etapa produtiva da indústria resulta próximo de 1,8 milhão de libras. Por outro lado, estima-se em cerca de 20 mil o número de escravos africanos que havia na colônia por essa época. Se se admite que três quartas partes dos mesmos eram utilizadas diretamente na indústria do açúcar e se lhes imputa um valor médio de 25 libras, resulta que a inversão em mão de obra era da ordem de 375 mil libras. Comparando esse dado com o anterior, depreende-se que o capital empregado na mão de obra escrava deveria aproximar-se de vinte por cento do capital fixo da empresa. Parte substancial desse capital estava constituída por equipamentos importados.

Sobre o montante da renda gerada por essa economia não se pode ir além de vagas conjeturas. O valor total do açúcar exportado, num ano favorável, teria alcançado uns 2,5 milhões de libras. Se se admite que a renda líquida gerada na colônia pela atividade açucareira correspondia a sessenta por cento desse montante,[50] e que essa atividade contribuía com três quartas partes da renda total gerada, esta última deveria aproximar-se de 2 milhões de libras. Tendo em conta que a população de origem europeia não

50. Os gastos monetários de reposição, que cabe deduzir para obter o montante da renda líquida, podem ser estimados grosso modo em 110 mil libras: 50 mil libras para reposição dos escravos — admitindo-se uma vida útil média de oito anos, 15 mil escravos a 25 libras por cabeça — e 60 mil libras para a parte de equipamento importado — admitindo-se que a terça parte do capital fixo (inclusive escravos) estivesse constituída por equipamentos importados e que estes tivessem uma vida útil média de dez anos.

CAPITALIZAÇÃO E NÍVEL DE RENDA NA COLÔNIA AÇUCAREIRA

seria superior a 30 mil habitantes, torna-se evidente que a pequena colônia açucareira era excepcionalmente rica.[51] A renda que se gerava na colônia estava fortemente concentrada em mãos da classe de proprietários de engenho. Do valor do açúcar no porto de embarque apenas uma parte ínfima (não superior a cinco por cento) correspondia a pagamentos por serviços prestados fora do engenho no transporte e armazenamento. Os engenhos mantinham, demais, um certo número de assalariados: homens de vários ofícios e supervisores do trabalho dos escravos. Mesmo admitindo que para cada dez escravos houvesse um empregado assalariado — 1500 no conjunto da indústria açucareira — e imputando um salário monetário de quinze libras anuais cada um,[52] chega-se à soma de 22,5 mil libras, que é menos de dois por cento da renda gerada no setor açucareiro. Por último cabe considerar que o engenho realizava um certo montante de gastos monetários, principalmente na compra de gado (para tração) e de lenha (para as fornalhas). Essas compras constituíam o principal vínculo entre a economia açucareira e os

51. Se bem que as comparações a longo prazo de rendas monetárias — com base no valor do ouro — careçam quase totalmente de expressão real, a título de curiosidade indicamos que a renda per capita (da população de origem europeia), na passagem do século XVI para o XVII, corresponde a cerca de 350 dólares de hoje. Essa renda per capita estava evidentemente muito acima da que prevalecia na Europa, nessa época, e em nenhuma outra época de sua história — nem mesmo no auge da produção do ouro — o Brasil logrou recuperar esse nível.

52. Quinze libras anuais representariam um salário muito elevado na época, pois o custo real da mão de obra escrava não seria muito superior a quatro libras por ano — admitindo-se um preço de 25 libras, vida útil de oito anos e que a terça parte do tempo do escravo fosse absorvida na produção de alimentos para ele mesmo. Como ponto de referência pode-se indicar que o salário agrícola no norte dos EUA, na segunda metade do século XVIII, era de aproximadamente doze libras, sendo na Inglaterra a metade dessa soma. Veja-se F. A. SHANNON, op. cit., p. 74.

FORMAÇÃO ECONÔMICA DO BRASIL

demais núcleos de povoamento existentes no país. Estima-se que o número total de bois existentes nos engenhos era da mesma ordem do número de escravos. Por outro lado, admite-se que um boi valia cerca da quinta parte do valor de um escravo e que sua vida de trabalho era de apenas três anos. Sendo assim, a inversão em bois para tração seria da ordem de 75 mil libras, e os gastos de reposição, de cerca de 25 mil. Supondo mesmo que os gastos com lenha e outros menores chegassem a dobrar essa cifra, os pagamentos feitos pela economia açucareira aos demais grupos de população estariam muito pouco por cima de três por cento da renda que a mesma gerava. Tudo indica, destarte, que pelo menos noventa por cento da renda gerada pela economia açucareira dentro do país se concentrava nas mãos da classe de proprietários de engenhos e de plantações de cana.

A utilização dessa massa enorme de renda que se concentrava em tão poucas mãos constitui um problema difícil de elucidar. Os dados referidos anteriormente põem em evidência que a renda dos capitais invertidos na etapa produtiva — isto é, a etapa que correspondia à classe de senhores de engenho e proprietários de canaviais — estaria, num ano favorável, por cima de 1 milhão de libras, ao iniciar-se o século XVII. A parte dessa renda que se despendia com bens de consumo importados — principalmente artigos de luxo — era considerável. Dados relativos à administração holandesa, por exemplo, indicam que em 1639 teriam sido arrecadadas cerca de 160 mil libras em impostos de importação, a terça parte do total correspondendo a vinhos. Admitindo-se grosso modo uma taxa ad valorem de vinte por cento, deduz-se que o montante das importações não teria sido inferior a 800 mil libras.[53] Nesse mesmo ano, o valor do açúcar exportado pelo Bra-

53. Essas estimativas se baseiam em dados de fonte holandesa da época, transcritos por P. M. NETSCHER, in *Les Hollandais au Brésil*, 1853. A relação que aí

CAPITALIZAÇÃO E NÍVEL DE RENDA NA COLÔNIA AÇUCAREIRA

sil holandês, nos portos de embarque, teria sido pouco mais ou menos de 1,2 milhão de libras. Deve-se ter em conta, entretanto, que os gastos de consumo se ampliaram muito na época holandesa, seja pela necessidade de manter tropa numerosa, seja em razão do fausto da administração do período de Nassau (1637--44). Dificilmente se pode admitir que os colonos portugueses, isolados em seus engenhos e alheios a qualquer forma de convivência urbana, lograssem efetuar gastos de consumo de tal monta. Admitindo com muita margem que os gastos de consumo destes alcançassem 600 mil libras, restaria em mãos dos senhores de engenho soma igual a esta, não despendida na colônia. Esses dados põem em evidência a enorme margem para capitalização que existia na economia açucareira e explicam que a produção haja podido decuplicar no último quartel do século XVI.

Os dados a que se faz referência no parágrafo anterior sugerem que a indústria açucareira era suficientemente rentável para autofinanciar uma duplicação de sua capacidade produtiva a cada dois anos.[54] Aparentemente o ritmo de crescimento foi dessa

---

se encontra de produtos importados na época é interessante: vinhos espanhóis e franceses, azeite de oliveira, cerveja, vinagre, peixes salgados, sebos e couros, farinhas, biscoitos, manteiga, óleo de linhaça e de baleia, especiarias, panos, lãs, sedas, cobre, ferro, aço, estanho, pranchas etc. Ver ROBERTO SIMONSEN, op. cit., p. 119. Para um balanço das receitas e gastos dos holandeses no Brasil, em 1644, veja-se C. R. BOXER, op. cit., apêndice II.

54. Partindo de uma renda bruta de 1,5 milhão de libras no setor açucareiro, estimando que dez por cento dessa renda correspondiam a pagamentos de salários, compra de gado, lenha etc. e que os gastos de reposição de fatores importados eram da ordem de 120 mil libras, deduz-se que a renda líquida do setor era de cerca de 1,2 milhão de libras. Subtraindo 600 mil libras de gastos em bens de consumo importados, ficavam outras 600 mil libras, que era a quanto montava a potencialidade de inversão do setor. Como o capital fixo ascendia a 1,8 milhão de libras e pelo menos um terço do mesmo eram obras de construção e instalações realizadas pelos próprios escravos, deduz-se que em dois anos esse capital podia ser dobrado.

ordem nas etapas mais favoráveis. O fato de que essa potencialidade financeira só tenha sido utilizada excepcionalmente indica que o crescimento da indústria foi governado pela possibilidade de absorção dos mercados compradores. Sendo assim, que não se tenha repetido a dolorosa experiência de superprodução que tiveram as ilhas do Atlântico confirma que houve excepcional habilidade na etapa de comercialização, e que era sobre esta última que se tomavam as decisões fundamentais com respeito a todo o negócio açucareiro.

Mas se a plena capacidade de autofinanciamento da indústria não era utilizada, que destino tomavam os recursos financeiros sobrantes? É óbvio que não eram utilizados dentro da colônia, onde a atividade econômica não açucareira absorvia ínfimos capitais. Tampouco consta que os senhores de engenho invertessem capitais em outras regiões. A explicação mais plausível para esse fato talvez seja que parte substancial dos capitais aplicados na produção açucareira pertencesse aos comerciantes. Sendo assim, uma parte da renda, que antes atribuímos à classe de proprietários de engenhos e de canaviais, seria o que modernamente se chama renda de não residentes, e permanecia fora da colônia. Explicar-se-ia assim, facilmente, a íntima coordenação existente entre as etapas de produção e comercialização, coordenação essa que preveniu a tendência natural à superprodução.

9. Fluxo de renda e crescimento

Que possibilidade efetiva de expansão e evolução estrutural apresentava esse sistema econômico, base da ocupação do território brasileiro? Para elucidar essa questão convém observar mais de perto, nesse sistema, os processos de formação da renda e de acumulação de capital.

O que mais singulariza a economia escravista é, seguramente, o modo como nela opera o processo de formação de capital. O empresário açucareiro teve, no Brasil, desde o começo, que operar em escala relativamente grande. As condições do meio não permitiam pensar em pequenos engenhos, como fora o caso nas ilhas do Atlântico. Cabe deduzir, portanto, que os capitais foram importados. Mas o que se importava, na etapa inicial, eram os equipamentos e a mão de obra europeia especializada. O trabalho indígena deve ter sido utilizado, então, para alimentar a nova comunidade e nas tarefas não especializadas das obras de instalação. Nas primeiras fases de operação, muito provavelmente coube ao trabalho indígena um papel igualmente importante. Uma vez em operação os engenhos, o valor destes deveria

FORMAÇÃO ECONÔMICA DO BRASIL

pelo menos dobrar o capital importado sob a forma de equipamentos e destinado a financiar a transplantação dos operários especializados. A introdução do trabalhador africano não constitui modificação fundamental, pois apenas veio substituir outro escravo menos eficiente e de recrutamento mais incerto.

Uma vez instalada a indústria, seu processo de expansão seguiu sempre as mesmas linhas: gastos monetários na importação de equipamentos, de alguns materiais de construção e de mão de obra escrava. A importação de mão de obra especializada já se realizava em menor escala, tratando o engenho de se autoabastecer também neste setor, mediante treinamento daqueles escravos que demonstravam maior aptidão para os ofícios manuais. O mesmo não ocorre, entretanto, com a mão de obra não especializada, pois a população escrava tendia a minguar vegetativamente, sem que durante toda a época da escravidão se haja tentado com êxito inverter essa tendência.[55]

Uma vez efetuada a importação dos equipamentos e da mão de obra escrava, a etapa subsequente da inversão — construção e instalação — se realizava praticamente sem que houvesse lugar para a formação de um fluxo de renda monetária. Parte da força de trabalho escravo se dedicava a produzir alimentos para o conjunto da população, e os demais se ocupavam nas obras de ins-

---

55. Ao contrário do que ocorreu nos EUA, onde regiões houve que chegaram a especializar-se na criação de escravos, no Brasil sempre prevaleceu uma visão de curto prazo nesta matéria, como se a escravidão fora negócio apenas para uma geração. Já o jesuíta ANTONIL, nos seus sábios conselhos aos senhores de engenho, no começo do século XVIII, recomendava que "aos feitores de nenhuma maneira se deve consentir o dar coice, principalmente na barriga das mulheres, que andam pejadas, nem dar com pau nos escravos, porque na cólera se não medem os golpes, e podem ferir na cabeça a um escravo de préstimo que vale muito dinheiro e perdê-lo. Repreendê-los, e chegar-lhes com um cipó às costas com algumas varancadas, he o que se lhes póde, e deve permitir para ensino". Citado por ROBERTO SIMONSEN, op. cit., p. 108.

84

FLUXO DE RENDA E CRESCIMENTO

talação e, subsequentemente, nas tarefas agrícolas e industriais do engenho.

Numa economia industrial a inversão faz crescer diretamente a renda da coletividade em quantidade idêntica a ela mesma. Isto porque a inversão se transforma automaticamente em pagamento a fatores de produção. Assim, a inversão em uma construção está basicamente constituída pelo pagamento do material nela utilizado e da força de trabalho absorvida. A compra do material de construção, por seu lado, não é outra coisa senão a remuneração da mão de obra e do capital utilizados em sua fabricação e transporte. Esses pagamentos a fatores, que são uma criação de renda monetária[56] ou de poder de compra, somados, reconstituem o valor inicial da inversão.

A inversão feita numa economia exportadora-escravista é fenômeno inteiramente diverso. Parte dela transforma-se em pagamentos feitos no exterior: é a importação de mão de obra, de equipamentos e materiais de construção; a parte maior, sem embargo, tem como origem a utilização mesma da força de trabalho escravo. Ora, a diferença entre o custo de reposição e de manutenção dessa mão de obra e o valor do produto do trabalho da mesma era lucro para o empresário. Sendo assim, a nova inversão fazia crescer a renda real apenas no montante correspondente à criação de lucro para o empresário. Esse incremento da renda não tinha, entretanto, expressão monetária, pois não era objeto de nenhum pagamento.

A mão de obra escrava pode ser comparada às instalações de uma fábrica: a inversão consiste na compra do escravo, e sua manutenção representa custos fixos. Esteja a fábrica ou o escravo trabalhando ou não, os gastos de manutenção terão de ser

---

56. A renda monetária é igual à renda real quando não há modificações do nível geral dos preços.

despendidos. Demais, uma hora de trabalho do escravo perdida não é recuperável, como ocorreria no caso de uma máquina que tivesse de ser impreterivelmente abandonada ao final de um dado número de anos. É natural que, não podendo utilizá-la continuamente em atividades produtivas ligadas diretamente à exportação, o empresário procurasse ocupar a força de trabalho escravo em tarefas de outra ordem, nos interregnos forçados da atividade principal. Tais tarefas vinham a ser obras de construção, abertura de novas terras, melhoramentos locais etc. Essas inversões aumentavam o ativo do empresário mas não criavam um fluxo de renda monetária, como no caso anterior.

Os gastos de consumo apresentavam características similares. Parte substancial desses gastos era realizada no exterior, com a importação de artigos de consumo, conforme vimos. Outra parte consistia na utilização da força de trabalho escravo para a prestação de serviços pessoais. Neste último caso o escravo se comportava como um bem durável de consumo. O serviço que prestava era a contrapartida do dispêndio inicial exigido na aquisição de sua propriedade, assim como o serviço prestado por um automóvel é a contrapartida de seu custo. Da mesma forma que a renda da coletividade não diminui quando os automóveis particulares se paralisam, tampouco se modificaria essa renda caso os escravos deixassem de prestar serviços pessoais a seus donos.[57]

---

57. O serviço prestado por um bem durável de consumo é a contrapartida do seu custo inicial e dos gastos correntes efetuados com sua manutenção. A paralisação dos automóveis repercutiria sobre o nível de renda da coletividade na medida em que esses gastos correntes deixassem de realizar-se. No caso dos escravos, os gastos de manutenção não criavam, de maneira geral, nenhum fluxo de renda. Como os escravos produziam os seus meios de manutenção — com exceção de alguns tecidos grossos que se importavam —, cabe introduzir o conceito de *mão de obra escrava líquida*, isto é, excluída a parte que se utilizava na produção de alimentos para os próprios escravos.

FLUXO DE RENDA E CRESCIMENTO

Vejamos agora, em seu conjunto, o funcionamento dessa economia. Como os fatores de produção em sua quase totalidade pertenciam ao empresário, a renda monetária gerada no processo produtivo revertia em sua quase totalidade às mãos desse empresário. Essa renda — a totalidade dos pagamentos a fatores de produção mais os gastos de reposição do equipamento e dos escravos importados — expressava-se no valor das exportações. É fácil compreender que, se a quase totalidade da renda monetária estava dada pelo valor das exportações, a quase totalidade do dispêndio monetário teria de expressar-se no valor das importações. A diferença entre o dispêndio total monetário e o valor das importações traduziria o movimento de reservas monetárias e a entrada líquida de capitais, além do serviço financeiro daqueles fatores de produção de propriedade de pessoas não residentes na colônia. O fluxo de renda se estabelecia, portanto, entre a unidade produtiva, considerada em conjunto, e o exterior. Pertencendo todos os fatores a um mesmo empresário, é evidente que o fluxo de renda se resumia na economia açucareira a simples operações contábeis, reais ou virtuais. Não significa isto que essa economia fosse de outra natureza que não monetária. Tendo cada fator um custo que se expressa monetariamente, e o mesmo ocorrendo com o produto final, o empresário deveria de alguma forma saber como combinar melhor os fatores para reduzir o custo de produção e maximizar sua renda real.

A natureza puramente contábil do fluxo de renda, no setor açucareiro, tem induzido muita gente a supor que era essa uma economia de tipo semifeudal. O feudalismo é um fenômeno de regressão que traduz o atrofiamento de uma estrutura econômica.[58] Esse atrofiamento resulta do isolamento imposto a uma

58. Veja-se CELSO FURTADO, "O desenvolvimento econômico", *Econômica Brasileira*, vol. I, nº 1, janeiro-março de 1955, Rio de Janeiro.

FORMAÇÃO ECONÔMICA DO BRASIL

economia, isolamento que engendra grande diminuição da produtividade pela impossibilidade em que se encontra o sistema de tirar partido da especialização e da divisão do trabalho que o nível da técnica já alcançado lhe permite. Ora, a unidade escravista, cujas características indicamos em suas linhas gerais, pode ser apresentada como um caso extremo de especialização econômica. Ao inverso da unidade feudal, ela vive totalmente voltada para o mercado externo. A suposta similitude deriva da existência de pagamentos in natura em uma e outra. Mas ainda aqui há um total equívoco, pois na unidade escravista os pagamentos a fatores são todos de natureza monetária, devendo-se ter em conta que o pagamento ao escravo é aquele que se faz no ato de compra deste. O pagamento *corrente* ao escravo seria o simples gasto de manutenção, que, como o dispêndio com a manutenção de uma máquina, pode ficar implícito na contabilidade sem que por isso perca sua natureza monetária.[59]

Retornemos a nosso problema inicial: que possibilidades de expansão e evolução estrutural apresentava o sistema econômico escravista? É evidente que, se o mercado externo absorvesse quantidades crescentes de açúcar num nível adequado de preços, o sistema poderia crescer — sempre que a oferta externa de força de trabalho fosse elástica — até ocupar todas as terras disponíveis.

---

59. A tentativa de transposição de instituições feudais para as colônias comerciais da América demonstrou ser impraticável, mesmo ali onde houve intenção explícita de fazê-lo e onde era mais forte a tradição feudalista, como no caso da França. LOUIS-PHILIPPE MAY, referindo-se a este problema, diz: "*Quelques auteurs se sont imaginés que l'organisation féodale de la métropole fut transposée tout d'un bloc et dans son intégrité dans les colonies; que les droits seigneuriaux y furent levés et des tailles établies. En fait, rien n'est ici plus inexact. La Cie. tenta de percevoir le droit de lods et vente à St.-Christophe, mais de diminution en diminution, elle finit par abandonner. A la Martinique, nous n'en avons trouvé aucune trace*". Op. cit., pp. 69-70.

FLUXO DE RENDA E CRESCIMENTO

Dada a relativa abundância destas últimas, é de admitir que as possibilidades de expansão fossem ilimitadas por esse lado.

Também já vimos que, com os preços que prevaleceram na segunda metade do século XVI e na primeira do seguinte, a rentabilidade era suficientemente elevada para permitir que a indústria autofinanciasse uma expansão ainda mais rápida do que a efetivamente ocorrida. Tudo indica, portanto, que o aumento da capacidade produtiva foi regulado com vistas a evitar um colapso nos preços, ao mesmo tempo que se realizava um esforço persistente para tornar o produto conhecido e ampliar a área de consumo do mesmo. Como quer que seja, o crescimento foi considerável — particularmente se o observamos do ponto de vista da colônia — e persistiu durante todo um século. Contudo, esse crescimento se realizava sem que houvesse modificações sensíveis na estrutura do sistema econômico. Os retrocessos ocasionais tampouco acarretavam qualquer modificação estrutural. Mesmo que a unidade produtiva chegasse a paralisar-se, o empresário não incorria em grandes perdas, uma vez que os gastos de manutenção dependiam principalmente da própria utilização da força de trabalho escravo. Por outro lado, grande parte dos gastos de consumo do empresário estava assegurada pela utilização dessa força de trabalho. Destarte, o crescimento da empresa escravista tendia a ser puramente em extensão, isto é, sem quaisquer modificações estruturais. As paralisações ou retrocessos nesse crescimento não tendiam a criar tensões capazes de modificar-lhe a estrutura. Crescimento significava, nesse caso, ocupação de novas terras e aumento de importações. Decadência vinha a ser redução dos gastos em bens importados e na reposição da força de trabalho (também importada), com diminuição progressiva, mas lenta, no ativo da empresa, que assim minguava sem se transformar estruturalmente.

89

FORMAÇÃO ECONÔMICA DO BRASIL

Não havia, portanto, nenhuma possibilidade de que o crescimento com base no impulso externo originasse um processo de desenvolvimento de autopropulsão. O crescimento em extensão possibilitava a ocupação de grandes áreas, nas quais se ia concentrando uma população relativamente densa. Entretanto, o mecanismo da economia, que não permitia uma articulação direta entre os sistemas de produção e de consumo, anulava as vantagens desse crescimento demográfico como elemento dinâmico do desenvolvimento econômico. Conforme já vimos, os lucros eram o único tipo de renda que se deixava influenciar pelas modificações de produtividade, fosse esta de natureza puramente econômica (melhora nos preços relativos) ou resultasse da introdução de uma melhora tecnológica. Se ocorria uma redução no ritmo da atividade produtiva para exportação, reduziam-se os lucros do empresário, mas ao mesmo tempo se criava uma capacidade excedente de trabalho, a qual podia ser utilizada na expansão da capacidade produtiva. Se não havia interesse em expandir essa capacidade produtiva, o potencial disponível de inversão podia ser canalizado para obras de construção ligadas ao bem-estar da classe proprietária ou outras de caráter não reprodutivo.

A economia escravista dependia, assim, de forma praticamente exclusiva, da procura externa. Se se enfraquecia essa procura, tinha início um processo de decadência, com atrofiamento do setor monetário. Esse processo, entretanto, não apresentava de nenhuma maneira as características catastróficas das crises econômicas. A renda monetária da unidade exportadora praticamente constituía os lucros do empresário, sendo sempre vantajoso para este continuar operando, qualquer que fosse a redução ocasional dos preços. Como o custo estava virtualmente constituído de gastos fixos, qualquer redução na utilização da capacidade produtiva redundava em perda para o empresário. Sempre havia vantagem em utilizar a capacidade plenamente. Contudo,

FLUXO DE RENDA E CRESCIMENTO

se se reduziam os preços abaixo de certo nível, o empresário não podia enfrentar os gastos de reposição de sua força de trabalho e de seu equipamento importado. Em tal caso, a unidade tendia a perder capacidade. Essa redução de capacidade teria, entretanto, de ser um processo muito lento, dadas as razões já expostas. A unidade exportadora estava assim capacitada para preservar a sua estrutura. A economia açucareira do Nordeste, com efeito, resistiu mais de três séculos às mais prolongadas depressões, logrando recuperar-se sempre que o permitiam as condições do mercado externo, sem sofrer nenhuma modificação estrutural significativa.

Na segunda metade do século XVII, quando se desorganizou o mercado do açúcar e teve início a forte concorrência antilhana, os preços se reduziram à metade. Contudo, os empresários brasileiros fizeram o possível para manter um nível de produção relativamente elevado. No século seguinte persistiu a tendência à baixa de preços. Por outro lado, a economia mineira, que se expandiria no centro-sul, atraindo a mão de obra especializada e elevando os preços do escravo, reduziria ainda mais a rentabilidade da empresa açucareira. O sistema entrou, em consequência, numa letargia secular. Sua estrutura preservou-se, entretanto, intacta. Com efeito, ao surgirem novas condições favoráveis, no começo do século XIX, voltaria a funcionar com plena vitalidade.

10. Projeção da economia açucareira: a pecuária

A formação de um sistema econômico de alta produtividade e em rápida expansão na faixa litorânea do nordeste brasileiro teria necessariamente de acarretar consequências diretas e indiretas para as demais regiões do subcontinente que reivindicavam os portugueses. De maneira geral, estavam assegurados os recursos para manter a defesa da colônia e intensificar a exploração de outras regiões. De maneira particular, havia surgido um mercado capaz de justificar a existência de outras atividades econômicas.

Vimos anteriormente que, em razão de sua alta rentabilidade e elevado grau de especialização, a economia açucareira constituía um mercado de dimensões relativamente grandes. Para usar uma expressão atual: era essa uma economia de elevadíssimo coeficiente de importações. Com efeito, não obstante a quase inexistência de fluxo monetário dentro da economia açucareira, o seu grau de comercialização era muito elevado. A alta rentabilidade do negócio induzia à especialização, sendo perfeitamente explicável — do ponto de vista econômico — que os empresários açucareiros não quisessem desviar seus fatores de produção

PROJEÇÃO DA ECONOMIA AÇUCAREIRA: A PECUÁRIA

para atividades secundárias, pelo menos quando eram favoráveis as perspectivas do mercado de açúcar. A própria produção de alimentos para os escravos, nas terras do engenho, tornava-se antieconômica nessas épocas. A extrema especialização da economia açucareira constitui, na verdade, uma contraprova de sua elevada rentabilidade.

No capítulo 6 procuramos demonstrar que foi a especialização extrema da economia açucareira antilhana que, na segunda metade do século XVII, estimulou o desenvolvimento das colônias de povoamento do norte dos EUA. A elevada rentabilidade do negócio açucareiro fez surgir, em tempo relativamente curto, um mercado completamente novo para um sem-número de produtos, pois os antilhanos (particularmente nas ilhas inglesas) não usavam suas terras e seus escravos senão para produzir açúcar.

Pode-se admitir, como ponto pacífico, que a economia açucareira constituía um mercado de dimensões relativamente grandes, podendo, portanto, atuar como fator altamente dinâmico do desenvolvimento de outras regiões do país. Um conjunto de circunstâncias tenderam, sem embargo, a desviar para o exterior em sua quase totalidade esse impulso dinâmico. Em primeiro lugar havia os interesses criados dos exportadores portugueses e holandeses, os quais gozavam dos fretes excepcionalmente baixos propiciados pelos barcos que seguiam para recolher açúcar. Em segundo lugar estava a preocupação política de evitar o surgimento na colônia de qualquer atividade que concorresse com a economia metropolitana.

Se se compara a evolução de São Vicente — que resultou ser uma colônia de povoamento — com a da Nova Inglaterra, vis-à-vis das duas poderosas economias açucareiras que coexistiram com ambas, as similitudes e diferenças são ilustrativas. Em um e outro caso, os objetivos iniciais da colonização fracassaram. Os colonos que sobreviveram às dificuldades iniciais se dedicaram

93

FORMAÇÃO ECONÔMICA DO BRASIL

a atividades de baixa rentabilidade, transformando-se o núcleo de população de empresa colonial em colônia de povoamento. Os colonos da Nova Inglaterra encontraram na pesca não só um meio de subsistência como também uma de suas primeiras atividades comerciais. Voltaram-se assim para o mar, desde o começo. Cedo se dedicaram a construir as embarcações de que necessitavam, desenvolveram essa habilidade e progressivamente lograram independência de iniciativa nos negócios que tinham como base o transporte marítimo. Ao surgir o grande mercado das Antilhas eles lá apareceram em seus próprios barcos. Ainda assim, seria difícil explicar o seu grande êxito na conquista do mercado antilhano sem ter em conta que a Inglaterra — em razão de suas convulsões na segunda metade do século XVII e guerras externas na primeira metade do século XVIII — se encontrou, durante prolongados períodos, impossibilitada de abastecer o mercado antilhano.

Em São Vicente, onde a escassez de mão de obra resultou ser maior do que na Nova Inglaterra — o excedente de população nas Ilhas Britânicas possibilitou importar mão de obra europeia em regime de servidão temporária —, a primeira atividade comercial a que se dedicaram os colonos foi a caça ao índio. Dessa forma, voltaram-se para o interior e se transformaram em sertanistas profissionais. Assim como os portugueses no século XV penetraram no território africano na caça de escravos negros, os habitantes de São Vicente serão levados a penetrar fundo nas terras americanas na caça indígena. Daí resultará o desenvolvimento em grau eminente da habilidade exploratório-militar, qualidade esta que veio a constituir o fator decisivo da precoce ocupação de vastas áreas centrais do continente sul-americano.[60]

---

60. Que não hajam os espanhóis ocupado grande parte das terras que lhes adjudicara o Tratado de Tordesilhas na América meridional não é de surpreender,

PROJEÇÃO DA ECONOMIA AÇUCAREIRA: A PECUÁRIA

É provável, entretanto, que o principal fator limitante da ação dinâmica da economia açucareira sobre a colônia de povoamento do sul haja sido a própria abundância de terras nas proximidades do núcleo canavieiro. O que caracterizava a economia antilhana era sua extrema escassez de terras. A evolução econômico-social dessas ilhas, nos séculos que se seguiram ao advento da economia açucareira, será profundamente marcada por esse fato, assim como a evolução da economia nordestina brasileira estará condicionada pela fluidez de sua fronteira. A essa abundância de terras se deve a criação, no próprio Nordeste, de um segundo sistema econômico, dependente da economia açucareira.

Ao contrário do que ocorreria nas Antilhas, era relativamente pequena a porção do mercado da economia açucareira a que podiam ter acesso outros produtores coloniais. No setor de bens de consumo, as importações consistiam principalmente em artigos de luxo, os quais, evidentemente, não podiam ser produzidos na colônia. O único artigo de consumo de importância que podia ser suprido internamente era a carne, que figura na dieta

---

pois deram-se eles conta desde cedo de que não era factível defender tudo que lhes cabia no Novo Mundo por esse tratado. Sua linha de defesa estava estruturada no eixo México-Peru e em seus dois pontos de acesso, que eram o Caribe e o rio da Prata. A Amazônia e as terras centrais da América do Sul apresentavam menos interesse para os espanhóis que os atuais EUA, pois por ali era inviável entrar no Peru, e do atual território norte-americano se podia alcançar o México. Como as terras que os espanhóis efetivamente não ocupavam tenderam a cair em poder dos ingleses e franceses, nos séculos XVII e XVIII, para eles a expansão portuguesa na América do Sul certamente não era inconveniente. Assim, pelo menos se evitava a penetração das potências cujo objetivo conhecido era apossarem-se do melhor do quinhão espanhol. Contudo, não deixa de surpreender que o continente sul-americano haja sido ocupado e demarcado — inclusive a bacia amazônica — um século antes do norte-americano. Esse fato se deve ao extraordinário arrojo dos exploradores paulistas, como passavam a ser conhecidos os descendentes da primitiva colônia de São Vicente.

até mesmo dos escravos, como observa Antonil. Era no setor de bens de produção que o suprimento local encontrava maior espaço para expandir-se. As duas principais fontes de energia dos engenhos — a lenha e os animais de tiro — podiam ser supridas localmente com grande vantagem. O mesmo ocorria com o material de construção mais amplamente utilizado na época: as madeiras.

Ao expandir-se a economia açucareira, a necessidade de animais de tiro tendeu a crescer mais que proporcionalmente, pois a devastação das florestas litorâneas obrigava a buscar a lenha a distâncias cada vez maiores. Por outro lado, logo se evidenciou a impraticabilidade de criar o gado na faixa litorânea, isto é, dentro das próprias unidades produtoras de açúcar. Os conflitos provocados pela penetração de animais em plantações devem ter sido grandes, pois o próprio governo português proibiu, finalmente, a criação de gado na faixa litorânea. E foi a separação das duas atividades econômicas — a açucareira e a criatória — que deu lugar ao surgimento de uma economia dependente na própria região nordestina. A criação de gado — da forma como se desenvolveu na região nordestina e posteriormente no sul do Brasil — era uma atividade econômica de características radicalmente distintas das da unidade açucareira. A ocupação da terra era extensiva e até certo ponto itinerante. O regime de águas e as distâncias dos mercados exigiam periódicos deslocamentos da população animal, sendo insignificante a fração das terras ocupadas de forma permanente. As inversões fora do estoque de gado eram mínimas, pois a densidade econômica do sistema em seu conjunto era baixíssima. Por outro lado, a forma mesma como se realiza a acumulação de capital na economia criatória induzia a uma permanente expansão — sempre que houvesse terras por ocupar — independentemente das condições da procura. A essas características se deve que a economia criatória se

PROJEÇÃO DA ECONOMIA AÇUCAREIRA: A PECUÁRIA

haja transformado num fator fundamental de penetração e ocupação do interior brasileiro.

Deve-se ter em conta, entretanto, que essa atividade, pelo menos em sua etapa inicial, era um fenômeno econômico induzido pela economia açucareira e de rentabilidade relativamente baixa. A renda total gerada pela economia criatória do Nordeste seguramente não excederia cinco por cento do valor da exportação de açúcar. Essa renda estava constituída pelo gado vendido no litoral e pela exportação de couros. O valor desta última no século XVIII — quando se havia expandido grandemente a criação no sul — não seria muito superior a 100 mil libras.[61] Se nos limitamos à região diretamente dependente da economia açucareira, no começo do século XVII, dificilmente se pode admitir que sua renda bruta alcançasse 100 mil libras,[62] numa época em que o valor da exportação de açúcar possivelmente superava os 2 milhões.

A população que se ocupava da atividade criatória era evidentemente muito escassa. Segundo Antonil, os currais variavam de duzentas a mil cabeças, e havia fazendas de 20 mil cabeças de gado. Admitindo-se a relação de um para cinquenta entre a população humana e a animal — o que corresponde grosso modo a um vaqueiro para 250 cabeças —, resulta que o total da população que vivia da criação nordestina não seria superior a 13 mil pessoas,

61. ROBERTO SIMONSEN, op. cit., p. 171.

62. ANTONIL estimou em 1,3 milhão o número de cabeças de gado existentes no Nordeste (Bahia e Pernambuco) no começo do século XVIII. Mesmo que se admita que um século antes já existisse metade dessa população (o que indicaria uma taxa de crescimento vegetativo absurdamente baixa para as condições do meio), o total do gado vendido não poderia ser muito superior a 50 mil cabeças, pois é muito pouco provável que o desfrute do rebanho fosse superior a oito por cento. Admitindo-se um preço médio de venda de 2,5 libras por cabeça, se teria um valor bruto de 125 mil libras.

supondo-se 650 mil cabeças de gado. O recrutamento de mão de obra para essas atividades baseou-se no elemento indígena, que se adaptava facilmente à mesma. Não obstante a resistência que apresentaram os indígenas em algumas partes, ao verem-se espoliados de suas terras, tudo indica que foi com base na população local que se fez a expansão da atividade criatória.

Que possibilidades de crescimento apresentava esse novo sistema econômico que surgira como um reflexo da atividade açucareira? A condição fundamental de sua existência e expansão era a disponibilidade de terras. Dada a natureza dos pastos do sertão nordestino, a carga que suportavam essas terras era extremamente baixa. Daí a rapidez com que os rebanhos penetraram no interior, cruzando o São Francisco e alcançando o Tocantins e, para o norte, o Maranhão no começo do século XVII. É fácil compreender que, à medida que os pastos se distanciavam do litoral, os custos iam crescendo, pois o transporte do gado se tornava mais oneroso. O fato de que essa expansão se haja mantido por tanto tempo deve-se, em grande parte, a que a economia criatória sofreu modificações fundamentais, conforme indicaremos mais adiante.

No que respeita à disponibilidade de capacidade empresarial, a expansão criatória não parece ter encontrado obstáculos. Essa atividade apresentava para o colono sem recursos muito mais atrativos que as ocupações acessíveis na economia açucareira. Aquele que não dispunha de recursos para iniciar por conta própria a criação tinha possibilidade de efetuar a acumulação inicial trabalhando numa fazenda de gado. À semelhança do sistema de povoamento que se desenvolveu nas colônias inglesas e francesas, o homem que trabalhava na fazenda de criação durante um certo número de anos (quatro ou cinco) tinha direito a uma participação (uma cria em quatro) no rebanho em formação, podendo assim iniciar criação por conta própria. Tudo in-

PROJEÇÃO DA ECONOMIA AÇUCAREIRA: A PECUÁRIA

dica que essa atividade era muito atrativa para os colonos sem capital, pois não somente da região açucareira mas também da distante colônia de São Vicente muita gente emigrou para dedicar-se a ela. Por outro lado, conforme já indicamos, o indígena se adaptava rapidamente às tarefas auxiliares da criação.

Do lado da oferta não existiam, portanto, fatores limitativos à expansão da economia criatória. Esses fatores atuavam do lado da procura. Sendo a criação nordestina uma atividade dependente da economia açucareira, em princípio era a expansão desta que comandava o desenvolvimento daquela. A etapa de rápida expansão da produção de açúcar, que vai até a metade do século XVII, teve como contrapartida a grande penetração nos sertões. Da mesma forma, no século XVIII a expansão da atividade mineira comandará o extraordinário desenvolvimento da criação no sul. A expansão pecuária consiste simplesmente no aumento dos rebanhos e na incorporação — em escala reduzida — de mão de obra. A possibilidade de crescimento extensivo exclui qualquer preocupação de melhora de rendimentos. Por outro lado, como as distâncias vão aumentando, a tendência geral é no sentido de redução da produtividade na economia. Dessa forma, excluída a hipótese de melhora nos preços relativos, à medida que ia crescendo a economia criatória nordestina, a renda média da população nela ocupada ia diminuindo, sendo particularmente desfavorável a situação daqueles criadores que se encontravam a grandes distâncias do litoral.

Ao contrário do que ocorria com a economia açucareira, a criatória — não obstante nesta não predominasse o trabalho escravo — representava um mercado de ínfimas dimensões. A razão disso está em que a produtividade média da economia dependente era muitas vezes menor do que a da principal, sendo muito inferior seu grau de especialização e comercialização. Observada a economia criatória em conjunto, sua principal ativi-

99

FORMAÇÃO ECONÔMICA DO BRASIL

dade deveria ser aquela ligada à própria subsistência de sua população. Para compreender esse fato, é necessário ter em conta que a criação de gado também era em grande medida uma atividade de subsistência, sendo fonte quase única de alimentos e de uma matéria-prima (o couro) que se utilizava praticamente para tudo. Essa importância relativa do setor de subsistência na pecuária será um fator fundamental das transformações estruturais por que passará a economia nordestina em sua longa etapa de decadência.

11. Formação do complexo econômico nordestino

As formas que assumem os dois sistemas da economia nordestina — o açucareiro e o criatório — no lento processo de decadência que se inicia na segunda metade do século XVII constituem elementos fundamentais na formação do que no século XX viria a ser a economia brasileira. Vimos já que as unidades produtivas, tanto na economia açucareira como na criatória, tendiam a preservar a sua forma original, seja nas etapas de expansão, seja nas de contração. Por um lado, o crescimento era de caráter puramente extensivo, mediante a incorporação de terra e mão de obra, não implicando modificações estruturais que repercutissem nos custos de produção e portanto na produtividade. Por outro lado, a reduzida expressão dos custos monetários — isto é, a pequena proporção da folha de salários e da compra de serviços a outras unidades produtivas — tornava a economia enormemente resistente aos efeitos a curto prazo de uma baixa de preços. Convinha continuar operando, não obstante os preços sofressem uma forte baixa, pois os fatores de produção não tinham uso alternativo. Como se diz hoje em dia, a curto prazo a oferta era totalmente inelástica. Contudo, se os efeitos a curto prazo de uma contração da procura eram muito parecidos nas economias açucareira e criatória, a longo prazo as diferenças eram substanciais.

Muito ao contrário do que ocorria com a açucareira, a economia criatória não dependia de gastos monetários no processo de reposição do capital e de expansão da capacidade produtiva. Assim, enquanto na região açucareira dependia-se da importação de mão de obra e equipamentos simplesmente para manter a capacidade produtiva, na pecuária o capital se repunha automaticamente sem exigir gastos monetários de significação. Por outro lado, as condições de trabalho e alimentação na pecuária eram tais que propiciavam um forte crescimento vegetativo de sua própria força de trabalho. A essas disparidades se devem as diferenças fundamentais no comportamento dos dois sistemas no longo período de declínio nos preços do açúcar.

Ao reduzir-se o efeito dinâmico do estímulo externo, a economia açucareira entra numa etapa de relativa prostração. A rentabilidade do negócio açucareiro se reduz, mas não de forma catastrófica. Os novos preços ainda eram suficientemente altos para que a produção de açúcar constituísse para as Antilhas o magnífico negócio que era. Contudo, no caso brasileiro, passava-se de uma situação altamente favorável — em que a indústria estivera aparentemente capacitada para autofinanciar a duplicação de sua capacidade produtiva em dois anos — para uma outra de rentabilidade relativamente baixa.[63] A situação fez-se mais

---

63. Vimos que, na situação anterior, para um valor de exportação de 2 milhões de libras, o potencial de inversão líquida — formulada uma hipótese sobre os gastos em bens de consumo importados — talvez alcançasse 600 mil libras. Dessa forma, os gastos de reposição de mão de obra e dos equipamentos e aqueles despendidos em bens de consumo importados absorviam 1,4 milhão de libras. Reduzindo-se os preços do açúcar à metade, deduz-se que não seria

FORMAÇÃO DO COMPLEXO ECONÔMICO NORDESTINO

grave no século XVIII, em razão do aumento nos preços dos escravos e da emigração da mão de obra especializada, determinados pela expansão da produção de ouro. Como a produção de açúcar no Nordeste esteve em todo o século XVIII abaixo dos pontos altos alcançados no século anterior, é provável que parte das antigas unidades produtivas se haja desorganizado em benefício daquelas que apresentavam condições mais favoráveis de terras e transporte.

No caso da criação, o afrouxamento do efeito dinâmico externo, aparentemente, teve consequências distintas. A expansão do sistema era, aí, um processo endógeno, resultante do aumento vegetativo da população animal. Dessa forma, sempre havia oportunidade de emprego para a força de trabalho que crescia vegetativamente, e também para elementos que perdiam sua ocupação no sistema açucareiro, em lenta decadência. Sem embargo, se a procura de gado na região litorânea não estava aumentando num ritmo adequado, o crescimento do sistema pecuário se fazia através do aumento relativo do setor de subsistência. Em outras palavras, a importância relativa da renda monetária ia diminuindo, o que acarretava necessariamente uma redução paralela de sua produtividade econômica.[64] A redução relativa da renda monetária teria de repercutir no grau de especialização da economia e no sistema de divisão do trabalho dentro da mesma. Mui-

---

possível sequer manter a capacidade produtiva, a menos que se reduzissem os gastos de consumo. É provável, entretanto, que a forte desvalorização da moeda portuguesa haja contribuído para manter o sistema em condições de, pelo menos, preservar sua capacidade produtiva.

64. A produtividade física — número de cabeças atendidas por um homem — podia manter-se estável, mas como o valor total do rebanho diminuía — pois a quantidade de gado que se podia vender era relativamente menor —, o valor da produção por homem diminuía, e, consequentemente, a produtividade econômica do sistema.

tos artigos que antes se podiam comprar nos mercados do litoral — e que eram importados — teriam agora de ser produzidos internamente. Essa produção, entretanto, limitava-se ao âmbito local, constituindo uma forma rudimentar de artesanato. O couro substitui quase todas as matérias-primas, evidenciando o enorme encarecimento relativo de tudo que não fosse produzido localmente. Esse atrofiamento da economia monetária se acentua à medida que aumentam as distâncias do litoral, pois, dado o custo do transporte do gado, em condições de estagnação do mercado de animais, os criadores mais distantes se tornavam submarginais. Os couros passaram a ser a única fonte de renda monetária destes últimos criadores.

Tudo indica que no longo período que se estende do último quartel do século XVII ao começo do século XIX a economia nordestina sofreu um lento processo de atrofiamento, no sentido de que a renda real per capita de sua população declinou secularmente. É interessante observar, entretanto, que esse atrofiamento constituiu o processo mesmo de formação do que no século XIX viria a ser o sistema econômico do Nordeste, cujas características persistem até hoje. A estagnação da produção açucareira não criou a necessidade — como ocorreria nas Antilhas — de emigração do excedente da população livre formado pelo crescimento vegetativo desta. Não havendo ocupação adequada na região açucareira para todo o incremento de sua população livre, parte dela era atraída pela fronteira móvel do interior criatório. Dessa forma, quanto menos favoráveis fossem as condições da economia açucareira, maior seria a tendência imigratória para o interior. As possibilidades da pecuária para receber novos contingentes de população — quando existe abundância de terras — são sabidamente grandes, pois a oferta de alimentos é, nesse tipo de economia, muito elástica a curto prazo. Contudo, como a rentabilidade da economia pecuária dependia em grande medida da

FORMAÇÃO DO COMPLEXO ECONÔMICO NORDESTINO

rentabilidade da própria economia açucareira, ao transferir-se população desta para aquela nas etapas de depressão se intensificava a conversão da pecuária em economia de subsistência. Não fora esse mecanismo, e a longa depressão do setor açucareiro teria provocado, seja uma emigração de fatores, seja a estagnação demográfica. Sendo a oferta de alimentos pouco elástica na região litorânea, o crescimento da população teria sido muito menor, não fora essa articulação com o sistema pecuário.

A redução da renda real resultante de baixa dos preços de exportação, numa região agrícola onde a terra é escassa, afeta necessariamente a oferta de alimentos, seja porque se desviam terras que antes produziam alimentos, para produzir artigos exportáveis — e recuperar assim o valor das exportações —, seja porque a importação de alimentos deverá reduzir-se. Numa região pecuária — porquanto a população se alimenta do mesmo produto que exporta — a redução das exportações em nada afeta a oferta interna de alimentos, e, assim, a população pode continuar crescendo normalmente durante um longo período de decadência das exportações. No nordeste brasileiro, como as condições de alimentação eram melhores na economia de mais baixa produtividade, isto é, na região pecuária, as etapas de prolongada depressão em que se intensificava a migração do litoral para o interior teriam de caracterizar-se por uma intensificação no crescimento demográfico. Explica-se assim que a população do Nordeste haja continuado a crescer — e possivelmente tenha intensificado o seu crescimento — em todo o século e meio de estagnação da produção açucareira a que fizemos referência.

A expansão da economia nordestina durante esse longo período consistiu, em última instância, num processo de involução econômica: o setor de alta produtividade ia perdendo importância relativa, e a produtividade do setor pecuário declinava à medida que este crescia. Na verdade, a expansão refletia apenas o crescimento do setor de subsistência, no qual se ia acumulando uma fração crescente da população. Dessa forma, de sistema econômico de alta produtividade em meados do século XVII, o Nordeste se foi transformando progressivamente numa economia em que grande parte da população produzia apenas o necessário para subsistir. A dispersão de parte da população, num sistema de pecuária extensiva, provocou uma involução nas formas de divisão do trabalho e especialização, acarretando um retrocesso mesmo nas técnicas artesanais de produção. A formação da população nordestina e a de sua precária economia de subsistência — elemento básico do problema econômico brasileiro em épocas posteriores — estão assim ligadas a esse lento processo de decadência da grande empresa açucareira que possivelmente foi, em sua melhor época, o negócio colonial agrícola mais rentável de todos os tempos.

12. Contração econômica e expansão territorial

O século XVII constitui a etapa de maiores dificuldades na vida política da colônia. Em sua primeira metade, o desenvolvimento da economia açucareira foi interrompido pelas invasões holandesas. Nessa etapa os prejuízos são bem maiores para Portugal que para o próprio Brasil, teatro das operações de guerra. A administração holandesa se preocupou em reter na colônia parte das rendas fiscais proporcionadas pelo açúcar, o que permitiu um desenvolvimento mais intenso da vida urbana. Do ponto de vista do comércio e do fisco portugueses, entretanto, os prejuízos deveriam ser consideráveis. Simonsen estimou em 20 milhões de libras o valor das mercadorias subtraídas ao comércio lusitano.[65] Isso concomitantemente com gastos militares vultosos. Encerrada a etapa militar, tem início a baixa nos preços do açúcar provocada pela perda do monopólio. Na segunda metade do século a rentabilidade da colônia baixou substancialmente,

65. Op. cit., p. 120.

FORMAÇÃO ECONÔMICA DO BRASIL

tanto para o comércio como para o erário lusitanos, ao mesmo tempo que cresciam suas próprias dificuldades de administração e defesa.

Na etapa de prosperidade da economia açucareira, os portugueses se haviam preocupado em estender seus domínios para o norte. A preocupação de defender o monopólio do açúcar deve haver fomentado esse movimento expansionista. Em fins do século XVI praticamente todas as terras tropicais do continente — isto é, as terras potencialmente produtoras de açúcar — estavam em mãos de espanhóis e portugueses, por essa época unidos sob um só governo. O ataque de holandeses, franceses e ingleses se fez em toda a linha que desce das Antilhas à região nordeste do Brasil. Aos portugueses coube a defesa da parte dessa linha ao sul da foz do Amazonas. Dessa forma, foi defendendo as terras da Espanha dos inimigos desta que os portugueses se fixaram na foz do grande rio, posição-chave para o fácil controle de toda a imensa bacia.

A experiência havia já demonstrado que a simples defesa militar sem a efetiva ocupação da terra era, a longo prazo, operação infrutífera, seja porque os demais povos não reconheciam direito senão sobre as terras efetivamente ocupadas, seja porque, na ausência de bases permanentes em terra, as operações de defesa se tornavam muito mais onerosas. Na época do apogeu açucareiro, Portugal ocupou — expulsando franceses, holandeses e ingleses — toda a costa que se estende até a foz do Amazonas. Pelo menos nessa parte da América estava eliminado o risco de formação de uma economia concorrente. A ocupação foi seguida de decisões objetivando a criação de colônias permanentes. Ao Maranhão foram enviados de uma feita — no segundo decênio do século XVII — trezentos açorianos. Ao iniciar-se a etapa de dificuldades políticas e econômicas para o governo português, essas colônias da região norte ficaram abandonadas aos

CONTRAÇÃO ECONÔMICA E EXPANSÃO TERRITORIAL

seus próprios recursos, e as vicissitudes que tiveram de enfrentar demonstram vivamente o quão difícil era a sobrevivência de uma colônia de povoamento nas terras da América. Os solos do Maranhão não apresentavam a mesma fecundidade que os massapés nordestinos para a produção de açúcar. Mas não foi esta a maior dificuldade, e sim a desorganização do mercado do açúcar, fumo e outros produtos tropicais, na segunda metade do século XVII, o que impediu aos colonos do Maranhão dedicarem-se a uma atividade que lhes permitisse iniciar um processo de capitalização e desenvolvimento. As suas dificuldades eram as mesmas que enfrentava o conjunto das colônias portuguesas na América, apenas agravadas pelo fato de que eles tentaram começar numa etapa em que os outros consumiam parte do que haviam acumulado anteriormente. Piratininga contara, em sua primeira etapa, com a forte expansão contemporânea da economia açucareira, tendo se dedicado à venda de escravos indígenas numa época em que a importação de africanos apenas se iniciava. Foi essa atividade que permitiu à colônia do sul sobreviver. Os maranhenses tentaram o mesmo caminho, mas logo tiveram de enfrentar o isolamento provocado pela ocupação de Pernambuco pelos holandeses e, mais adiante, a própria decadência da economia açucareira.

Em toda a segunda metade do século XVII e a primeira do seguinte, os colonos do chamado Estado do Maranhão[66] lutaram tenazmente para sobreviver. Criada com objetivos políticos mas abandonada pelo governo português, a pequena colônia invo-

---

66. Em vista das dificuldades criadas pelos ventos à navegação entre a costa norte do Brasil e as demais capitanias, ao ocupar-se daquela o governo português considerou conveniente criar uma colônia distinta, diretamente ligada a Lisboa. Essa colônia, fundada em 1621, chamou-se de Estado do Maranhão, em contraposição ao Estado do Brasil, e compreendia desde o Ceará até o Amazonas.

FORMAÇÃO ECONÔMICA DO BRASIL

luiu de tal forma que meio século depois, no dizer de um observador da época, "para um homem ter o pão da terra, há de ter roça; para comer carne há de ter caçador; para comer peixe, pescador; para vestir roupa lavada, lavadeira".[67] A inexistência de qualquer atividade que permitisse produzir algo comercializável obrigava cada família a abastecer-se a si mesma de tudo, o que só era praticável para aquele que conseguia pôr as mãos num certo número de escravos indígenas. A caça ao índio se tornou, assim, condição de sobrevivência da população.

A luta pela mão de obra indígena que realizaram os colonos do norte e a tenaz reação, contra estes, dos jesuítas, que desenvolveram técnicas bem mais racionais de incorporação das populações indígenas à economia da colônia, constituem um fator decisivo na penetração econômica da bacia amazônica. Em sua caça ao indígena, os colonos foram conhecendo melhor a floresta e descobrindo suas potencialidades. Na primeira metade do século XVIII a região paraense progressivamente se transforma em centro exportador de produtos florestais: cacau, baunilha, canela, cravo, resinas aromáticas. A colheita desses produtos, entretanto, dependia de uma utilização intensiva da mão de obra indígena, a qual, trabalhando dispersa na floresta, dificilmente poderia submeter-se às formas correntes de organização do trabalho escravo. Coube aos jesuítas encontrar a solução adequada para esse problema. Conservando os índios em suas próprias estruturas comunitárias, tratavam eles de conseguir a cooperação voluntária dos mesmos. Dado o reduzido valor dos objetos que recebiam os índios, tornava-se rentável organizar a exploração florestal de forma extensiva, ligando pequenas comunidades disseminadas na imensa zona. Essa penetração em superfície apre-

---

67. Observação do PADRE ANTÔNIO VIEIRA, feita em 1680. Citado por ROBERTO SIMONSEN, op. cit., p. 310.

CONTRAÇÃO ECONÔMICA E EXPANSÃO TERRITORIAL

sentava a vantagem de que podia estender-se indefinidamente. Não se dependia de nenhum sistema coercitivo. Uma vez suscitado o interesse do silvícola, a penetração se realizava sutilmente, pois, criada a necessidade de uma nova mercadoria, estava estabelecido um vínculo de dependência do qual já não podiam desligar-se os indígenas. Explica-se assim que, com meios tão limitados, os jesuítas hajam podido penetrar a fundo na bacia amazônica. Dessa forma, a pobreza mesma do Maranhão, ao obrigar seus colonos a lutar tão tenazmente pela mão de obra indígena, e a correspondente reação jesuítica — de início simples defesa do indígena, em seguida busca de formas racionais de convivência e finalmente exploração servil dessa mão de obra — constituíram fator decisivo da enorme expansão territorial que se efetua na primeira metade do século XVIII.

Na etapa em que os colonos do norte se esforçam por sobreviver numa caça impiedosa ao índio e num aprendizado crescente da exploração florestal, grandes são também as dificuldades que enfrentam os colonos da antiga colônia de São Vicente, no sul, para manter seu precário sistema de vida. O empobrecimento da região açucareira, ao reduzir o mercado de escravos da terra, repercutiu igualmente na região sulina, escassa de toda mercadoria comercial. Os couros, que de há muito se exportavam também pelos portos do sul, aumentaram então sua importância relativa, e os negócios de criação passaram a preocupar os governantes portugueses de forma crescente. Por essa época a região do rio da Prata se configurava já como grande centro criatório, e os seus couros constituíam uma séria ameaça a um dos poucos produtos da colônia portuguesa cujo mercado não havia sido desorganizado pelo desenvolvimento antilhano. A penetração dos portugueses em pleno estuário do Prata, onde em 1680 fundaram a Colônia do Sacramento, constitui assim outro episódio da expansão territorial do Brasil ligado às vicissitudes da etapa de decadên-

111

FORMAÇÃO ECONÔMICA DO BRASIL

cia da economia açucareira. A Colônia do Sacramento, que esteve em mãos portuguesas com interrupções durante quase um século, permitiu a Portugal reforçar enormemente sua posição nos negócios do couro, demais de constituir um entreposto para o contrabando, sendo um dos principais portos de entrada da América espanhola, numa etapa em que a Espanha perdera praticamente a sua frota e persistia em manter o monopólio do comércio com suas colônias.

À medida que cresciam em importância relativa os setores de subsistência no norte, no sul e no interior nordestino — reduzindo-se concomitantemente a participação das exportações no total do produto da colônia —, tornava-se mais e mais difícil para o governo português transferir para a Metrópole o reduzido valor dos impostos que arrecadava. Devendo liquidar-se em moeda portuguesa tais impostos, sua transferência impunha uma crescente escassez de numerário na colônia, cujas dificuldades também por esse lado se viam agravadas. Em Portugal eram ainda mais sérias as vicissitudes. A queda no valor das exportações de açúcar, por um lado, criava dificuldades ao erário e, por outro, impunha a necessidade de reajustar todo o sistema econômico em um nível de importações bem mais baixo. As repetidas desvalorizações cambiais (o valor da libra sobe de mil para 3500 réis entre 1640 e 1700) refletem a extensão do desequilíbrio provocado na economia lusitana. Do ponto de vista da colônia, tais desvalorizações, se traziam algum alívio à região exportadora de açúcar, também contribuíam para agravar a situação das regiões mais pobres, que pouco ou nada tinham para exportar e cuja procura de importações era altamente inelástica pelo fato mesmo de que se limitava a coisas imprescindíveis, como o sal. O encarecimento das manufaturas importadas chegou a extremos, e nas regiões mais pobres, como Piratininga, uma simples roupa de fazenda importada ou uma espingarda podiam valer mais que uma

112

CONTRAÇÃO ECONÔMICA E EXPANSÃO TERRITORIAL

casa residencial.[68] Esses fatores contribuíam para a reversão cada vez mais acentuada a formas de economia de subsistência, com atrofiamento da divisão do trabalho, redução da produtividade, fragmentação do sistema em unidades produtivas cada vez menores, desaparição das formas mais complexas de convivência social, substituição da lei geral pela norma local etc.

68. ROBERTO SIMONSEN, op. cit., p. 221.

PARTE TRÊS

ECONOMIA ESCRAVISTA MINEIRA
SÉCULO XVIII

13. Povoamento e articulação das regiões meridionais

Que poderia Portugal esperar da extensa colônia sul-americana, que se empobrecia a cada dia, crescendo ao mesmo tempo seus gastos de manutenção? Era mais ou menos evidente que da agricultura tropical não se podia esperar outro milagre similar ao do açúcar. Iniciara-se uma intensa concorrência no mercado de produtos tropicais, apoiando-se os principais produtores — colônias francesas e inglesas — nos respectivos mercados metropolitanos. Para um observador de fins do século XVII, os destinos da colônia deveriam parecer incertos. Em Portugal compreendeu-se claramente que a única saída estava na descoberta de metais preciosos. Retrocedia-se, assim, à ideia primitiva de que as terras americanas só se justificavam economicamente se chegassem a produzir os ditos metais. Os governantes portugueses cedo se deram conta do enorme capital que, para a busca de minas, representavam os conhecimentos que do interior do país tinham os homens do planalto de Piratininga. Com efeito, se estes já não haviam descoberto o ouro em suas entradas pelos sertões, era por

FORMAÇÃO ECONÔMICA DO BRASIL

falta de conhecimentos técnicos. A ajuda técnica que então receberam da Metrópole foi decisiva.

O estado de prostração e pobreza em que se encontravam a Metrópole e a colônia explica a extraordinária rapidez com que se desenvolveu a economia do ouro nos primeiros decênios do século XVIII. De Piratininga a população emigrou em massa, do Nordeste se deslocaram grandes recursos, principalmente sob a forma de mão de obra escrava, e em Portugal se formou pela primeira vez uma grande corrente migratória espontânea com destino ao Brasil. O *facies* da colônia iria modificar-se fundamentalmente.

Até esse momento, sua existência estivera ligada a um negócio que se concretizava num número pequeno de grandes empresas — os engenhos de açúcar —, sendo a emigração pouco atrativa para o homem comum de escassas posses. Transferir-se de Portugal para o Brasil só tinha sentido para aquelas pessoas que dispunham de meios para financiar uma empresa de dimensões relativamente grandes. Fora disso, a emigração deveria ser subsidiada e respondia a um propósito não econômico. Na região açucareira, os imigrantes regulares limitavam-se a artesãos e trabalhadores especializados que vinham diretamente para trabalhar nos engenhos. Em São Vicente a imigração fora inicialmente financiada pelo donatário com objetivos econômicos que resultariam em fracasso. Em outras partes — no norte e no sul, principalmente — a imigração fora financiada pelo governo português, que pretendia criar colônias de povoamento com objetivos políticos. É fácil perceber que essa imigração toda não alcançava grandes números. Os dados sobre a população são precários e escassos, mas indicam claramente que a população de origem europeia aumentou lentamente no século XVII.

A economia mineira abriu um ciclo migratório europeu totalmente novo para a colônia. Dadas suas características, a eco-

POVOAMENTO E ARTICULAÇÃO DAS REGIÕES MERIDIONAIS

nomia mineira brasileira oferecia possibilidades a pessoas de recursos limitados, pois não se exploravam grandes minas — como ocorria com a prata no Peru e no México —, e sim o metal de aluvião que se encontrava depositado no fundo dos rios. Não se conhecem dados precisos sobre o volume da corrente emigratória que, das ilhas do Atlântico e do território português, se formou com direção ao Brasil no correr do século XVIII. Sabe-se, porém, que houve alarme em Portugal, e que se chegou a tomar medidas concretas para dificultar o fluxo migratório. Se se têm em conta as condições de estagnação econômica que prevaleciam em Portugal — particularmente na primeira metade do século XVIII, quando se desorganizaram suas poucas manufaturas —, para que a emigração suscitasse uma forte reação evidentemente deveria alcançar grandes proporções. Com efeito, tudo indica que a população colonial de origem europeia decuplicou no correr do século da mineração.[69] Cabe admitir, demais, que o financiamento dessa transferência de população em boa medida foi feito pelos próprios imigrantes, os quais eram pessoas de pe-

---

69. A crer nas informações disponíveis, a população do Brasil teria alcançado 100 mil habitantes em 1600, um máximo de 300 mil em 1700 e ao redor de 3,25 milhões em 1800. A população de origem europeia seria de cerca de 30 mil em 1600 e dificilmente alcançaria 100 mil em 1700. Ignorando-se qualquer contribuição migratória europeia ocorrida no século XVII, deduz-se que o crescimento vegetativo dessa população permitia no máximo que a mesma triplicasse no correr de um século. Se se admite esse ritmo de crescimento para o século seguinte, a população de origem europeia deveria alcançar (ignorado o efeito migratório) cerca de 300 mil pessoas ao término do século XVIII. Como os dados de que se dispõe indicam para essa época uma população de origem europeia de algo mais de 1 milhão, deduz-se que a emigração europeia para o Brasil no século da mineração não terá sido inferior a 300 mil e poderá haver alcançado meio milhão. Como o grosso desses imigrantes era lusitano, cabe deduzir que Portugal contribuiu com um maior contingente de população para o Brasil do que a Espanha para todas as suas colônias da América.

119

FORMAÇÃO ECONÔMICA DO BRASIL

quenas posses que liquidavam seus bens na ilusão de alcançar rapidamente uma fortuna no novo eldorado.

Se bem que a base da economia mineira também seja o trabalho escravo, por sua organização geral ela se diferencia amplamente da economia açucareira. Os escravos em nenhum momento chegam a constituir a maioria da população. Por outro lado, a forma como se organiza o trabalho permite que o escravo tenha maior iniciativa e que circule num meio social mais complexo. Muitos escravos chegam mesmo a trabalhar por conta própria, comprometendo-se a pagar periodicamente uma quantia fixa a seu dono, o que lhes abre a possibilidade de comprar a própria liberdade. Esta simples possibilidade deveria constituir um fator altamente favorável ao seu desenvolvimento mental.

No que respeita ao ambiente em que circula o homem livre — nascido na Metrópole ou na colônia —, maiores ainda são as diferenças da economia mineira com respeito às terras do açúcar. Nestas últimas, abaixo da classe reduzida de senhores de engenho ou grandes proprietários de terras, nenhum homem livre lograva alcançar uma verdadeira expressão social. Ao estagnar-se a economia açucareira, as possibilidades de um homem livre para elevar-se socialmente se reduziram ainda mais. Em consequência, começou a avolumar-se uma subclasse de homens livres sem possibilidade de ascensão social, a qual em certas épocas chegou a constituir um problema. Na economia mineira, as possibilidades que tinha um homem livre com iniciativa eram muito maiores. Se dispunha de recursos, podia organizar uma *lavra* em escala grande, com cem ou mais escravos. Contudo, o capital que imobilizava por escravo ou por unidade de produção era bem inferior ao que correspondia a um engenho real. Se eram reduzidos os seus recursos iniciais, podia limitar sua empresa às mínimas proporções permitidas pela divisibilidade da mão de obra, isto é, a um escravo. Por último, se seus recursos não lhe permitiam

POVOAMENTO E ARTICULAÇÃO DAS REGIÕES MERIDIONAIS

mais que financiar o próprio sustento durante um período limitado de tempo, podia trabalhar ele mesmo como *faiscador*. Se lhe favorecia a sorte, em pouco tempo ascenderia à posição de empresário. A natureza mesma da empresa mineira não permitia uma ligação à terra do tipo da que prevalecia nas regiões açucareiras. O capital fixo era reduzido, pois a vida de uma lavra era sempre algo incerto. A empresa estava organizada de forma a poder deslocar-se em tempo relativamente curto. Por outro lado, a elevada lucratividade do negócio induzia a concentrar na própria mineração todos os recursos disponíveis. A combinação desses dois fatores — incerteza e correspondente mobilidade da empresa, alta lucratividade e correspondente especialização — marca a organização de toda a economia mineira. Sendo a lucratividade maior na etapa inicial da mineração, em cada região, a excessiva concentração de recursos nos trabalhos mineratórios conduzia sempre a grandes dificuldades de abastecimento. A fome acompanhava sempre a riqueza nas regiões do ouro. A elevação dos preços dos alimentos e dos animais de transporte nas regiões vizinhas constituiu o mecanismo de irradiação dos benefícios econômicos da mineração.

A pecuária, que encontrara no sul um hábitat excepcionalmente favorável para desenvolver-se — e que, não obstante sua baixíssima rentabilidade, subsistia graças às exportações de couro —, passará por uma verdadeira revolução com o advento da economia mineira. O gado do sul, cujos preços haviam permanecido sempre em níveis extremamente baixos, comparativamente aos que prevaleciam na região açucareira, valoriza-se rapidamente e alcança, em ocasiões, preços excepcionalmente altos. O próprio gado do Nordeste, cujo mercado definhava com a decadência da economia açucareira, tende a deslocar-se em busca do florescente mercado da região mineira. Esse deslocamento do gado nordestino teria que acarretar a elevação dos preços que pagavam os engenhos, razão pela qual provocou fortes reações oficiais e tentativas de interdição.

Outra característica da economia mineira, de profundas consequências para as regiões vizinhas, radicava em seu sistema de transporte. Localizada a grande distância do litoral, dispersa e em região montanhosa, a população mineira dependia para tudo de um complexo sistema de transporte. A tropa de mulas constitui autêntica infraestrutura de todo o sistema. A quase inexistência de abastecimento local de alimentos, a grande distância por terra que deviam percorrer todas as mercadorias importadas, a necessidade de vencer grandes caminhadas em região montanhosa para alcançar os locais de trabalho, tudo contribuía para que o sistema de transporte desempenhasse um papel básico no funcionamento da economia. Criou-se, assim, um grande mercado para animais de carga.

Se se considera em conjunto a procura de gado para corte e de muares para transporte, a economia mineira constituiu, no século XVIII, um mercado de proporções superiores ao que havia propiciado a economia açucareira em sua etapa de máxima prosperidade. Destarte, os benefícios que dela se irradiam para toda a região criatória do sul são substancialmente maiores do que os que recebeu o sertão nordestino. A região rio-grandense, onde a criação de mulas se desenvolveu em grande escala, foi, dessa forma, integrada no conjunto da economia brasileira. Cada ano subiam do Rio Grande do Sul dezenas de milhares de mulas, as quais constituíam a principal fonte de renda da região. Esses animais se concentravam na região de São Paulo, onde, em grandes feiras, eram distribuídos aos compradores que provinham de diferentes regiões. Desse modo, a economia mineira, através de seus efeitos indiretos, permitiu que se articulassem as diferentes regiões do sul do país.

POVOAMENTO E ARTICULAÇÃO DAS REGIÕES MERIDIONAIS

Ao contrário do que ocorrera no Nordeste, onde se partiu de um vazio econômico para a formação de uma economia pecuária dependente da açucareira, no sul do país a pecuária preexistiu à mineração. Com efeito, o advento da mineração ocorreu quando a economia de subsistência de Piratininga havia já atravessado século e meio de pobreza. Além disso, no Rio Grande e mesmo no Mato Grosso já existia uma economia pecuária rudimentar de onde saía alguma exportação de couros. Essas distintas regiões viviam independentemente e tenderiam provavelmente a desenvolver-se, num regime de subsistência, sem vínculos de solidariedade econômica que as articulassem. A economia mineira abriu um novo ciclo de desenvolvimento para todas elas. Por um lado, elevou substancialmente a rentabilidade da atividade pecuária, induzindo a uma utilização mais ampla das terras e do rebanho. Por outro, fez interdependentes as diferentes regiões, especializadas umas na criação, outras na engorda e distribuição, e outras constituindo os principais mercados consumidores. É um equívoco supor que foi a criação que uniu essas regiões. Quem as uniu foi a procura de gado que se irradiava do centro dinâmico constituído pela economia mineira.

14. Fluxo da renda

A base geográfica da economia mineira estava situada numa vasta região compreendida entre a serra da Mantiqueira, no atual estado de Minas, e a região de Cuiabá, no Mato Grosso, passando por Goiás. Em algumas regiões a curva de produção subiu e baixou rapidamente, provocando grandes fluxos e refluxos de população; noutras, essa curva foi menos abrupta, tornando-se possível um desenvolvimento demográfico mais regular e a fixação definitiva de núcleos importantes de população. A renda média dessa economia, isto é, sua produtividade média, é algo que dificilmente se pode definir. Em dados momentos deveria alcançar pontos altíssimos em uma sub-região, e, quanto mais altos fossem esses pontos, maiores seriam as quedas subsequentes. Os depósitos de aluvião se esgotam tanto mais rapidamente quanto mais fácil é sua exploração. Dessa forma, as regiões mais "ricas" se incluem entre as de vida produtiva mais curta.

A exportação de ouro cresceu em toda a primeira metade do século XVIII e alcançou seu ponto máximo em torno de 1760, quando atingiu cerca de 2,5 milhões de libras. Entretanto, o de-

FLUXO DA RENDA

clínio no terceiro quartel do século foi rápido e, já por volta de 1780, não alcançava 1 milhão de libras. O decênio compreendido entre 1750 e 1760 constituiu o apogeu da economia mineira, e a exportação se manteve então em torno de 2 milhões de libras. Admitindo-se que quatro quintas partes do valor do ouro exportado correspondessem à renda criada na região mineira, e que esta se traduzisse em igual valor de importações, e, demais, que o coeficiente de importações fosse 0,5, o total da renda anual da economia mineira não seria superior a 3,6 milhões de libras na etapa de grande prosperidade. Se se tem em conta que a população livre da região mineira não seria inferior, por essa época, a 300 mil pessoas, se depreende que a renda média era substancialmente inferior à que conhecera a economia açucareira na sua etapa de grande prosperidade.

Se bem que a renda média da economia mineira haja sido mais baixa do que aquela que conhecera a região do açúcar, seu mercado apresentava potencialidades muito maiores. Suas dimensões absolutas eram superiores, pois as importações representavam menor proporção do dispêndio total. Por outro lado — e isso constitui o aspecto principal do problema —, a renda estava muito menos concentrada, porquanto a proporção da população livre era muito maior. A composição da procura teria que ser necessariamente diversa, ocupando um espaço muito mais significativo os bens de consumo corrente e ocorrendo o contrário aos artigos de luxo. Demais, a população, se bem que dispersa num território extenso, estava em grande parte reunida em grupos urbanos e semiurbanos. Por último, a grande distância existente entre a região mineira e os portos contribuía para encarecer relativamente os artigos importados. Esse conjunto de circunstâncias tornava a região mineira muito mais propícia ao desenvolvimento de atividades ligadas ao mercado interno do que havia sido até então a região açucareira. Contudo, o desen-

FORMAÇÃO ECONÔMICA DO BRASIL

volvimento endógeno — isto é, com base no seu próprio mercado — da região mineira foi praticamente nulo. É fácil compreender que a atividade mineradora haja absorvido todos os recursos disponíveis na etapa inicial. É menos fácil explicar, entretanto, que, uma vez estabelecidos os centros urbanos, não se tenham desenvolvido suficientemente atividades manufatureiras de grau inferior, as quais poderiam expandir-se na etapa subsequente de dificuldades de importação. Tem-se buscado explicação para esse fato na política portuguesa, cuja preocupação era dificultar o desenvolvimento manufatureiro da colônia. Entretanto, o decreto de 1785 proibindo qualquer atividade manufatureira não parece haver suscitado grande reação, sendo mais ou menos evidente que o desenvolvimento manufatureiro havia sido praticamente nulo em todo o período anterior de prosperidade e decadência da economia mineira. A causa principal possivelmente foi a própria incapacidade técnica dos imigrantes para iniciar atividades manufatureiras numa escala ponderável.

O pequeno desenvolvimento manufatureiro que tivera Portugal em fins do século anterior resulta de uma política ativa que compreendera a importação de mão de obra especializada. O acordo de 1703 com a Inglaterra (Tratado de Methuen) destruiu esse começo de indústria e foi de consequências profundas tanto para Portugal como para sua colônia. Houvessem chegado ao Brasil imigrantes com alguma experiência manufatureira, e o mais provável é que as iniciativas surgissem no momento adequado, desenvolvendo-se uma capacidade de organização e técnica que a colônia não chegou a conhecer. Exemplo claro disso é o ocorrido com a metalurgia do ferro. Sendo grande a procura desse metal numa região onde os animais ferrados existiam às dezenas de milhares — para citar o caso de um só artigo — e sendo tão abundantes o minério de ferro e o carvão vegetal, o desenvolvimento que teve a siderurgia foi o possibilitado pelos

FLUXO DA RENDA

conhecimentos técnicos dos escravos africanos. Se se compara, por exemplo, essa experiência com a dos EUA, que na mesma época se transformaram em exportadores de ferro para a Inglaterra, torna-se evidente que o que faltou ao Brasil foi a transferência inicial de uma técnica que não conheciam os imigrantes. A primeira condição para que o Brasil tivesse algum desenvolvimento manufatureiro, na segunda metade do século XVIII, teria de ser o próprio desenvolvimento manufatureiro de Portugal. Ora, cabe ao ouro do Brasil uma boa parte da responsabilidade pelo grande atraso relativo que, no processo de desenvolvimento econômico da Europa, teve Portugal naquele século. Em realidade, se o ouro criou condições favoráveis ao desenvolvimento endógeno da colônia, não é menos verdade que dificultou o aproveitamento dessas condições ao entorpecer o desenvolvimento manufatureiro da Metrópole. Houvesse Portugal acumulado alguma técnica manufatureira, e a mesma se teria transferido ao Brasil, malgrado disposições legislativas em contrário, como ocorreu nos EUA.

O acordo de Methuen constitui um ponto de referência importante na análise do desenvolvimento econômico de Portugal e do Brasil. Esse acordo foi celebrado ao término de um período de grandes dificuldades econômicas para Portugal, coetâneas da decadência das exportações açucareiras do Brasil. Ao prolongar-se essa decadência e ao reduzir-se tão persistentemente a capacidade para importar, começou a prevalecer em Portugal o ponto de vista de que era necessário produzir internamente aquilo que o açúcar permitira antes importar em abundância. Tem início assim um período de fomento direto e indireto da instalação de manufaturas. Durante dois decênios, a partir de 1684, o país conseguiu praticamente abolir as importações de tecidos. Essa política estava perfeitamente dentro do espírito da época, pois seis anos antes a Inglaterra proibira todo comércio com a França

FORMAÇÃO ECONÔMICA DO BRASIL

para evitar a entrada de manufaturas francesas. Contudo, é provável que fosse grande a reação dentro de Portugal, particularmente dos poderosos produtores e exportadores de vinhos, grupo dominante no país. Os ingleses trataram de aliar-se a esse grupo para derrogar a política protecionista portuguesa. Com efeito, o acordo de 1703 concede aos vinhos portugueses, no mercado inglês, uma redução de um terço do imposto pago pelos vinhos franceses. Em contrapartida, Portugal retirava o embargo às importações de tecidos ingleses.

Houvesse Portugal enfrentado na primeira metade do século XVIII as mesmas dificuldades que conheceu no meio século anterior, e o acordo de Methuen teria sido de expressão limitada em sua história. Sendo reduzido o valor das exportações de vinhos, o desequilíbrio de sua balança comercial com a Inglaterra tenderia a agravar-se, provocando maior desvalorização da moeda e outras dificuldades para o país. Em tais condições, é provável que surgisse uma reação, restaurando-se a política protecionista. É mais ou menos evidente que Portugal não podia pagar com vinhos os tecidos que consumia, carecendo o acordo de Methuen de base real para sobreviver. Ocorre, entretanto, que o ouro do Brasil começa a afluir exatamente quando entra em vigor o referido acordo. De início em volume limitado, e uma dezena de anos depois já em quantidades substanciais. Criaram-se assim de imprevisto as condições requeridas para que o acordo funcionasse, permitindo-se que operasse como mecanismo de redução do efeito multiplicador do ouro sobre o nível da atividade econômica em Portugal. Por um lado, a procura crescente de manufaturas que vinha da colônia se transferia automaticamente para a Inglaterra sem nenhum efeito sobre a economia portuguesa que não fosse a renda criada por algumas comissões e impostos. Por outro, o aumento dos gastos públicos — gastos correntes ou inversões não reprodutivas — logo se filtrava em importações com um reduzido efeito multiplicador sobre outras atividades produtivas internas.

É difícil imaginar até que ponto a economia portuguesa poderia ter reagido positivamente à expansão geral da procura — criada pelo ciclo mineiro no Brasil — dentro do quadro de uma política protecionista. Tendo-se em conta que na época eram grandes as transferências de população para o Brasil e que eram vultosas as inversões não reprodutivas — monumentos, construções etc., particularmente depois do terremoto de Lisboa —, é provável que o desenvolvimento manufatureiro se houvesse deparado com uma relativa adstringência da oferta de mão de obra. Tudo indica, entretanto, que, se o país dispusesse de um núcleo manufatureiro, os lucros deste teriam de ser de tal ordem que a acumulação de capital neste setor ter-se-ia realizado rapidamente. Dessa forma, ao iniciar-se a Revolução Industrial, na segunda metade do século, Portugal poderia ter estado preparado para defender sua produção manufatureira e, portanto, para assimilar as novas técnicas de produção que se estavam desenvolvendo. A inexistência desse núcleo manufatureiro, na etapa em que se transformam as técnicas de produção, no último quartel do século, é que valeu a Portugal transformar-se numa dependência agrícola da Inglaterra. Sem o contrapeso de um grupo manufatureiro, os grandes proprietários de terras e os exportadores de vinho continuaram a pesar demasiadamente na orientação econômica do país, como se tornará evidente na segunda metade do século, ao encetar Pombal ingentes esforços para mudar o curso dos acontecimentos.

Do ponto de vista da economia europeia em seu conjunto, o ouro do Brasil teve um efeito tanto mais positivo quanto o estímulo por ele criado se concentrou no país mais bem aparelhado para dele tirar o máximo proveito. Com efeito, a Inglaterra, graças às transformações estruturais de sua agricultura e ao aperfei-

FORMAÇÃO ECONÔMICA DO BRASIL

çoamento de suas instituições políticas, foi o único país da Europa que seguiu sistematicamente, em todo o século que antecedeu à Revolução Industrial, uma política clarividente de fomento manufatureiro. *"From the Revolution till the revolt of the colonies"*, diz Cunningham, *"the regulation of commerce was considered, not so much with reference to other elements of national power, or even in its bearing on revenue, but chiefly with a view to the promotion of industry."*[70]

Numa época dominada pelo mais estrito mercantilismo e em que era particularmente difícil desenvolver um comércio de manufaturas, a Inglaterra encontrou na economia luso-brasileira um mercado em rápida expansão e praticamente unilateral. Suas exportações eram saldadas em ouro, o que adjudicava à economia inglesa uma excepcional flexibilidade para operar no mer-

---

70. W. CUNNINGHAM, *The growth of modern industry and commerce. Modern times*, parte I, Cambridge, 1921, p. 458 (1ª ed. 1882). O isolamento da Inglaterra e seu relativo atraso, se comparado com o desenvolvimento manufatureiro da Europa de fins da Idade Média, deram a esse país desde cedo uma clara consciência de que, sem proteção e uma ativa política de importação de técnica, a expansão manufatureira seria impraticável. A esse respeito diz um conhecido estudioso da matéria: "*The earliest instance of the prohibition of exports is found in the action of the Oxford parliament of 1258. The barons then 'decreed that the wool of the country should be worked up in England, and should not be sold to foreigners, and that every one should use woolen cloth made within the country'*". E a propósito da consolidação das manufaturas de lã no século XV: "*The growth of the woolen manufacture during the second half of the century was stimulated by a consistent 'protective' policy vigorously carried out. This began with the accession of Edward IV, who throughout his reign relied upon the industrial and mercantile classes. In 1463 the importation of woolen cloth was prohibited, together with a number of other manufactured articles; and the prohibition, which in that act had only been temporary, was specially renewed and made permanent in an act of the following year. Moreover, the scale of export duties was arranged if not then, soon afterwards, in such a way as to encourage the export of cloth rather than of wool*". W. J. ASHLEY, *An introduction to English economic history and theory*, Londres, 1893, parte II, pp. 194, 226.

FLUXO DA RENDA

cado europeu. Encontrou-se a Inglaterra, assim, pela primeira vez, em condições de saldar o seu comércio de materiais de construção e outras matérias-primas, recebidas do norte da Europa, indiretamente com manufaturas. Dessa forma, a economia inglesa adquiriu maior flexibilidade e tendeu a concentrar suas inversões no setor manufatureiro, que era o mais indicado para uma rápida evolução tecnológica. Por outro lado, recebendo a maior parte do ouro que então se produzia no mundo, os bancos ingleses reforçaram mais e mais sua posição, operando-se a transferência do centro financeiro da Europa de Amsterdam para Londres. Segundo fontes inglesas, as entradas de ouro brasileiro em Londres chegaram a alcançar, em certa época, 50 mil libras por semana, permitindo uma substancial acumulação de reservas metálicas, sem as quais a Grã-Bretanha dificilmente poderia ter atravessado as guerras napoleônicas.[71]

71. *"The extent to which Portugal took off our manufactures, and thus encouraged industry in this country, appeared to be measured by the vast amount of Brazilian bullion which was annually imported from Portugal. This was estimated at £ 50,000 per week [...] We cannot wonder that, according to the ideas of the time, Methuen's achievement was rated very highly: he had opened up a large foreign demand for our goods, and had stimulated the employment of labour at home; while much of the returns from Portugal came to us in the form which was most necessary for restoring the currency, and most convenient for carrying on the great European war."* W. CUNNINGHAM, op. cit., pp. 460-1.

15. Regressão econômica e expansão da área de subsistência

Não se havendo criado nas regiões mineiras formas permanentes de atividades econômicas — à exceção de alguma agricultura de subsistência —, era natural que, com o declínio da produção de ouro, viesse uma rápida e geral decadência. À medida que se reduzia a produção, as maiores empresas se iam descapitalizando e desagregando. A reposição da mão de obra escrava já não se podia fazer, e muitos empresários de lavras, com o tempo, se foram reduzindo a simples faiscadores. Dessa forma, a decadência se processava através de uma lenta diminuição do capital aplicado no setor minerador. A ilusão de que uma nova descoberta poderia vir a qualquer momento induzia o empresário a persistir na lenta destruição de seu ativo, em vez de transferir algum saldo liquidável para outra atividade econômica. Todo o sistema se ia assim atrofiando, perdendo vitalidade, para finalmente desagregar-se numa economia de subsistência.

Houvesse a economia mineira se desdobrado num sistema mais complexo, e as reações seguramente teriam sido diversas. Na Austrália, três quartos de século depois, o desemprego cau-

REGRESSÃO ECONÔMICA E EXPANSÃO...

sado pelo colapso da produção de ouro constituiu o ponto de partida da política protecionista que tornou possível a precoce industrialização desse país.[72] A necessidade de absorver o enorme excedente de mão de obra que se foi criando à medida que diminuiu a produção de ouro — problema mais grave ainda porque os setores lanífero e agrícola haviam introduzido técnicas poupadoras de mão de obra no período anterior para poder subsistir — contribuiu para formar no estado de Vitória uma consciência clara de que só a industrialização poderia resolver o problema estrutural da região. Tivesse o país permanecido sob a influência exclusiva dos grupos exportadores de lã, e a predominância das ideias liberais teria impedido qualquer política de industrialização por essa época.

A existência do regime de trabalho escravo impediu, no caso brasileiro, que o colapso da produção de ouro criasse fricções sociais de maior vulto. A perda maior foi para aqueles que tinham

---

72. A experiência da economia aurífera australiana é ilustrativa da flexibilidade de um sistema que tinha acesso a uma tecnologia mais avançada. Com a descoberta do ouro, a população da Austrália praticamente triplicou num decênio, passando de 438 mil em 1851 para 1,168 milhão em 1861. Em tais condições é fácil imaginar a drenagem de mão de obra da economia lanífera preexistente e a pressão sobre a oferta de alimentos. Estes dois setores trataram, contudo, de defender-se adotando técnicas mais avançadas e conseguiram acelerar seu desenvolvimento na etapa de grande expansão da produção de ouro. Os produtores de lã foram inclusive beneficiados pela baixa nos fretes de retorno provocada pelo grande movimento migratório. Conforme observa um autor australiano: "As the diggings attracted labour, squatters and farmers were forced to overhaul their productive technique and adopt labour-saving devices. Squatters fenced their runs; boundary riders replaced shepherds; farmers used better ploughs and more scientific means of cultivation [...] In ten years (1850-60) the number of sheep in Australia increased from sixteen to twenty millions, and the value of the wool exported rose from £ 1,995,000 to £ 4,025,300. The area under crop doubled itself in eight years (1850-58)". G. V. PORTUS, Australia, an economic interpretation, Sydney, 1933, p. 25.

invertido grandes capitais em escravos e viam a rentabilidade destes baixar dia a dia. O sistema se descapitalizava lentamente, mas guardava sua estrutura. Ao contrário do que ocorria no caso da economia açucareira — que defendia até certo ponto sua rentabilidade conservando uma produção relativamente elevada —, na mineração a rentabilidade tendia a zero e a desagregação das empresas produtivas era total. Muitos dos antigos empresários transformavam-se em simples faiscadores e com o tempo revertiam à simples economia de subsistência. Uns poucos decênios foram o suficiente para que se desarticulasse toda a economia da mineração, decaindo os núcleos urbanos e dispersando-se grande parte de seus elementos numa economia de subsistência, espalhados por uma vasta região em que eram difíceis as comunicações e isolando-se os pequenos grupos uns dos outros. Essa população relativamente numerosa encontrará espaço para expandir-se num regime de subsistência e virá a constituir um dos principais núcleos demográficos do país. Neste caso, como no da economia pecuária do Nordeste, a expansão demográfica se prolongará num processo de atrofiamento da economia monetária. Dessa forma, uma região cujo povoamento se fizera em um sistema de alta produtividade, e em que a mão de obra fora um fator extremamente escasso, involuiu numa massa de população totalmente desarticulada, trabalhando com baixíssima produtividade numa agricultura de subsistência. Em nenhuma parte do continente americano houve um caso de involução tão rápida e tão completa de um sistema econômico constituído por população principalmente de origem europeia.

PARTE QUATRO

ECONOMIA DE TRANSIÇÃO
PARA O TRABALHO ASSALARIADO
SÉCULO XIX

16. O Maranhão e a falsa euforia do fim da época colonial

O último quartel do século XVIII constitui uma nova etapa de dificuldades para a colônia. As exportações, que em torno de 1760 se haviam aproximado de 5 milhões de libras, pouco excedem em média, nos últimos 25 anos do século, os 3 milhões. O açúcar enfrenta novas dificuldades e o valor total de suas vendas desce a níveis tão baixos como não se havia conhecido nos dois séculos anteriores.[73] As exportações de ouro, durante esse

---

73. Os dados relativos às quantidades e preços do açúcar foram cuidadosamente reunidos por ROBERTO SIMONSEN. É possível, entretanto, que esses dados não traduzam com exatidão a situação da economia açucareira no correr do século XVIII, apresentando-a mais favorável do que na verdade foi. Com efeito, SIMONSEN utiliza as cotações do açúcar bruto em Londres sem levar em conta que a lei de 1739, que reservou o mercado inglês para o açúcar das colônias da Coroa britânica, teve por efeito elevar os preços na Inglaterra com respeito às cotações internacionais. *"The effect and significance of the act of 1739 lay in its power to raise the price of sugar in the British Market."* Os produtores das Antilhas inglesas, ao beneficiar-se dos preços de monopólio que gozavam no mercado inglês — mercado esse em rápida expansão no século XVIII —, desinteressaram-se das exportações, o que permitiu ao açúcar do Brasil recuperar alguns mercados. Veja-se F. W. PITMAN, *The development of the British West Indies*, Oxford, 1947, pp. 170, 185-7.

FORMAÇÃO ECONÔMICA DO BRASIL

período, promediaram pouco mais de meio milhão de libras. Enquanto isso a população havia subido a algo mais de 3 milhões de habitantes. A renda per capita, ao terminar o século, provavelmente não seria superior a cinquenta dólares de poder aquisitivo atual — admitida uma população livre de 2 milhões —, sendo esse provavelmente o nível de renda mais baixo que haja conhecido o Brasil em todo o período colonial.[74]

Observada em conjunto, a economia brasileira se apresentava como uma constelação de sistemas em que alguns se articulavam entre si e outros permaneciam praticamente isolados. As articulações se operavam em torno de dois polos principais: as economias do açúcar e do ouro. Articulada ao núcleo açucareiro, se bem que de forma cada vez mais frouxa, estava a pecuária nordestina.

Articulado ao núcleo mineiro estava o *hinterland* pecuário sulino, que se estendia de São Paulo ao Rio Grande. Esses dois sistemas, por seu lado, ligavam-se frouxamente através do rio São Francisco, cuja pecuária se beneficiava da meia distância a que se encontrava entre o Nordeste e o centro-sul para dirigir-se ao mercado que ocasionalmente apresentasse maiores vantagens. No norte estavam os dois centros autônomos do Maranhão e do Pará. Este último vivia exclusivamente da economia extrativa florestal organizada pelos jesuítas com base na exploração da mão de obra indígena. O sistema jesuítico, cuja produtividade aparen-

74. Admitindo-se, para um ano favorável do final do século XVIII, um valor de exportações de 4 milhões de libras e supondo-se otimistamente que o valor das exportações representava apenas a quarta parte da renda, deduz-se que esta estaria em torno de 16 milhões de libras, ou seja, aproximadamente 100 milhões de dólares atuais. Para uma população livre de cerca de 2 milhões a renda per capita estaria em torno de cinquenta dólares. Este dado constitui uma simples indicação, pois o conceito mesmo de renda só com muita reserva se pode aplicar a uma economia em que grande parte do produto não se integra no setor monetário.

138

O MARANHÃO E A FALSA EUFORIA...

temente chegou a ser elevada mas sobre o qual não se dispõe de muitas informações — a ordem não pagava impostos nem publicava estatísticas —, entrou em decadência com a perseguição que sofreu na época de Pombal. O Maranhão, se bem constituísse um sistema autônomo, articulava-se com a região açucareira através da periferia pecuária. Dessa forma, apenas o Pará existia como um núcleo totalmente isolado. Os três principais centros econômicos — a faixa açucareira, a região mineira e o Maranhão — se interligavam, se bem que de maneira fluida e imprecisa, através do extenso *hinterland* pecuário.

Dos três sistemas principais, o único que conheceu uma efetiva prosperidade no último quartel do século foi o Maranhão. Essa região se beneficiou inicialmente de uma cuidadosa atenção do governo português, a cuja testa estava Pombal, então empenhado em luta de morte contra a ordem dos jesuítas. Os colonos do Maranhão eram adversários tradicionais dos jesuítas na luta pela escravização dos índios. Pombal ajudou-os criando uma companhia de comércio altamente capitalizada que deveria financiar o desenvolvimento da região, tradicionalmente a mais pobre do Brasil.[75] Tão importante quanto a ajuda financeira, entretanto, foi a modificação no mercado mundial de produtos tropicais, provocada pela Guerra da Independência dos EUA e logo em seguida pela Revolução Industrial inglesa. Os dirigentes da companhia perceberam desde o início que o algodão era o produto tropical cuja procura estava crescendo com mais intensidade, e que o arroz produzido nas colônias inglesas e principalmente consumido no sul da Europa não sofria restrição de nenhum pacto

75. Ao ajudar os colonos, Pombal não os apoiou em seus propósitos de escravização dos índios. Coube, na verdade, a esse estadista eliminar de vez as formas abertas e disfarçadas de escravidão do indígena em terras brasileiras. A ajuda financeira permitiu a importação em grande escala de mão de obra africana, o que modificou totalmente a fisionomia étnica da região.

FORMAÇÃO ECONÔMICA DO BRASIL

colonial. Os recursos da companhia foram assim concentrados na produção desses dois artigos. Quando os principais frutos começavam a surgir, ocorreu, demais, que o grande centro produtor de arroz foi excluído temporariamente do mercado mundial em razão da Guerra da Independência das colônias inglesas da América do Norte. A produção maranhense encontrou, assim, condições altamente propícias para desenvolver-se e capitalizar-se adequadamente. A pequena colônia, em cujo porto entravam um ou dois navios por ano e cujos habitantes dependiam do trabalho de algum índio escravo para sobreviver, conheceu excepcional prosperidade no fim da época colonial, recebendo em seu porto de cem a 150 navios por ano e chegando a exportar 1 milhão de libras.

Excluído o núcleo maranhense, todo o resto da economia colonial atravessou uma etapa de séria prostração nos últimos decênios do século. Na região do ouro, a depressão é particularmente profunda e se estenderá pela primeira metade do século seguinte. Essa decadência afeta indiretamente a região pecuária do sul, a qual atravessará prolongado período de dificuldades internas. Contudo, um conjunto de fatores circunstanciais deu à colônia, no começo do século XIX, uma aparência de prosperidade, maior ainda porque a transferência do governo metropolitano e a abertura dos portos, em 1808, criaram um clima geral de otimismo.

O último quartel do século XVIII e os primeiros dois decênios do seguinte estão marcados por uma série de acontecimentos políticos que tiveram grandes repercussões nos mercados mundiais de produtos tropicais. O primeiro desses acontecimentos foi a Guerra da Independência dos EUA, a cujos reflexos indiretos na região maranhense já nos referimos. O segundo foi a Revolução Francesa e os subsequentes transtornos nas suas colônias produtoras de artigos tropicais. Por último vieram as guerras napoleônicas, o bloqueio e o contrabloqueio da Europa, e a desarticulação do vasto império espanhol da América.

140

Em 1789 entrou em colapso a grande colônia açucareira francesa que era o Haiti. Nesse pequeno território estavam concentrados quase meio milhão de escravos que se revoltaram e destruíram grande parte da riqueza ali acumulada, modificando a situação do mercado do açúcar. Abre-se, assim, para a região açucareira do Brasil, nova etapa de prosperidade. O valor das exportações de açúcar, com efeito, mais que duplica na etapa das guerras napoleônicas. A atividade industrial na Inglaterra é intensa durante esses anos de guerra, e a procura de algodão cresce fortemente. Seguindo o Maranhão, o Nordeste dedica recursos à produção desse artigo. As dificuldades surgidas nas colônias espanholas também repercutem no mercado de produtos tropicais e couros. Dessa forma, praticamente todos os produtos da colônia se beneficiam de elevações temporárias de preços. O valor total da exportação de produtos agrícolas praticamente duplica entre os anos 80 do século XVIII e o fim da era colonial, aproximando-se dos 4 milhões de libras. Entretanto, essa prosperidade era precária, fundando-se nas condições de anormalidade que prevaleciam no mercado mundial de produtos tropicais. Superada essa etapa, o Brasil encontraria sérias dificuldades, nos primeiros decênios de vida como nação politicamente independente, para defender sua posição nos mercados dos produtos que tradicionalmente exportava.

17. Passivo colonial, crise financeira e instabilidade política

A repercussão no Brasil dos acontecimentos políticos da Europa de fins do século XVIII e começo do seguinte, se por um lado acelerou a evolução política do país, por outro contribuiu para prolongar a etapa de dificuldades econômicas que se iniciara com a decadência do ouro. Ocupado o reino português pelas tropas francesas, desapareceu o entreposto que representava Lisboa para o comércio da colônia, tornando-se indispensável o contato direto desta com os mercados ainda acessíveis. A "abertura dos portos", decretada ainda em 1808, resultava de uma imposição dos acontecimentos.[76] Vêm em seguida os trata-

---

76. A abertura dos portos, se bem que na prática beneficiaria quase exclusivamente aos ingleses, foi decretada sem consulta a estes últimos, pois na parte da frota que tocou na Bahia não viajava o visconde de Strangford, representante da Inglaterra, que seria o mentor da política econômica do governo português, a partir do momento em que este se estabelecesse no Rio de Janeiro. Segundo consta, o príncipe regente relutou muito antes de aceitar os argumentos de José da Silva Lisboa, depois visconde de Cairu, em favor da abertura dos portos, o que indica quão pouca percepção tinham os governantes lusitanos do que es-

PASSIVO COLONIAL, CRISE FINANCEIRA E...

dos de 1810, que transformam a Inglaterra em potência privilegiada, com direitos de extraterritorialidade e tarifas preferenciais extremamente baixas, tratados esses que constituirão, em toda a primeira metade do século, uma séria limitação à autonomia do governo brasileiro no setor econômico. A separação definitiva de Portugal, em 1822, e o acordo pelo qual a Inglaterra consegue consolidar sua posição, em 1827, são outros dois marcos fundamentais nessa etapa de grandes acontecimentos políticos. Por último, cabe referir a eliminação do poder pessoal de d. Pedro I, em 1831, e a consequente ascensão definitiva ao poder da classe colonial dominante formada pelos senhores da grande agricultura de exportação.

Observados esses acontecimentos de uma perspectiva ampla, torna-se mais ou menos evidente que os privilégios concedidos à Inglaterra constituíram uma consequência natural da forma como se processou a independência, sem maiores desgastes de recursos, mas devendo a antiga colônia assumir a responsabilidade de parte do passivo que contraíra Portugal para sobreviver como potência colonial. Se a independência houvesse resultado de uma luta prolongada, dificilmente ter-se-ia preservado a unidade territorial, pois nenhuma das regiões do país dispunha de suficiente ascendência sobre as demais para impor a unidade. Os interesses regionais constituíam uma realidade muito

---

tava ocorrendo na realidade. Os ingleses — que acreditavam menos em ADAM SMITH do que José da Silva Lisboa — tampouco ficaram muito satisfeitos, conforme se deduz das palavras de seu representante no Rio de Janeiro, Mr. Hill, a d. João, a propósito da medida: "*It could not fail to produce a good effect in England, but that had it authorized the admittance of British vessels, and for British manufactures upon terms more advantageous than those granted to the ships and merchandise of other foreign nations, it would necessarily have afforded greater satisfaction*". Carta de Hill a GEORGE CANNING, de 30 de março de 1808, citada por A. K. MANCHESTER, op. cit., p. 71.

143

FORMAÇÃO ECONÔMICA DO BRASIL

mais palpável que a unidade nacional, a qual só começou realmente a existir quando se transferiu para o Rio de Janeiro o governo português. A luta ingente e inútil de Bolívar, para manter a unidade de Nova Granada, constitui um exemplo do difícil que é impor uma ideia que não encontra correspondência na realidade dos interesses dominantes.

Seria erro, entretanto, supor que aos privilégios concedidos à Inglaterra cabe a principal responsabilidade pelo fato de que o Brasil não se haja transformado numa nação moderna já na primeira metade do século XIX, a exemplo do ocorrido nos EUA. A diferença fundamental que existe entre os pontos de vista do visconde de Cairu — seguramente o representante mais lúcido da intelligentzia da classe agrícola colonial — e do visconde de Strangford é que neste último persistiam ranços mercantilistas, enquanto o brasileiro refletia melhor as ideias que prevaleceriam na Inglaterra nos anos subsequentes. Não existindo na colônia sequer uma classe comerciante de importância — o grande comércio era monopólio da Metrópole —, resultava que a única classe com expressão era a dos grandes senhores agrícolas. Qualquer que fosse a forma como se processasse a independência, seria essa classe a que ocuparia o poder, como na verdade ocorreu, particularmente a partir de 1831. A grande agricultura tinha consciência clara de que Portugal constituía um entreposto oneroso, e a voz dominante na época era que a colônia necessitava urgentemente de liberdade de comércio. O desaparecimento do entreposto lusitano logo se traduziu em baixa de preços nas mercadorias importadas, maior abundância de suprimentos, facilidades de crédito mais amplas e outras óbvias vantagens para a classe de grandes agricultores.

Sendo uma grande plantação de produtos tropicais, a colônia estava intimamente integrada nas economias europeias, das quais dependia. Não constituía, portanto, um sistema autônomo,

PASSIVO COLONIAL, CRISE FINANCEIRA E...

sendo simples prolongamento de outros maiores. Caso fosse completa a integração — o que ocorria no caso das Antilhas inglesas —, a identidade de interesses das classes dominantes na economia principal e na dependente teria de ser completa. Essa comunhão ideológica não podia existir com Portugal porque este último país era apenas um entreposto, estando seus interesses via de regra em conflito com os da colônia.

Os conflitos da primeira metade do século xix entre os dirigentes da grande agricultura brasileira e a Inglaterra — os quais contribuíram indiretamente para que se formasse uma clara consciência da necessidade de lograr a plena independência política — não tiveram sua origem em discrepâncias de ideologia econômica. Resultaram principalmente da falta de coerência com que os ingleses seguiam a ideologia liberal. O tratado de comércio de 1810, referindo-se embora com bonitas palavras ao novo "systema liberal", constitui, na verdade, um instrumento criador de privilégios. Por outro lado, os ingleses não se preocuparam em abrir mercados aos produtos brasileiros, os quais competiam com os de suas dependências antilhanas. Aplicada unilateralmente, a ideologia liberal passou a criar sérias dificuldades à economia brasileira, exatamente na etapa em que a classe de grandes agricultores começava a governar o país. É nesse ambiente de dificuldades que a Inglaterra pretende impor a eliminação da importação de escravos africanos. Assim, entre as dificuldades que encontravam para vender os seus produtos e o temor de uma forte elevação de custos provocada pela suspensão da importação de escravos, a classe de grandes agricultores se defendeu tenazmente, provocando e enfrentando a ira dos ingleses. O governo britânico, escudado em sólidas razões morais e impulsado pelos interesses antilhanos que viam na persistência da escravatura brasileira o principal fator de depressão do mercado do açúcar, usou inutilmente todos os meios a seu alcance para terminar com o tráfico transatlântico de escravos.

145

FORMAÇÃO ECONÔMICA DO BRASIL

A tensão que na primeira metade do século xix perdura entre o governo britânico e a classe dominante brasileira[77] não encobre, destarte, nenhuma contradição séria de interesses. Portanto, não se pode afirmar que, se o governo brasileiro houvesse gozado de plena liberdade de ação, o desenvolvimento econômico do país teria sido necessariamente muito intenso. Contudo, cabe reconhecer que o privilégio aduaneiro concedido à Inglaterra e a posterior uniformização da tarifa em quinze por cento ad valorem, numa etapa de estagnação do comércio exterior, criaram sérias dificuldades financeiras ao governo brasileiro. O imposto sobre as importações é o instrumento comum com que os governos dos países da economia primária exportadora arrecadam suas receitas básicas. A única alternativa a esse imposto era taxar as exportações, o que numa economia escravista significa cortar os lucros da classe de senhores da grande agricultura.[78] Assim, entre a necessidade de sangrar seus próprios lucros numa etapa de dificuldades e a possibilidade de aumentar o imposto de importação, debateu-se a classe governante brasileira.

O governo central, que enfrenta extraordinária escassez de recursos financeiros, vê sua autoridade reduzir-se por todo o país, numa fase em que as dificuldades econômicas criavam um clima de insatisfação em praticamente todas as regiões. As províncias do norte — Bahia, Pernambuco e Maranhão — atravessam um momento de sérias dificuldades econômicas. Os preços do açúcar caem persistentemente na primeira metade do século, e os do algodão, ainda mais acentuadamente. Na Bahia e em Pernam-

---

77. O conflito não era com os interesses comerciais ingleses locais, pois estes continuaram a prosperar à sombra dos privilégios de que gozavam, nem exatamente com o governo brasileiro, o qual fazia repetidas exortações para que terminasse o tráfico, que era "ilegal".

78. Foi introduzido um imposto de oito por cento ad valorem sobre as exportações, na etapa de maiores dificuldades fiscais.

146

PASSIVO COLONIAL, CRISE FINANCEIRA E...

buco, e em especial no Maranhão, a renda per capita deve haver declinado substancialmente durante esse período. Na região sul do país as dificuldades econômicas se acumularam como reflexo da decadência da economia do ouro, principal mercado para o gado produzido no sul. As inúmeras rebeliões armadas do norte e a prolongada guerra civil do extremo sul são o reflexo desse processo de empobrecimento e dificuldades.[79]

É no meio dessas grandes dificuldades que o café começa a surgir como nova fonte de riqueza para o país. Já nos anos 1830 esse produto se firma como principal elemento da exportação brasileira, e sua progressão é firme. Graças a essa nova riqueza forma-se um sólido núcleo de estabilidade na região central mais próxima da capital do país, o qual passa a constituir verdadeiro centro de resistência contra as forças de desagregação que atuam no norte e no sul.

É necessário ter em conta a quase inexistência de um aparelhamento fiscal no país, para captar a importância que na época cabia às aduanas como fonte de receita e meio de subsistência do governo. Limitado o acesso a essa fonte, o governo central se encontrou em sérias dificuldades financeiras para desempenhar suas múltiplas funções na etapa de consolidação da independência. A eliminação do entreposto português possibilitou um aumento de receita. Mas, efetuado esse reajustamento, o governo se encontrará praticamente impossibilitado de aumentar a arrecadação até que expire o acordo com a Inglaterra, em 1844. A experiência dos anos 1820 — primeiro decênio de vida indepen-

---

79. Nos anos 30 e 40 do século XIX o Brasil viveu um período praticamente ininterrupto de revoltas e guerra civil. Pará, Maranhão, Ceará, Pernambuco, Bahia, Minas Gerais, São Paulo, Mato Grosso e Rio Grande do Sul atravessaram convulsões internas. No Pará, no Ceará e em Pernambuco o período de convulsões durou anos, e no Rio Grande do Sul a guerra civil se estendeu por decênios.

FORMAÇÃO ECONÔMICA DO BRASIL

dente — é ilustrativa e explica grande parte das dificuldades dos dois decênios subsequentes. Nesse período o governo central não consegue arrecadar recursos, através do sistema fiscal, para cobrir sequer metade dos seus gastos agravados com a guerra na Banda Oriental.[80] O financiamento do déficit se faz principalmente com emissão de moeda-papel, mais que duplicando o meio circulante durante o referido decênio.[81]

Dadas as pequenas dimensões da economia monetária, seu alto coeficiente de importação e a impossibilidade de elevar a tarifa aduaneira, os efeitos das emissões de moeda-papel se concentravam na taxa de câmbio, duplicando o valor em mil-réis da libra esterlina entre 1822 e 1830.

A forma de financiar o déficit do governo central com emissões de moeda-papel e a elevação relativa dos preços dos produtos importados — provocada pela desvalorização externa da moeda — incidiam particularmente sobre a população urbana. A grande classe de senhores agrícolas, que em boa medida se autoabasteciam em seus domínios e cujos gastos monetários o sistema de trabalho escravo amortecia, era relativamente pouco afetada pelos efeitos das emissões de moeda-papel. Esses efeitos se concentravam sobre as populações urbanas de pequenos comerciantes, empregados públicos e do comércio, militares

80. O governo português, prevalecendo-se da confusão que reinava nas colônias espanholas, ocupara a chamada Banda Oriental do Uruguai em 1815, a qual passou a ser a província Cisplatina do Brasil. Ajudados pelos argentinos, os uruguaios se revoltaram em 1825 e conseguiram, com os auspícios da Inglaterra, que sua independência fosse reconhecida pelas duas potências vizinhas.
81. Entre 1824 e 1829 o governo do Brasil conseguiu alguns empréstimos externos, se bem que em condições extremamente onerosas, no montante real de 4,8 milhões de libras. Esses recursos foram, entretanto, totalmente absorvidos nos gastos diretos da independência, inclusive parte da indenização de 2 milhões de libras paga a Portugal.

148

PASSIVO COLONIAL, CRISE FINANCEIRA E...

etc. Com efeito, a inflação acarretou um empobrecimento dessas classes, o que explica o caráter principalmente urbano das revoltas da época e o acirramento do ódio contra os portugueses, os quais, sendo comerciantes, eram responsabilizados pelos males que acabrunhavam o povo.[82]

82. Houve inúmeras revoltas de guarnições militares sem qualquer explicação plausível que não o "aumento da indisciplina", na linguagem dos historiadores. "No Pará", diz João Ribeiro, "as tropas amotinadas detinham os generais, aprisionavam ou assassinavam os governadores, com o auxílio faccioso de todos os desordeiros, e só ao cabo de quatro anos se pôde [...] restabelecer a ordem e o prestígio da autoridade." Em Pernambuco, a "tropa saqueou a cidade; a discórdia durou outros tantos anos. [...] No Maranhão, os anarquistas tentaram eliminar o escol da sociedade". *História do Brasil*, 16ª ed., pp. 377-8. O descontentamento contra os portugueses é outra manifestação do mesmo fenômeno, sendo o caso mais notório o da chamada "Revolução Praieira" de Pernambuco (1847-48): "Os *praieiros* pediam a nacionalização do comércio a varejo, e até a expulsão dos portugueses não ligados pela família às gentes do Brasil. Aos gritos de *Mata marinheiro!*, muitos portugueses foram vilmente assassinados em dias de maior tumulto". Op. cit., p. 389.

18. Confronto com o desenvolvimento dos EUA

As observações anteriores põem em evidência as dificuldades criadas indiretamente, ou agravadas, pelas limitações impostas ao governo brasileiro nos acordos comerciais com a Inglaterra firmados entre 1810 e 1827. Sem embargo, não parece ter fundamento a crítica corrente que se faz a esses acordos, segundo a qual eles impossibilitaram a industrialização do Brasil nessa etapa, retirando das mãos do governo o instrumento do protecionismo. Observando atentamente o que ocorreu na época, comprova-se que a economia brasileira atravessou uma fase de fortes desequilíbrios, determinados principalmente pela baixa relativa dos preços das exportações e pela tentativa do governo, cujas responsabilidades se haviam avolumado com a independência política, de aumentar sua participação no dispêndio nacional. A exclusão do entreposto português, as maiores facilidades de transporte e comercialização — devidas ao estabelecimento de inúmeras firmas inglesas no país — provocaram uma baixa relativa dos preços das importações e um rápido crescimento da procura de artigos importados. Criou-se, assim, uma forte pressão sobre a

CONFRONTO COM O DESENVOLVIMENTO DOS EUA

balança de pagamentos, que teria de repercutir na taxa de câmbio. Por outro lado, conforme indicamos, a forma como se financiou o déficit do governo central veio reforçar enormemente essa pressão sobre a taxa de câmbio. Na ausência de uma corrente substancial de capitais estrangeiros ou de uma expansão adequada das exportações, a pressão teve de resolver-se em depreciação externa da moeda, o que provocou por seu lado um forte aumento relativo dos preços dos produtos importados. Se se houvesse adotado, desde o começo, uma tarifa geral de cinquenta por cento ad valorem, possivelmente o efeito protecionista não tivesse sido tão grande como resultou ser com a desvalorização da moeda.[83]

A suposição de que estaria ao alcance do Brasil — na hipótese de total liberdade de ação — adotar uma política idêntica à dos EUA, nessa primeira fase do século XIX,[84] não resiste a uma análise detida dos fatos. Esse problema encerra particular interesse e pode sintetizar-se numa pergunta que muitos homens de pensamento se têm feito no Brasil: por que se industrializaram os EUA no século XIX, emparelhando-se com as nações europeias, enquanto o Brasil evoluía no sentido de transformar-se no século XX numa vasta região subdesenvolvida? Superado o fatalismo supersticioso das teorias de inferioridades de clima e "raça", essa

83. Admitindo-se que um aumento de cem por cento no preço das mercadorias importadas seja acompanhado de um de 33 por cento no nível geral de preços, o efeito resultante pelo menos é idêntico ao da introdução de uma tarifa aduaneira de cinquenta por cento ad valorem.

84. Esse ponto de vista, corrente entre os estudiosos da economia brasileira, é esposado, por exemplo, por ROBERTO SIMONSEN: "Tínhamos de abraçar, àquele tempo, política semelhante à que a nação norte-americana seguiu no período de sua formação econômica. Produtores de artigos coloniais, diante de um mundo fechado por polícias coloniais (alusão de SIMONSEN a um dos dislates da versão portuguesa do Tratado de Comércio de 1810, no qual se traduziu *policy* por polícia), tornamo-nos, no entanto, campeões de um liberalismo econômico na América". Op. cit., p. 406.

151

pergunta adquiriu uma significação mais real do ponto de vista econômico. Convém, portanto, que lhe dediquemos alguma atenção.

O desenvolvimento dos EUA, em fins do século XVIII e na primeira metade do XIX, constitui um capítulo integrante do desenvolvimento da própria economia europeia, sendo em muito menor grau o resultado de medidas internas protecionistas adotadas por essa nação americana. O protecionismo surgiu nos EUA, como sistema geral de política econômica, em etapa já bem avançada do século XIX, quando as bases de sua economia já se haviam consolidado. Pela primeira tarifa norte-americana de 1789, os tecidos de algodão pagavam tão somente cinco por cento ad valorem, e a média para todas as mercadorias era 8,5 por cento.[85] Vários ajustamentos permitiram que a tarifa para tecidos de algodão alcançasse 17,5 por cento em 1808, época em que a indústria têxtil norte-americana já se podia considerar consolidada.

Para compreender o desenvolvimento dos EUA no período imediato à independência, é necessário ter em conta as peculiaridades dessa colônia que indicamos nos capítulos 5 e 6. À época de sua independência, a população norte-americana era mais ou menos da magnitude da do Brasil. As diferenças sociais, entretanto, eram profundas, pois enquanto no Brasil a classe dominante era o grupo dos grandes agricultores escravistas, nos EUA uma classe de pequenos agricultores e um grupo de grandes comerciantes urbanos dominava o país. Nada é mais ilustrativo dessa diferença do que a disparidade que existe entre os dois principais intérpretes dos ideais das classes dominantes nos dois países: Alexander Hamilton e o visconde de Cairu. Ambos são discípulos de Adam Smith, cujas ideias absorveram diretamente e na mesma época na Inglaterra. Sem embargo, enquanto Hamilton se transforma em paladino da industrialização, mal compreendida pela

---

85. UGO RABBENO, *The American commercial policy*, Londres, 1895, p. 117.

CONFRONTO COM O DESENVOLVIMENTO DOS EUA

classe de pequenos agricultores norte-americanos, advoga e promove uma decidida ação estatal de caráter positivo — estímulos diretos às indústrias, e não apenas medidas passivas de caráter protecionista[86] —, Cairu crê supersticiosamente na mão invisível e repete: "Deixai fazer, deixai passar, deixai vender".

As medidas restritivas com respeito à produção manufatureira que a Inglaterra impunha às suas colônias, na época mercantilista, tiveram de ser aplicadas de forma muito especial nos EUA, pelo simples fato de que o sistema de agricultura de exportação não dera resultado nas colônias do norte. A relação dessas colônias com a Metrópole evoluíra num sentido distinto conforme indicamos nos capítulos referidos. As linhas gerais da política inglesa passaram a ser as seguintes: fomentar nas colônias do norte aquelas indústrias que não competissem com as da Metrópole, permitindo a esta reduzir suas importações de outros países; não permitir que a produção manufatureira das mesmas nos demais setores concorresse com as indústrias da Metrópole em outros mercados coloniais. As medidas coercitivas começam a surgir quando as colônias do norte chegam a concorrer com a Metrópole nas exportações de manufaturas.[87] No caso especial do aço, houve preocupação de dificultar sua produção na colônia, mas

---

86. "*He* [Alexander Hamilton] *attached much greater importance to bounties and premiums to be granted directly to the various branches of industries, and insisted on the adoption of them either exclusively or conjointly with customs duties.*" UGO RABBENO, op. cit., p. 137.

87. "*The first of those was an act passed in 1699, upon the complaint of English manufacturers and merchants, to the effect that the colonists were exporting wool and woolens to foreign markets in competition with those of Great Britain.* [...] *In 1732 Parliament prohibited the exportation from one colony to another, or from the colonies to England or Europe, of hats manufactured in America.*" VICTOR S. CLARK, *History of manufactures in the United States, 1609-1860.* Washington, 1916, pp. 22-3.

153

em compensação se fomentou a produção do ferro, para permitir à Inglaterra reduzir sua dependência dos países do Báltico. Não é sem razão, portanto, que um dos estudiosos mais criteriosos desta matéria pôde afirmar: "*In studying those times, the presumption becomes better defined, with every new detail of fact revealed, that upon the whole the industrial development of the colonies was about where it would have been had their economic policies been governed by their own people*".[88] Por outro lado, as próprias colônias, que se defrontam com dificuldades para efetuar as importações de manufaturas de que necessitavam, desde cedo criaram consciência da conveniência de fomentar a produção interna. Já em 1655 Massachusetts passou uma lei obrigando todas as famílias a produzir os tecidos de que necessitassem. Muitas colônias proibiam a exportação de certas matérias-primas, como couros, para que fossem manufaturadas localmente. Por último cabe referir o extraordinário avanço da indústria da construção naval, a qual desempenharia um papel fundamental no desenvolvimento ocorrido na época das guerras napoleônicas. Já antes da independência as três quartas partes do comércio norte-americano se realizavam em seus próprios barcos.[89]

A Guerra da Independência, cortando por vários anos todo suprimento de manufaturas inglesas, criou um forte estímulo à produção interna, que já dispunha de base para expandir-se. Logo em seguida teve início a etapa de grandes transtornos políticos na Europa, os quais criaram estímulos extraordinários para o desenvolvimento da economia norte-americana. Durante

---

88. VICTOR S. CLARK, op. cit., p. 30.

89. "*According to one estimate 30% of the 7,700 vessels flying the British flag in 1775 were American built, and 75% of American commerce were carried in her own bottoms.*" F. A. SHANNON, op. cit., p. 91.

CONFRONTO COM O DESENVOLVIMENTO DOS EUA

muitos anos os EUA foram a única potência neutra que dispunha de uma grande frota mercante. Com as dificuldades de abastecimento europeu, as Antilhas inglesas e francesas voltam-se para o mercado norte-americano de alimentos. Para que se tenha ideia dessa prosperidade, basta ter em conta que de 1789 a 1810 a frota mercante norte-americana cresceu de 202 mil para 1,425 milhão de toneladas, e que todos esses barcos eram construídos no país.[90]

A experiência técnica acumulada desde a época colonial, a lucidez de alguns de seus dirigentes, que perceberam o verdadeiro sentido do desenvolvimento econômico que se operava com a Revolução Industrial, e a grande acumulação de capitais da fase das guerras napoleônicas não seriam, entretanto, suficientes para explicar as transformações desse país na primeira metade do século XIX. Por muito tempo ainda a economia norte-americana dependerá, para desenvolver-se, da exportação de produtos primários. Com efeito, foi como exportadores de uma matéria-prima — o algodão — que os EUA tomaram posição na vanguarda da Revolução Industrial, praticamente desde os primórdios desta. A Revolução Industrial, no último quartel do século XVIII e na primeira metade do século XIX, consistiu basicamente em profunda transformação da indústria têxtil. É esse um fenômeno fácil de explicar se se tem em conta que os tecidos constituem a principal mercadoria "elaborada" nas sociedades pré-capitalistas. O mercado de tecidos já estava feito, ao passo que o mercado de grande número de outras manufaturas existia apenas em forma embrio-

---

90. "*From 1795 to 1801 the average net earnings of our merchant marine were supposed to exceed $ 32,000,000 a year, which alone would pay for more imported goods per capita than the colonists had used prior to the Revolution.*" VICTOR S. CLARK, op. cit., p. 237.

FORMAÇÃO ECONÔMICA DO BRASIL

nária. A primeira fase da Revolução Industrial apresenta, na verdade, duas características básicas: a mecanização dos processos manufatureiros da indústria têxtil e a substituição nessa indústria da lã pelo algodão,[91] matéria-prima cuja produção se podia expandir mais facilmente. Se à Inglaterra coube a tarefa de introduzir os processos de mecanização, foram os EUA que se incumbiram da segunda: fornecer as quantidades imensas de algodão que permitiriam, em alguns decênios, transformar a fisionomia da oferta de tecidos em todo o mundo. Com efeito, entre 1780 e a metade do século XIX, o consumo anual de algodão pelas fábricas inglesas aumentou de 2 mil toneladas para cerca de 250 mil. Essa enorme expansão do consumo de tecidos de algodão não refletia um crescimento autônomo da procura. Foi na verdade conseguido, nessa primeira etapa, principalmente através de uma intensa concorrência com as manufaturas locais de base artesanal e através da redução relativa do consumo de outras fibras. O instrumento principal dessa concorrência foi a baixa nos preços: entre o último decênio do século XVIII e a metade do século XIX os preços das manufaturas inglesas de algodão se reduziram de duas terças partes.[92] Ora, essa redução foi, em grande parte, um

91. Esses dois aspectos da Revolução Industrial são, até certo ponto, inseparáveis, pois a introdução do algodão per se facilitou a transformação dos métodos de trabalho. *"The cotton industry was specially well adapted as a field for experiments. With regard to the problem of mechanical spinning it afforded specially favourable conditions for inventors. For cotton fiber, being more cohesive and less elastic than wool, is easier to twist and stretch into a continuous thread."* PAUL MANTOUX, *Industrial Revolution in the Eighteenth Century*, Londres, 1928, p. 213.
92. Entre 1790-1800 e 1840-50 os preços médios dos tecidos ingleses de algodão se reduziram, na verdade, à quinta parte. Mas, tendo em conta que na primeira etapa houve uma elevação de preços provocada pelas condições anormais do mercado, estimamos a redução, devida à tendência a longo prazo, em dois terços. Para os dados básicos, veja-se: W. W. ROSTOW, *The process of economic growth*, Oxford, 1953, apêndice II.

CONFRONTO COM O DESENVOLVIMENTO DOS EUA

reflexo da baixa do preço do algodão, possível graças a um concurso de circunstâncias que favoreceram a produção em grande escala desse artigo nos EUA.[93]

O algodão, que chegou a representar mais da metade do valor das exportações dos EUA, constitui o principal fator dinâmico do desenvolvimento da economia norte-americana na primeira metade do século XIX. O seu cultivo permitiu a incorporação de abundantes terras férteis no Alabama, no Mississippi, na Louisiana, no Arkansas e na Flórida, as quais eram utilizadas de forma mais ou menos idêntica ao que ocorreria no Brasil com o café. As formas extensivas de cultura obrigavam a buscar sempre novas terras e a penetrar no interior do continente. E foi principalmente como reflexo desse sistema, em expansão no sul, que se povoou o meio-oeste norte-americano, abrindo-se espaço para as grandes correntes de colonização europeia, as quais penetravam no centro do continente subindo os grandes rios que as ligavam com os mercados do sul.

À semelhança do que ocorreu no Brasil ao se abrirem os portos, a balança comercial dos EUA com a Inglaterra era via de regra deficitária nos primeiros decênios do século XIX. Contudo, esse déficit, em vez de pesar sobre o câmbio — como foi o caso no Brasil — e provocar um reajustamento em níveis mais baixos de intercâmbio, tendia a transformar-se em dívidas de médio e longo prazos, invertendo-se em bônus dos governos central e estaduais. Formou-se assim, quase automaticamente, uma corrente de capitais que seria de importância fundamental para o de-

---

93. Estudando este problema com referência ao período 1812-30, W. W. ROSTOW observa: *"Of the decline in cost of nº 100 yarn, [...] about two-thirds was accounted for by the fall in raw-material costs. [...] The proportionate contribution to cost reduction of raw-materials is greater in the lower grades of yarn than in the more expensive products: 71 percent for nº 40 yarn; only 5 percent for nº 250".* Op. cit., pp. 203-4.

157

senvolvimento do país. Isto foi possível graças à política financeira do Estado, concebida por Hamilton, e à ação pioneira dos governos central primeiro e estaduais depois na construção de uma infraestrutura econômica e no fomento direto de atividades básicas.[94]

94. Na primeira metade do século XIX a ação do Estado é fundamental no desenvolvimento norte-americano. É somente na segunda metade do século — quando cresce amplamente a influência dos grandes negócios — que alcança prevalecer a ideologia da não intromissão do Estado na esfera econômica.

19. Declínio a longo prazo do nível de renda: primeira metade do século XIX

Condição básica para o desenvolvimento da economia brasileira, na primeira metade do século XIX, teria sido a expansão de suas exportações. Fomentar a industrialização nessa época, sem o apoio de uma capacidade para importar em expansão, seria tentar o impossível num país totalmente carente de base técnica. As iniciativas de indústria siderúrgica da época de d. João VI fracassaram não exatamente por falta de proteção, mas simplesmente porque nenhuma indústria cria mercado para si mesma, e o mercado para produtos siderúrgicos era praticamente inexistente. O pequeno consumo do país estava em declínio, com a decadência da mineração, e espalhava-se pelas distintas províncias exigindo uma complexa organização comercial. A industrialização teria de começar por aqueles produtos que já dispunham de um mercado de certa magnitude, como era o caso dos tecidos, única manufatura cujo mercado se estendia inclusive à população escrava. Ocorre, porém, que a forte baixa dos preços dos tecidos ingleses, a que nos referimos, dificultou a própria subsistência do pouco artesanato têxtil que já existia no país. A baixa de

FORMAÇÃO ECONÔMICA DO BRASIL

preços foi de tal ordem que se tornava praticamente impossível defender qualquer indústria local por meio de tarifas. Teria sido necessário estabelecer cotas de importação. Cabe reconhecer, entretanto, que dificultar a entrada no país de um produto cujo preço apresentava tão grande declínio seria reduzir substancialmente a renda real da população numa etapa em que esta atravessava grandes dificuldades. Por último é necessário não esquecer que a instalação de uma indústria têxtil moderna encontraria sérias dificuldades, pois os ingleses impediam por todos os meios a seu alcance a exportação de máquinas.[95]

Mesmo deixando de lado a consideração de que uma política inteligente de industrialização seria impraticável num país dirigido por uma classe de grandes senhores agrícolas escravistas, é necessário reconhecer que a primeira condição para o êxito daquela política teria sido uma firme e ampla expansão do setor exportador. A causa principal do grande atraso relativo da economia brasileira na primeira metade do século XIX foi, portanto, o estancamento de suas exportações. Durante esse período, a taxa de crescimento médio anual do valor em libras das exportações brasileiras não excedeu 0,8 por cento,[96] enquanto a popula-

---

95. *"The British government took every precaution to prevent the new machinery, or a practical knowledge of it, from leaving that country, and British agents even shipped back to England such machines as they could acquire in the U.S.".*VICTOR S. CLARK, op. cit., p. 533. A mecanização da indústria têxtil norte-americana fez-se principalmente com máquinas fabricadas no próprio país, o que foi possível graças à cooperação de operários especializados ingleses que emigraram escapando ao controle das autoridades britânicas. A possibilidade de alcançar grandes lucros, numa economia cujo mercado se expandia rapidamente, induzia a correr os riscos.

96. Estimamos em 4 milhões de libras as exportações de 1800, com base em dados publicados por ROBERTO SIMONSEN, op. cit. Em 1849-50 o valor das exportações foi de 5,932 milhões de libras. *Anuário estatístico do Brasil*, 1939-40, p. 1358. Os demais dados relativos ao comércio exterior do Brasil, a partir de 1821, são dessa mesma fonte.

DECLÍNIO A LONGO PRAZO DO NÍVEL DE RENDA...

ção crescia a uma taxa anual de cerca de 1,3 por cento.[97] A taxa de aumento de 0,8 por cento não nos dá, entretanto, uma ideia exata do que ocorreu no país, pois todo o aumento das exportações no período referido deve-se ao café, cuja produção estava concentrada nas áreas próximas da cidade do Rio de Janeiro. Excluído o café, o valor das exportações de 1850 é inferior ao que provavelmente foi no começo do século. As estatísticas das exportações, por produtos principais (disponíveis a partir de 1821), proporcionam uma visão mais clara da matéria. Entre 1821-30 e 1841-50, o valor em libras das exportações de açúcar cresceu 24 por cento, vale dizer, com uma taxa média anual de 1,1 por cento; o das exportações de algodão se reduziu à metade; o das de couros e peles se reduziu em doze por cento, e o das de fumo permaneceu estacionário. Desses produtos, o único cujos preços se mantiveram estáveis foi o fumo. Os exportadores de açúcar, para receber 24 por cento mais em valor, mais que dobraram a quantidade exportada; os de algodão receberam a metade do valor, exportando apenas dez por cento menos, e os de couros e peles mais que dobraram a quantidade para receber um valor doze por cento inferior.

As quedas de preço indicadas per se não significam tudo, pois seria possível que os preços de importação estivessem baixando, mantendo-se em consequência o valor real das exportações. Somente um índice dos termos do intercâmbio, isto é, da relação entre os preços de importação e os de exportação, poderia dar-nos uma ideia clara do efeito das modificações de preços na produtividade da economia do país. Esse índice pode ser elaborado para o período que nos preocupa, se bem que de forma

97. A taxa de 1,3 por cento se baseia na comparação da população de 1850 (7 milhões) com a de 1808 (4 milhões). Para as estimativas da população do Brasil do século XIX, veja-se *Anuário estatístico do Brasil*, cit., p. 1293.

161

indireta, mas com uma aproximação razoável. A baixa nos preços das exportações brasileiras, entre 1821-30 e 1841-50, foi de cerca de quarenta por cento. No que respeita a importações, o índice de preços das exportações da Inglaterra constitui uma boa indicação. Esse índice, entre os dois decênios referidos, manteve-se perfeitamente estável.[98] Pode-se, portanto, afirmar que a queda do índice dos termos do intercâmbio foi de, aproximadamente, quarenta por cento, isto é, que a renda real gerada pelas exportações cresceu quarenta por cento menos que o volume físico destas. Como o valor médio anual das exportações subiu de 3,9 milhões de libras para 5,47 milhões, ou seja, um aumento de quarenta por cento, depreende-se que a renda real gerada pelo setor exportador cresceu nessa mesma proporção, enquanto o esforço produtivo nesse setor aproximadamente dobrara.

Os dados referidos no parágrafo anterior constituem uma indicação bastante clara de que a renda real per capita declinou sensivelmente na primeira metade do século XIX. Para que se mantivesse o nível dessa renda, reduzindo-se a importância relativa do setor exportador, seria necessário que se operassem modificações que evidentemente não ocorreram. Com efeito, somente um desenvolvimento intenso do setor não ligado ao comércio exterior poderia haver contrabalançado o declínio relativo das exportações. As atividades não ligadas ao comércio exterior são, via de regra, indústrias e serviços localizados nas zonas urbanas. Não existe, entretanto, nenhuma indicação de que a urbanização do país se haja acelerado nesse período.[99] O que houve, muito

---

98. W. W. ROSTOW, op. cit., apêndice III.
99. A população da cidade do Rio de Janeiro, centro urbano mais próspero do país nessa época, cresceu aparentemente a uma taxa anual de 1,3 por cento, idêntica à do conjunto da população do país. Vejam-se as estimativas da população dessa cidade no *Anuário estatístico do Brasil*, cit., p. 1294.

DECLÍNIO A LONGO PRAZO DO NÍVEL DE RENDA...

provavelmente, foi um aumento relativo do setor de subsistência, da forma a que já nos referimos em capítulo anterior. Sendo a economia de subsistência de produtividade bem inferior à do setor exportador, o aumento de sua importância relativa, numa etapa em que o setor exportador estava estacionário, teria necessariamente que traduzir-se em redução da renda per capita do conjunto da população. O valor da exportação por habitante, da população livre, que em fins do século anterior se aproximava de duas libras, na metade do século XIX pouco excedia uma libra. Mesmo que se admita, como no caso extremo, que a participação do valor das exportações no produto se haja reduzido a um sexto — para o período final do século XVIII sugerimos a hipótese de um quarto —, a renda média per capita da população livre[100] teria se reduzido de cinquenta para 43 dólares de valor aquisitivo atual. Qualquer que seja a margem de erro desses cálculos, o que se pode admitir como mais ou menos certo é que a tendência foi declinante na primeira metade do século. Também é provável que a renda per capita por essa época haja sido mais baixa do que em qualquer período da colônia, se se consideram em conjunto as várias regiões do país.

---

100. Admitimos que a população em 1850 seria de 7 milhões, inclusive 2 milhões de escravos, os quais não se têm em conta no cômputo da renda per capita.

20. Gestação da economia cafeeira

Dificilmente um observador que estudasse a economia brasileira pela metade do século XIX chegaria a perceber a amplitude das transformações que nela se operariam no correr do meio século que se iniciava. Haviam decorrido três quartos de século em que a característica dominante fora a estagnação ou a decadência. Ao rápido crescimento demográfico de base migratória dos três primeiros quartéis do século XVIII sucedera um crescimento vegetativo relativamente lento no período subsequente. As fases de progresso, como a que conheceu o Maranhão, haviam sido de efeitos locais, sem chegar a afetar o panorama geral. A instalação de um rudimentar sistema administrativo, a criação de um banco nacional e umas poucas outras iniciativas governamentais constituíam — ao lado da preservação da unidade nacional — o resultado líquido desse longo período de dificuldades. As novas técnicas criadas pela Revolução Industrial escassamente haviam penetrado no país, e quando o fizeram foi sob a forma de bens ou serviços de consumo sem afetar a estrutura do sistema produtivo. Por último, o problema nacional básico — a expansão da força de

GESTAÇÃO DA ECONOMIA CAFEEIRA

trabalho do país — encontrava-se em verdadeiro impasse: estancara-se a tradicional fonte africana sem que se vislumbrasse uma solução alternativa.

Ao observador de hoje, afigura-se perfeitamente claro que, para superar a etapa de estagnação, o Brasil necessitava reintegrar-se nas linhas em expansão do comércio internacional. Num país sem técnica própria e no qual praticamente não se formavam capitais que pudessem ser desviados para novas atividades, a única saída que oferecia o século XIX para o desenvolvimento era o comércio internacional. Desenvolvimento com base em mercado interno só se torna possível quando o organismo econômico alcança um determinado grau de complexidade, que se caracteriza por uma relativa autonomia tecnológica. Já assinalamos a importância que teve no desenvolvimento dos EUA, na primeira metade do século XIX, o dinamismo do seu setor exportador. Tampouco seria possível contar com um influxo de capitais forâneos em uma economia estagnada. Os poucos empréstimos externos, contraídos na primeira metade do século XIX, tiveram objetivos improdutivos e, como consequência, agravaram enormemente a precária situação fiscal. Estagnadas as exportações e impossibilitado o governo de aumentar o imposto das importações, o serviço da dívida externa teria de criar sérias dificuldades fiscais, as quais, por seu lado, contribuíram para reduzir o crédito público. A corrente de capitais do século XIX era principalmente de inversões indiretas. Para levantar recursos nos mercados de capitais era necessário apresentar projetos com perspectivas muito atrativas ou oferecer garantias de juros subscritas por quem tivesse o necessário crédito. As possibilidades de apresentar projetos atrativos em uma economia estagnada teriam de ser praticamente nulas; por outro lado, que crédito poderia ter o governo de um país de economia em decadência e cuja capacidade para arrecadar impostos estava cerceada? Para contar com a coope-

FORMAÇÃO ECONÔMICA DO BRASIL

ração do capital estrangeiro, a economia deveria primeiro retomar o crescimento por seus próprios meios.[101]

As possibilidades de que as exportações tradicionais do Brasil voltassem a recuperar o dinamismo necessário para que o país entrasse em nova etapa de desenvolvimento eram remotas na metade do século XIX. Já nos referimos à tendência declinante dos preços desses produtos. O mercado do açúcar tornara-se cada vez menos promissor. O açúcar de beterraba, cuja produção se desenvolvera no continente europeu na etapa das guerras napoleônicas, enraizara-se em interesses criados dentro de tradicionais mercados importadores. O mercado inglês continuava a ser abastecido pelas colônias antilhanas. Nos EUA, que constituíam o mercado importador em mais rápida expansão, se desenvolvia amplamente a produção da Louisiana, comprada dos franceses em 1803. Por último cabe referir que surgira no mercado do açúcar um novo supridor cujas possibilidades se definiam dia a dia como mais extraordinárias. Desfrutando de fretes extremamente baixos para os EUA, Cuba, que havia aberto os seus portos a "todas as nações amigas" ainda como colônia

101. A ideia de que os capitais ingleses não vieram para o Brasil na primeira metade do século XIX em razão do conflito com o governo britânico, decorrente da persistência do tráfico de escravos africanos, não parece ter grande fundamento. As más relações com o governo inglês continuaram por vários anos depois da suspensão do tráfico, sem que isto haja impedido a criação de uma corrente apreciável de capital. Quando em 1863 o governo inglês, prevalecendo-se de motivos fúteis, bloqueou o porto do Rio de Janeiro e aprisionou vários barcos brasileiros com o objetivo de intimidar e submeter o governo imperial, houve um forte movimento de protesto na Inglaterra, dirigido por grupos financeiros com interesses no Brasil. Num artigo do *Daily News* de 12 de fevereiro de 1863 se lê: "*Who of us* [...] *can trade safely with Brazil or any other country, who can buy Brazilian or foreign bonds of any kind, who can with common prudence invest his money in the railways shares of small and defenceless states* [...] *if mines like this are to be sprung under his feet by his own government?*". Citado por A. K. MANCHESTER, op. cit., p. 283.

166

GESTAÇÃO DA ECONOMIA CAFEEIRA

espanhola, constituíra-se em principal supridor do mercado norte-americano. Suas exportações, que apenas alcançavam 20 mil toneladas em fins do século anterior, pela metade do século XIX já superavam as 300 mil,[102] o triplo das vendas do Brasil na mesma época.

A situação do algodão, segundo produto das exportações brasileiras no começo do século XIX, ainda era pior que a do açúcar. A produção norte-americana, integrada nos interesses do grande mercado importador inglês, beneficiando-se do rápido crescimento da procura interna,[103] desfrutando de fretes relativamente baixos, organizada no regime escravista com mão de obra relativamente abundante e dispondo de grande oferta de terras de primeira qualidade (que usava de forma destrutiva), dominava totalmente o mercado. A produção de algodão havia constituído um magnífico negócio para algumas regiões do Brasil, particularmente o Maranhão, numa época em que o produto se vendia a preços extremamente elevados. Ao iniciar-se a produção em grande escala nos EUA e ao transformar-se o algodão na principal matéria-prima do comércio mundial, os preços se reduziram a menos da terça parte e se mantiveram em torno desse patamar, com flutuações, a partir do terceiro decênio do século XIX. Com esse nível de preços, a rentabilidade do negócio algodoeiro era extremamente baixa no Brasil, constituindo para as regiões que o produziam um complemento da economia de subsistência. Será necessário que a Guerra de Secessão exclua temporariamente o algodão norte-americano do mercado mun-

102. Para os dados sobre a exportação cubana, veja-se RAMIRO GUERRA Y SÁNCHEZ, op. cit., apêndice II.
103. O consumo de algodão nos EUA aumentou de uma média anual de 32,5 milhões de libras-peso em 1804-14 para 239 milhões em 1844-54; na Inglaterra o aumento foi de 89 milhões em 1811-19 para 640 milhões em 1845-54. Veja-se W. W. ROSTOW, op. cit., apêndice I.

167

FORMAÇÃO ECONÔMICA DO BRASIL

dial para que a economia desse artigo conheça no século XIX nova etapa de prosperidade no Brasil.[104]

O fumo, os couros, o arroz e o cacau eram produtos menores, cujos mercados não admitiam grandes possibilidades de expansão. No mercado dos couros pesava cada vez mais a produção do rio da Prata, e no do arroz, a norte-americana, que passava por fundamentais transformações nos métodos de cultivo. O fumo perdera o mercado africano, com a eliminação do tráfico de escravos, sendo necessário orientar o produto para outras regiões. Finalmente o cacau, cujo uso apenas começava a vulgarizar-se, constituía tão somente uma esperança. O problema brasileiro consistia em encontrar produtos de exportação em cuja produção entrasse como fator básico a terra. Com efeito, a terra era o único fator de produção abundante no país. Capitais praticamente não existiam, e a mão de obra era basicamente constituída por um estoque de pouco mais de 2 milhões de escravos, parte substancial dos quais permanecia imobilizada na indústria açucareira ou prestando serviços domésticos.

Pela metade do século, entretanto, já se definira a predominância de um produto relativamente novo, cujas características de produção correspondiam exatamente às condições ecológicas do país. O café, se bem que tivesse sido introduzido no Brasil desde o começo do século XVIII e se cultivasse por toda parte para fins de consumo local, assume importância comercial no fim desse século, quando ocorre a alta de preços causada pela desorganização do grande produtor que era a colônia francesa do Haiti. No primeiro decênio da independência o café já contri-

---

104. A dificuldade de competir com o algodão norte-americano, não era somente o Brasil que a enfrentava. É sabido que o governo inglês, preocupado com a excessiva dependência da fonte norte-americana, nomeou mais de uma comissão para estudar as possibilidades de desenvolver a produção algodoeira dentro do Império, sendo medíocres os resultados.

168

GESTAÇÃO DA ECONOMIA CAFEEIRA

buía com dezoito por cento do valor das exportações do Brasil, colocando-se em terceiro lugar depois do açúcar e do algodão. E nos dois decênios seguintes já passa para primeiro lugar, representando mais de quarenta por cento do valor das exportações. Conforme já observamos, todo o aumento que se constata no valor das exportações brasileiras, no correr da primeira metade do século XIX, deve-se estritamente à contribuição do café. Ao transformar-se o café em produto de exportação, o desenvolvimento de sua produção se concentrou na região montanhosa próxima da capital do país. Nas proximidades dessa região, existia relativa abundância de mão de obra, em consequência da desagregação da economia mineira. Por outro lado, a proximidade do porto permitia solucionar o problema do transporte lançando mão do veículo que existia em abundância: a mula. Dessa forma, a primeira fase da expansão cafeeira se realiza com base num aproveitamento de recursos preexistentes e subutilizados. A elevação dos preços, a partir do último decênio do século XVIII, determina a expansão da produção em várias partes da América e da Ásia. Essa expansão foi sucedida por um período de preços declinantes que se estende pelos anos 1830 e 1840. A baixa de preços, entretanto, não desencorajou os produtores brasileiros, que encontravam no café uma oportunidade para utilizar recursos produtivos semiociosos desde a decadência da mineração. Com efeito, a quantidade exportada mais que quintuplicou entre 1821- -30 e 1841-50, se bem que os preços médios se hajam reduzido em cerca de quarenta por cento durante esse período.

O segundo e principalmente o terceiro quartel do século XIX são basicamente a fase de gestação da economia cafeeira. A empresa cafeeira permite a utilização intensiva da mão de obra escrava, e nisto se assemelha à açucareira. Entretanto, apresenta um grau de capitalização muito mais baixo do que esta última, porquanto se baseia mais amplamente na utilização do fator ter-

FORMAÇÃO ECONÔMICA DO BRASIL

ra. Se bem que seu capital também esteja imobilizado — o cafezal é uma cultura permanente —, suas necessidades monetárias de reposição são muito menores, pois o equipamento é mais simples e quase sempre de fabricação local. Organizada com base no trabalho escravo, a empresa cafeeira se caracterizava por custos monetários ainda menores que os da empresa açucareira. Por conseguinte, somente uma forte alta nos preços da mão de obra poderia interromper o seu crescimento, no caso de haver abundância de terras. Como em sua primeira etapa a economia cafeeira dispôs do estoque de mão de obra escrava subutilizada da região da antiga mineração, explica-se que seu desenvolvimento haja sido tão intenso, não obstante a tendência pouco favorável dos preços. No terceiro quartel do século os preços do café se recuperam amplamente, enquanto os do açúcar permanecem deprimidos, criando-se uma forte pressão no sentido da transferência de mão de obra do norte para o sul do país.

A etapa de gestação da economia cafeeira é também a de formação de uma nova classe empresária que desempenhará papel fundamental no desenvolvimento subsequente do país. Essa classe se formou inicialmente com homens da região. A cidade do Rio de Janeiro representava o principal mercado de consumo do país, e os hábitos de consumo de seus habitantes se haviam transformado substancialmente a partir da chegada da corte portuguesa. O abastecimento desse mercado passou a constituir a principal atividade econômica dos núcleos de população rural que se haviam localizado no sul da província de Minas como reflexo da expansão da mineração. O comércio de gêneros e de animais para o transporte desses constituía nessa parte do país a base de uma atividade econômica de certa importância, e deu origem à formação de um grupo de empresários comerciais locais. Muitos desses homens, que haviam acumulado alguns capitais no comércio e transporte de gêneros e de café, passa-

170

GESTAÇÃO DA ECONOMIA CAFEEIRA

ram a interessar-se pela produção deste, vindo a constituir a vanguarda da expansão cafeeira.

Se se compara o processo de formação das classes dirigentes nas economias açucareira e cafeeira percebem-se facilmente algumas diferenças fundamentais. Na época de formação da classe dirigente açucareira, as atividades comerciais eram monopólio de grupos situados em Portugal ou na Holanda. As fases produtiva e comercial estavam rigorosamente isoladas, carecendo os homens que dirigiam a produção de qualquer perspectiva de conjunto da economia açucareira. As decisões fundamentais eram todas tomadas partindo da fase comercial. Assim isolados, os homens que dirigiam a produção não puderam desenvolver uma consciência clara de seus próprios interesses. Com o tempo, foram perdendo sua verdadeira função econômica, e as tarefas diretivas passaram a constituir simples rotina executada por feitores e outros empregados. Compreende-se, portanto, que os antigos empresários hajam involuído numa classe de rentistas ociosos, fechados num pequeno ambiente rural, cuja expressão final será o patriarca bonachão que tanto espaço ocupa nos ensaios dos sociólogos nordestinos do século xx. A separação de Portugal não trouxe modificações fundamentais, permanecendo a etapa produtiva isolada e dirigida por homens de espírito puramente ruralista. Explica-se, assim, a facilidade com que os interesses ingleses vieram a dominar tão completamente as atividades comerciais do Nordeste açucareiro. Debilitados os grupos portugueses, criou-se um vazio que foi fácil preencher.

A economia cafeeira formou-se em condições distintas. Desde o começo, sua vanguarda esteve formada por homens com experiência comercial. Em toda a etapa da gestação os interesses da produção e do comércio estiveram entrelaçados. A nova classe dirigente formou-se numa luta que se estende em uma frente ampla: aquisição de terras, recrutamento de mão de obra, organiza-

171

FORMAÇÃO ECONÔMICA DO BRASIL

ção e direção da produção, transporte interno, comercialização nos portos, contatos oficiais, interferência na política financeira e econômica. A proximidade da capital do país constituía, evidentemente, uma grande vantagem para os dirigentes da economia cafeeira. Desde cedo eles compreenderam a enorme importância que podia ter o governo como instrumento de ação econômica. Essa tendência à subordinação do instrumento político aos interesses de um grupo econômico alcançará sua plenitude com a conquista da autonomia estadual, ao proclamar-se a República. O governo central estava submetido a interesses demasiadamente heterogêneos para responder com a necessária prontidão e eficiência aos chamados dos interesses locais. A descentralização do poder permitirá uma integração ainda mais completa dos grupos que dirigiam a empresa cafeeira com a maquinaria político-administrativa. Mas não é o fato de terem controlado o governo o que singulariza os homens do café. E sim que tenham utilizado esse controle para alcançar objetivos perfeitamente definidos de uma política. É por essa consciência clara de seus próprios interesses que eles se diferenciam de outros grupos dominantes anteriores ou contemporâneos.

Ao concluir-se o terceiro quartel do século XIX os termos do problema econômico brasileiro se haviam modificado basicamente. Surgira o produto que permitiria ao país reintegrar-se nas correntes em expansão do comércio mundial; concluída sua etapa de gestação, a economia cafeeira encontrava-se em condições de autofinanciar sua extraordinária expansão subsequente; estavam formados os quadros da nova classe dirigente que lideraria a grande expansão cafeeira. Restava por resolver, entretanto, o problema da mão de obra.

21. O problema da mão de obra

1. Oferta interna potencial

Pela metade do século XIX, a força de trabalho da economia brasileira estava basicamente constituída por uma massa de escravos que talvez não alcançasse 2 milhões de indivíduos. Qualquer empreendimento que se pretendesse realizar teria de chocar-se com a inelasticidade da oferta de trabalho. O primeiro censo demográfico, realizado em 1872, indica que nesse ano existiam no Brasil aproximadamente 1,5 milhão de escravos. Tendo em conta que o número de escravos, no começo do século, era algo mais de 1 milhão, e que nos primeiros cinquenta anos do século XIX se importou muito provavelmente mais de meio milhão, deduz-se que a taxa de mortalidade era superior à de natalidade.[105] É interessante observar a evolução diversa que teve o estoque de

---

105. Não se conhecem dados completos sobre a entrada de escravos no Brasil, nem mesmo para a época da independência política. Particularmente irregulares são os dados relativos às entradas pelos portos do norte. Entre 1827 e 1830 houve uma grande intensificação do tráfico, pois neste último ano ele "deveria" cessar em razão do acordo com a Inglaterra. As entradas pelo porto do Rio

FORMAÇÃO ECONÔMICA DO BRASIL

escravos nos dois principais países escravistas do continente: os
EUA e o Brasil. Ambos começaram o século XIX com um estoque de aproximadamente 1 milhão de escravos. As importações
brasileiras, no correr do século, foram cerca de três vezes maiores do que as norte-americanas. Sem embargo, ao iniciar-se a
Guerra de Secessão, os EUA tinham uma força de trabalho escrava de cerca de 4 milhões, e o Brasil, na mesma época, algo
como 1,5 milhão. A explicação desse fenômeno está na elevada
taxa de crescimento vegetativo da população escrava norte-
-americana, grande parte da qual vivia em propriedades relativamente pequenas, nos estados do chamado *Old South*. As condições de alimentação e de trabalho nesses estados deveriam ser
relativamente favoráveis, tanto mais que, com a elevação permanente dos preços dos escravos, seus proprietários passaram a
derivar uma renda do incremento natural dos mesmos.[106] A

---

de Janeiro excederam 47 mil em 1828 e 57 mil em 1829, descendo para 32 mil
em 1830. Essas importações foram evidentemente anormais, pois provocaram
forte desequilíbrio no mercado, reduzindo-se os preços à metade entre 1829 e
1831. Outra etapa de grandes importações foi a que antecedeu a cessação total
do tráfico, ocorrida entre 1851 e 1852. Com efeito, no quinquênio 1845-49, a
importação média alcançou 48 mil indivíduos. Dificilmente se pode admitir
que a importação total na primeira metade do século XIX haja sido inferior a
750 mil (média anual de 15 mil), sendo porém pouco provável que tenha excedido de muito 1 milhão. Nos EUA, entre 1800 e 1860 se importaram cerca de
320 mil escravos, sendo que, desses, uns 270 mil foram contrabandeados depois
da abolição do tráfico, em 1808. O máximo das importações decenais (75 mil)
foi alcançado no período imediatamente anterior à guerra civil. (Dados relativos aos EUA citados por L. C. GRAY, *History of agriculture in the southern United
States to 1860*, Washington, 1933, tomo II, p. 650.)
106. Os historiadores do sul dos EUA negam sempre que se haja desenvolvido
nos chamados "estados vendedores" uma indústria de procriação de escravos.
Evidentemente é esse um assunto delicado, no qual nem sempre seria fácil definir o sentido real das "boas intenções". Com efeito, o criador eficiente de escravos seria sempre aquele que conseguisse tornar-lhes a vida mais "feliz". Nas

174

O PROBLEMA DA MÃO DE OBRA. I.

oferta de escravos nos novos estados do sul, em que tinha lugar a grande expansão algodoeira, passou a depender basicamente do crescimento da população escrava dos antigos estados escravistas. Com efeito, entre 1820 e 1860, as transferências de escravos dos chamados estados vendedores para os compradores teriam alcançado 742 mil.[107] Os escravos nascidos no país apresentavam evidentemente inúmeras vantagens, pois estavam culturalmente integrados nas comunidades de trabalho que eram as plantações, haviam sido mais bem alimentados, já tinham o conhecimento da língua etc.

O fato de que a população escrava brasileira tivesse uma taxa de mortalidade bem superior à de natalidade indica que as condições de vida da mesma deviam ser extremamente precárias. O regime alimentar da massa escrava ocupada nas plantações açucareiras era particularmente deficiente. Ao crescer a procura de escravos no sul para as plantações de café, intensifica-se o tráfico interno, em prejuízo das regiões que já estavam operando com rentabilidade reduzida. As decadentes regiões algodoeiras

---

palavras de um conspícuo historiador norte-americano: "*On many well managed plantations there were positive, though entirely ethical, measures for encouraging the rate of increase. The partial exemption from labor during pregnancy, additions of extra food, clothing, and other comforts after childbirth — there were powerful stimuli in the direction that coincided with the master's self-interest. On some plantations a woman with six or more healthy children was exempted all labor. On other plantations ten children exempted the mother from field work*". L. C. GRAY, op. cit., tomo II, p. 663. "*A planter here and there may have exerted a control of mating in the interest of industrial and commercial eugenics, but it is extremely doubtful that any appreciable number of masters attempted any direct hastening of slave increase.*" U. B. PHILLIPS, *American negro slavery*, Nova York, 1918, p. 362. De toda forma, em nenhum estado se concedeu estabilidade legal à família de escravos: os filhos podiam ser separados dos pais, e a mulher, do marido, para serem vendidos cada um em direção diversa.

107. L. C. GRAY, op. cit., p. 650.

FORMAÇÃO ECONÔMICA DO BRASIL

— particularmente o Maranhão — sofreram forte drenagem de braços para o sul. A região açucareira, mais bem capitalizada, defendeu-se melhor. Demais, é provável que a redução do abastecimento de africanos e a elevação do preço destes hajam provocado uma intensificação na utilização da mão de obra e portanto um desgaste ainda maior da população escrava.

Eliminada a única fonte importante de imigração, que era a africana, a questão da mão de obra se agrava e passa a exigir urgente solução. Para compreender a natureza desse problema é necessário ter em conta as características da economia brasileira nessa época e a forma como a mesma se expandia. O crescimento das economias europeias, que se industrializaram no século XIX, consistiu fundamentalmente numa revolução tecnológica. À medida que iam penetrando as novas técnicas, sucessivos segmentos do sistema econômico preexistente se desagregavam. Sendo essa desagregação muito rápida na primeira etapa, a oferta de mão de obra crescia suficientemente para alimentar o setor mecanizado em expansão e ainda exercer forte pressão sobre os salários. Por outro lado, a desagregação do sistema pré-capitalista intensificava o processo de urbanização, o que por sua vez facilitava a assistência médica e social e, destarte, acarretava uma intensificação no crescimento vegetativo da população. Com efeito, registrou-se na Inglaterra um substancial aumento na taxa de crescimento da população no correr do último quartel do século XVIII e primeiro do XIX, se bem que, segundo as opiniões mais autorizadas, dificilmente se possa negar que durante esse período pioraram as condições de vida da classe trabalhadora.[108]

---

108. Para uma reconsideração recente deste último problema, veja-se E. J. HOBSBAWM, "The British standard of living 1790-1850", em *The Economic History Review*, agosto de 1957.

176

O PROBLEMA DA MÃO DE OBRA. I.

No caso brasileiro, o crescimento era puramente em extensão. Consistia em ampliar a utilização do fator disponível — a terra — mediante a incorporação de mais mão de obra. A chave de todo o problema econômico estava, portanto, na oferta de mão de obra. Caberia entretanto indagar: não existia uma oferta potencial de mão de obra no amplo setor de subsistência, em permanente expansão? É esse um problema que convém esclarecer, se se pretende compreender a natureza do desenvolvimento da economia brasileira nessa etapa e nas subsequentes.

O setor de subsistência, que se estendia do norte ao extremo sul do país, caracterizava-se por uma grande dispersão. Baseando-se na pecuária e numa agricultura de técnica rudimentar, era mínima sua densidade econômica. Embora a terra fosse o fator mais abundante, sua propriedade estava altamente concentrada. O sistema de sesmarias concorrera para que a propriedade da terra, antes monopólio real, passasse às mãos do número limitado de indivíduos que tinham acesso aos favores reais. Contudo, não era este o aspecto fundamental do problema, pois sendo a terra abundante não se pagava propriamente renda pela mesma. Na economia de subsistência, cada indivíduo ou unidade familiar deveria encarregar-se de produzir alimentos para si mesmo. A *roça* era e é a base da economia de subsistência. Entretanto, não se limita a viver de sua roça o homem da economia de subsistência. Ele está ligado a um grupo econômico maior, quase sempre pecuário, cujo chefe é o proprietário da terra onde ele tem a sua roça. Dentro desse grupo, desempenha funções de vários tipos, de natureza econômica ou não, e recebe uma pequena remuneração que lhe permite cobrir gastos monetários mínimos. No âmbito da roça o sistema é exclusivamente de subsistência; no âmbito da unidade maior é misto, variando a importância da faixa monetária de região para região, e de ano para ano numa região.

FORMAÇÃO ECONÔMICA DO BRASIL

Havendo abundância de terras, o sistema de subsistência tende naturalmente a crescer, e esse crescimento implica, as mais das vezes, redução na importância relativa da faixa monetária. O capital de que dispõe o roceiro é mínimo, e o método que utiliza para ocupar novas terras, o mais primitivo. Reunidos em grupo, abatem as árvores maiores e em seguida usam o fogo como único instrumento para limpar o terreno. Aí, entre troncos abatidos e tocos não destruídos pelo fogo, plantam a roça. Para os fins estritos de alimentação de uma família, essa técnica agrícola é suficiente. Tem-se repetido comumente no Brasil que a causa dessa agricultura rudimentar está no *caboclo*, quando o caboclo é simplesmente uma criação da economia de subsistência. Mesmo que dispusesse de técnicas agrícolas muito mais avançadas, o homem da economia de subsistência teria que abandoná-las, pois o produto de seu trabalho não teria valor econômico. A involução das técnicas de produção e da forma de organização do trabalho, com o tempo, transformaria esse homem em *caboclo*.[109]

Se bem que a unidade econômica mais importante da economia de subsistência fosse realmente a roça, do ponto de vista social a unidade mais significativa era a que tinha como chefe o proprietário das terras. A este interessava basicamente que o maior número de pessoas vivessem em suas terras, cabendo a cada um tratar de sua própria subsistência. Dessa forma o senhor das terras, no momento oportuno, poderia dispor da mão de obra de que necessitasse. Demais, dadas as condições que prevaleciam nessas regiões, o prestígio de cada um dependia da quanti-

109. Um agudo observador de alguns aspectos da economia brasileira no começo do século XX, PIERRE DENIS fez o seguinte comentário sobre uma colônia de europeus, das que o governo brasileiro instalou com altos gastos e subsídios: "*Ils ont adopté, en fait d'agriculture, les habitudes du* cabocle, *c'est-à-dire, le travailleur brésilien indigène. Ils se sont laissés corrompre, me dit le directeur de la colonie*". Le Brésil au XXème siècle, Paris, 1928, 7ª ed., p. 223.

178

O PROBLEMA DA MÃO DE OBRA. I.

dade de homens que pudesse utilizar a qualquer momento e para qualquer fim. Em consequência, o roceiro da economia de subsistência, se bem não estivesse ligado pela propriedade da terra, estava atado por vínculos sociais a um grupo, dentro do qual se cultivava a mística de fidelidade ao chefe como técnica de preservação do grupo social.

Se se excetuam algumas regiões de maior concentração demográfica e características algo diversas — como o sul de Minas —, a economia de subsistência de maneira geral estava de tal forma dispersa que o recrutamento de mão de obra dentro da mesma seria tarefa bastante difícil e exigiria grande mobilização de recursos. Na realidade, um tal recrutamento só seria praticável se contasse com a decidida cooperação da classe de grandes proprietários de terra. A experiência demonstrou, entretanto, que essa cooperação dificilmente podia ser conseguida, pois era todo um estilo de vida, de organização social e de estruturação do poder político o que entrava em jogo.

Mas não somente no sistema de subsistência existia mão de obra trabalhando com baixíssima produtividade, e que podia ser considerada como reserva potencial de força de trabalho. Também nas zonas urbanas se havia acumulado uma massa de população que dificilmente encontrava ocupação permanente. As dificuldades principais neste caso eram de adaptação à disciplina do trabalho agrícola e às condições da vida nas grandes fazendas. As dificuldades de adaptação dessa gente e, em grau menor, daqueles que vinham da agricultura rudimentar do sistema de subsistência contribuíram para formar a opinião de que a mão de obra livre do país não servia para a "grande lavoura". Em consequência, mesmo na época em que mais incerta parecia a solução do problema de mão de obra, não evoluiu no país a ideia de um amplo recrutamento interno financiado pelo

FORMAÇÃO ECONÔMICA DO BRASIL

governo.[110] Pensou-se em importar mão de obra asiática, em regime de semisservidão, seguindo o exemplo das Índias Ocidentais inglesas e holandesas. Tão grave era, com efeito, o problema da oferta da mão de obra no Brasil, no terceiro quartel do século XIX, que a um homem com a visão e a experiência de Mauá não ocorria melhor solução que essa da semisservidão dos asiáticos.[111]

110. Prevalecia no país uma atitude extremamente hostil a toda transferência interna de mão de obra, o que não é difícil de explicar, tendo em vista o poder político dos grupos cujos interesses resultariam prejudicados. Assim, quando no governo Campos Salles (1898-1902) se aprovou um plano, com financiamento governamental, de translado de população do Ceará para o sul, organizou-se uma campanha em grande escala para obstruir a execução do mesmo.

111. VISCONDE DE MAUÁ, *Autobiografia*, 2ª ed., Rio de Janeiro, 1943, pp. 218, 226.

180

22. O problema da mão de obra

II. A imigração europeia

Como solução alternativa do problema da mão de obra, sugeria-se fomentar uma corrente de imigração europeia. O espetáculo do enorme fluxo de população que espontaneamente se dirigia da Europa para os EUA parecia indicar a direção que cabia tomar. E, com efeito, já antes da independência começara, por iniciativa governamental, a instalação de "colônias" de imigrantes europeus. Entretanto, essas colônias que, nas palavras de Mauá, "pesavam com a mão de ferro" sobre as finanças do país[112] vegetavam raquíticas sem contribuir em coisa alguma para alterar os termos do problema da inadequada oferta de mão de obra. E a questão fundamental era aumentar a oferta de força de trabalho disponível para a *grande lavoura*, denominação brasileira da época correspondente à *plantation* dos ingleses. Ora, não existia nenhum precedente, no continente, de imigração de origem europeia de mão de obra livre para trabalhar em grandes plantações. As dificuldades que encontraram os ingleses para

112. VISCONDE DE MAUÁ, op. cit., p. 218.

FORMAÇÃO ECONÔMICA DO BRASIL

solucionar o problema da falta de braços, em suas plantações da região do Caribe, são bem conhecidas. É sabido, por exemplo, que grande parte dos africanos apreendidos nos navios que traficavam para o Brasil eram reexportados para as Antilhas como trabalhadores "livres".[113]

Nos EUA, conforme vimos, a solução básica adveio de uma forte intensificação no crescimento da população escrava, o que em boa parte se deveu a que muitos desses escravos não trabalhavam em grandes plantações. A emigração europeia para os EUA nada tinha que ver com a oferta de mão de obra para as grandes plantações. Se bem que estivessem interligados os dois movimentos — a expansão das plantações e a corrente migratória europeia —, os mesmos constituem sem embargo fenômenos autônomos. A expansão das plantações norte-americanas se realizaria mesmo sem a corrente migratória europeia, se bem que esta, ampliando a procura interna de algodão e barateando a oferta de alimentos, deu impulso àquela expansão. A corrente migratória seria, entretanto, difícil de explicar — pelo menos na escala em que ocorreu, no que se refere à primeira metade do século XIX — sem a expansão das plantações. A circunstância de que o algodão era um produto volumoso,[114] ocupando grande espaço nos navios, enquanto as manufaturas que importavam os norte-americanos apresentavam uma grande densidade econômica favoreceu a baixa nos fretes de retorno da Europa para os EUA. E foi essa

113. "After emancipation [...] there was a serious shortage of labour which was partially met by various expedients. One of these was the importation of negroes freed from slave ships; 14,113 such freed slaves were for example imported from Sierra Leone between 1840 and 1850. Trinidad and British Guiana at a later date imported Indian indentured labour on a large scale." Sir ALAN PIN, Colonial agricultural production, Oxford, 1946, p. 90.
114. Demais do algodão, as madeiras, produto ainda mais volumoso, tinham uma grande importância na exportação norte-americana para a Inglaterra.

182

O PROBLEMA DA MÃO DE OBRA. II.

baixa dos preços das passagens — em navios cargueiros e semicargueiros — que permitiu que se avolumasse de tal forma a emigração espontânea da Europa para os EUA. Contudo, os baixos preços das passagens não seriam condição suficiente para que se criasse a grande corrente migratória. O fundamental era que os colonos contavam com um mercado em expansão para vender os seus produtos, expansão que era em grande parte um reflexo do desenvolvimento das plantações do sul, à base de trabalho escravo.

As colônias criadas em distintas partes do Brasil pelo governo imperial careciam totalmente de fundamento econômico; tinham como razão de ser a crença na superioridade inata do trabalhador europeu, particularmente daqueles cuja "raça" era distinta da dos europeus que haviam colonizado o país. Era essa uma colonização amplamente subsidiada. Pagavam-se transporte e gastos de instalação e promoviam-se obras públicas artificiais para dar trabalho aos colonos, obras que se prolongavam algumas vezes de forma absurda. E quase sempre, quando, após os vultosos gastos, se deixava a colônia entregue a suas próprias forças, ela tendia a definhar, involuindo em simples economia de subsistência. Caso ilustrativo é o da colonização alemã do Rio Grande do Sul. O governo imperial instalou aí a primeira colônia em 1824, em São Leopoldo, e depois da guerra civil o governo da província realizou fortes inversões para retomar e intensificar a imigração dessa origem. Contudo, a vida econômica das colônias era extremamente precária, pois, não havendo mercado para os excedentes de produção, o setor monetário logo se atrofiava, o sistema de divisão do trabalho involuía, e a colônia regredia a um sistema econômico rudimentar de subsistência. Viajantes europeus que passavam por essas regiões se surpreendiam com a forma primitiva de vida dos colonos e atribuíam os seus males às leis inadequadas do país ou a outras razões dessa ordem. A consequência prática de tudo isso foi, entretanto, que se formou na

Europa um movimento de opinião contra a emigração para o império escravista da América e já em 1859 se proibia a emigração alemã para o Brasil.

Para que as colônias chegassem a constituir um êxito como política imigratória e atraíssem pelo exemplo correntes espontâneas de povoamento, teria sido necessário que as mesmas se dedicassem de imediato a atividades produtivas rentáveis. Esse objetivo só poderia ser alcançado em dois casos: integrando a colônia nas linhas de produção de um artigo de exportação ou orientando-a de imediato para a produção de artigos que dispusessem de mercado no país. A produção para exportação estava organizada no sistema de grandes plantações, exigindo uma imobilização de capital que não era acessível aos colonos em sua etapa de instalação. Em todo caso, se se decidissem a plantar café, os colonos teriam que concorrer com empresas que exploravam a mão de obra escrava. Demais, é perfeitamente explicável que a classe dirigente da economia cafeeira, cuja influência no governo já era decisiva, não demonstrasse nenhum interesse em subsidiar uma imigração que em nada contribuiria para solucionar o problema da mão de obra em suas plantações e que com ela viria concorrer no mercado do café. Por outro lado, a possibilidade de produzir para o mercado interno dependia da expansão deste, e pressupunha o desenvolvimento da economia de exportação. Como a chave do problema das exportações era a oferta de mão de obra, retornava-se ao ponto de partida.

Reconhecendo que a política de colonização do governo imperial em nada contribuía para solucionar o problema da mão de obra da grande lavoura, a classe dirigente da economia cafeeira passou a preocupar-se diretamente com o problema. Em 1852, um grande plantador de café, o senador Vergueiro, se decidiu a contratar diretamente trabalhadores na Europa. Conseguindo do governo o financiamento do transporte, transferiu oitenta famí-

O PROBLEMA DA MÃO DE OBRA. II.

lias de camponeses alemães para a sua fazenda em Limeira. A iniciativa despertou interesse, e mais de 2 mil pessoas foram transferidas, principalmente de estados alemães e da Suíça, até 1857. A ideia do senador Vergueiro era uma simples adaptação do sistema pelo qual se organizara a emigração inglesa para os EUA na época colonial: o imigrante vendia o seu trabalho futuro. Nas colônias inglesas, o financiamento corria por conta do empresário. No caso brasileiro, o governo cobria a parte principal desse financiamento, que era o preço das passagens da família. É fácil compreender que esse sistema degeneraria rapidamente numa forma de servidão temporária, a qual nem sequer tinha um limite de tempo fixado, como ocorria nas colônias inglesas. Com efeito, o custo real da imigração corria totalmente por conta do imigrante, que era a parte financeiramente mais fraca. O Estado financiava a operação, o colono hipotecava o seu futuro e o de sua família, e o fazendeiro ficava com todas as vantagens. O colono devia firmar um contrato pelo qual se obrigava a não abandonar a fazenda antes de pagar a dívida em sua totalidade. É fácil perceber até onde poderiam chegar os abusos de um sistema desse tipo nas condições de isolamento em que viviam os colonos, sendo o fazendeiro praticamente a única fonte do poder político. A reação na Europa — onde tudo que dizia respeito a um país escravista suscitava imediata preocupação — não tardou. Em 1867, um observador alemão apresentou à Sociedade Internacional de Emigração de Berlim uma exposição em que pretendia demonstrar que os "colonos" emigrados para as fazendas de café do Brasil eram submetidos a um sistema de escravidão disfarçada.[115] Evidentemente o caminho tomado estava errado, e era indispensável reconsiderar o problema em todos os seus termos.

115. Para uma exposição crítica do relatório Haupt, veja-se PIERRE DENIS, op. cit., pp. 122-5.

A partir dos anos 1860 a questão da oferta da mão de obra tornou-se particularmente séria. A melhora nos preços do café fazia mais e mais atrativa a expansão da cultura; por outro lado, a grande alta dos preços do algodão provocada pela Guerra de Secessão nos EUA dera início a uma forte expansão da cultura da fibra nos estados do norte, restringindo-se em consequência o tráfico de escravos para o sul. A pressão dos acontecimentos exigia evidentemente medidas amplas. A evolução se inicia pelo sistema de pagamento ao colono.[116] O regime inicialmente adotado era o de parceria, no qual a renda do colono era sempre incerta, cabendo-lhe a metade do risco que corria o grande senhor de terras. A perda de uma colheita podia acarretar a miséria para o colono, dada sua precária situação financeira. A partir dos anos 1860 introduziu-se um sistema misto pelo qual o colono tinha garantida a parte principal de sua renda. Sua tarefa básica consistia em cuidar de um certo número de pés de café, e por essa tarefa recebia um salário monetário anual. Esse salário era completado por outro variável, pago no momento da colheita em função do volume desta.

O segundo problema a exigir solução era o do pagamento da viagem. Obrigando-se o colono a indenizar os gastos de viagem, seus e de sua família, era inevitável que se suscitasse nele o temor de que sua liberdade futura estava comprometida. Sendo os fazendeiros de café os mais diretamente interessados na imigração, era natural que corressem por conta deles os gastos de transporte. Todavia, se a solução fosse adotada nesse sentido, somente os fazendeiros mais ricos poderiam promover a imigra-

---

116. Por assimilação com os imigrantes que, por iniciativa do governo imperial, haviam chegado para formar colônias de povoamento, passou-se a chamar colono a todo imigrante que vinha para os trabalhos agrícolas, se bem que na quase totalidade dos casos fossem meros trabalhadores assalariados.

O PROBLEMA DA MÃO DE OBRA. II.

ção. Mas, como não era possível obrigar o colono a permanecer em uma fazenda, resultaria que uns pagariam o transporte do imigrante que serviria a outros. A solução veio em 1870, quando o governo imperial passou a encarregar-se dos gastos do transporte dos imigrantes que deveriam servir à lavoura cafeeira. Demais, ao fazendeiro cabia cobrir os gastos do imigrante durante o seu primeiro ano de atividade, isto é, na etapa de maturação de seu trabalho. Também devia colocar à sua disposição terras em que pudesse cultivar os gêneros de primeira necessidade para manutenção da família. Dessa forma o imigrante tinha seus gastos de transporte e instalação pagos e sabia a que se ater com respeito à sua renda futura. Esse conjunto de medidas tornou possível promover pela primeira vez na América uma volumosa corrente imigratória de origem europeia destinada a trabalhar em grandes plantações agrícolas.

Ainda assim é provável que essa imigração não houvesse alcançado níveis tão elevados, não fora o concurso de um conjunto de condições favoráveis do lado da oferta. Durante a mesma época em que evoluía favoravelmente o problema no Brasil, processava-se a unificação política da Itália, de profundas consequências econômicas para a península. A região do sul — o chamado reino das duas Sicílias —, de menor grau de desenvolvimento e mais baixa produtividade agrícola, encontrou-se em difícil situação para enfrentar a concorrência das regiões mais desenvolvidas do norte. Em consequência, as indústrias manufatureiras do sul — a indústria têxtil havia alcançado um grau de desenvolvimento relativamente alto — se desorganizaram, criando-se uma situação de depressão permanente para as províncias meridionais. A pressão sobre a terra, do excedente de população agrícola, fez crescer a intranquilidade social. A solução migratória surgiu, assim, como verdadeira válvula de alívio.

FORMAÇÃO ECONÔMICA DO BRASIL

Estavam, portanto, lançadas as bases para a formação da grande corrente imigratória que tornaria possível a expansão da produção cafeeira no estado de São Paulo. O número de imigrantes europeus que entram nesse estado sobe de 13 mil, nos anos 1870, para 184 mil no decênio seguinte e 609 mil no último decênio do século. O total para o último quartel do século XIX foi 803 mil, sendo 577 mil provenientes da Itália.[117]

117. Para os dados sobre o número de imigrantes e sua procedência, veja-se *Anuário estatístico do Brasil*, 1937-39, apêndice.

23. O problema da mão de obra

III. *Transumância amazônica*

Além da grande corrente migratória de origem europeia para a região cafeeira, o Brasil conheceu no último quartel do século XIX e primeiro decênio do XX um outro grande movimento de população: da região nordestina para a amazônica.

A economia amazônica entrara em decadência desde fins do século XVIII. Desorganizado o engenhoso sistema de exploração da mão de obra indígena estruturado pelos jesuítas, a imensa região reverteu a um estado de letargia econômica. Em pequena zona do Pará se desenvolveu uma agricultura de exportação que seguiu de perto a evolução da maranhense, com a qual estivera integrada comercialmente através dos negócios da companhia de comércio criada na época de Pombal. O algodão e o arroz aí também tiveram sua etapa de prosperidade, durante as guerras napoleônicas, sem contudo jamais alcançar cifras de significação para o conjunto do país. A base da economia da bacia amazônica eram sempre as mesmas especiarias extraídas da floresta que haviam tornado possível a penetração jesuítica na extensa região. Desses produtos extrativos o cacau continuava a ser o mais impor-

FORMAÇÃO ECONÔMICA DO BRASIL

tante. A forma como era produzido, entretanto, não permitia que o produto alcançasse maior significação econômica. A exportação anual média, nos anos 40 do século XIX, foi de 2900 toneladas, no decênio seguinte alcança 3500, e nos anos 1860 baixa para 3300. O aproveitamento dos demais produtos da floresta deparava-se sempre com o mesmo obstáculo: a quase inexistência de população e a dificuldade de organizar a produção com base no escasso elemento indígena local. Era o caso, por exemplo, da produção de borracha, cuja exportação se registra desde os anos 1820, alcançando 460 toneladas anuais como média nos anos 1840, 1900 no decênio seguinte e 3700 nos anos 1860. É por essa época que começa a registrar-se o aumento nos preços do produto. De 45 libras por tonelada nos anos 1840, o preço médio de exportação sobe para 118 libras no decênio seguinte, 125 nos anos 1860 e 182 nos 1870.[118]

A borracha estava destinada, nos fins do século XIX e começo do XX, a transformar-se na matéria-prima de procura em mais rápida expansão no mercado mundial. Assim como a indústria têxtil caracterizara a Revolução Industrial de fins do século XVIII e a construção das estradas de ferro os decênios da metade do século seguinte, a indústria de veículos terrestres a motor de combustão interna será o principal fator dinâmico das economias industrializadas, durante um largo período que compreende o último decênio do século XIX e os três primeiros do século XX. Sendo a borracha um produto "extrativo" e estando o estoque de árvores então existente concentrado na bacia amazônica, o problema de como aumentar sua produção para atender a uma procura mundial crescente se afigurava extremamente difícil. Impunha-se, evidentemente, uma solução a longo prazo, porquanto era óbvio que a possibilidade de aumentar a produção

118. *Anuário estatístico do Brasil*, cit., apêndice.

O PROBLEMA DA MÃO DE OBRA. III.

de borracha extrativa na Amazônia não era muito grande. Uma vez demonstrado que uma ou mais das plantas que produzem a matéria-prima da borracha podiam adaptar-se a outras regiões de clima similar, a produção de borracha teria de desenvolver-se de preferência ali onde existisse um adequado suprimento de mão de obra e recursos para financiar o seu longo período de gestação. Todavia, a rapidez com que crescia a procura de borracha nos países industrializados, em fins do século XIX, exigia uma solução a curto prazo. A evolução da economia mundial da borracha desdobrou-se assim em duas etapas: durante a primeira encontrou-se uma solução de emergência para o problema da oferta do produto extrativo; a segunda se caracteriza pela produção organizada em bases racionais, permitindo que a oferta adquira a elasticidade requerida pela rápida expansão da procura mundial.[119] A primeira fase da economia da borracha se desenvolve totalmente na região amazônica e está marcada pelas grandes dificuldades que apresenta o meio. Os preços continuam sua marcha ascensional, alcançando, no triênio 1909-11, a média de 512 libras por tonelada, ou seja, mais que decuplicando o nível que prevalecera na segunda metade do século anterior. Essa enorme elevação de preços indicava claramente que a oferta de borracha era inadequada e que uma solução alternativa teria de surgir. Com efeito, ao introduzir-se a borracha oriental de modo regular no mercado, depois da Primeira Guerra Mundial, os preços do produto se reduziram de forma permanente a um nível algo inferior a cem libras por tonelada.

Ainda mais do que no caso do café, a expansão da produção de borracha na Amazônia era uma questão de suprimento de mão de obra. Se bem que as possibilidades de incremento não fossem muito grandes, as exportações de borracha extrativa bra-

---

119. Nos anos 40 do século XX teria início a terceira etapa da economia da borracha, com a substituição progressiva do produto natural pelo sintético.

FORMAÇÃO ECONÔMICA DO BRASIL

sileira subiram da média de 6 mil toneladas nos anos 70 do século XIX para 11 mil nos 80, 21 mil nos 90 e 35 mil no primeiro decênio do século XX. Esse aumento da produção deveu-se exclusivamente ao influxo de mão de obra, pois os métodos de produção em nada se modificaram. Os dados disponíveis com respeito ao fluxo migratório para a região amazônica, durante essa etapa, são precários e se referem quase exclusivamente aos embarques em alguns portos nordestinos. Sem embargo, se se comparar a população nos estados do Pará e do Amazonas, segundo os censos de 1872 e 1900, observa-se que a mesma cresce de 329 mil para 695 mil habitantes. Admitindo-se um crescimento anual vegetativo de um por cento — as condições de salubridade são reconhecidamente precárias na região —, depreende-se que o influxo externo teria sido da ordem de 260 mil pessoas, não contados aqueles que já haviam penetrado na região que viria a ser o território e depois o estado do Acre. Desse total de imigrantes, cerca de 200 mil correspondem ao último decênio do século XIX, conforme se deduz da comparação dos censos de 1890 e 1900. Se se admite um idêntico influxo para o primeiro decênio do século XX, resulta que a população destacada para a região amazônica não seria inferior a meio milhão de pessoas.

Essa enorme transumância indica claramente que em fins do século XIX já existia no Brasil um reservatório substancial de mão de obra e leva a crer que, se não tivesse sido possível solucionar o problema da lavoura cafeeira com imigrantes europeus, uma solução alternativa teria surgido dentro do próprio país. Aparentemente, a imigração europeia para a região cafeeira deixou disponível o excedente de população nordestina para a expansão da produção da borracha.

A população do Nordeste, conforme já indicamos, estava ocupada, desde o primeiro século da colonização, em dois sistemas econômicos: o açucareiro e o pecuário. A decadência da economia açucareira, a partir da segunda metade do século XVII,

192

O PROBLEMA DA MÃO DE OBRA. III.

determinou a transformação progressiva do sistema pecuário em economia de subsistência. Nesse tipo de economia, a população tende a crescer em função da disponibilidade de alimentos, a qual depende diretamente da disponibilidade de terras. Se se compara a evolução dos núcleos de economia de subsistência nas distintas partes do país, esse problema da disponibilidade de terras aparece com toda a sua significação. As colônias europeias localizadas no Rio Grande do Sul, Paraná e Santa Catarina encontraram-se em situação particularmente favorável desse ponto de vista. A qualidade e a abundância de suas terras proporcionaram-lhes um suprimento mais que adequado de alimentos, mesmo em um nível baixo de técnica agrícola. Assim, não obstante o rudimentar de sua economia monetária, essas colônias apresentavam uma taxa altíssima de crescimento demográfico vegetativo, taxa essa que constituiu motivo de admiração para os europeus que as visitavam em fins do século XIX e começo do XX. Essa massa de população das regiões de colônias e o excedente virtual de produção de alimentos que nestas havia constituirão fatores básicos do rápido desenvolvimento da região sul do país em etapas subsequentes, quando a expansão do mercado interno, ao impulso do desenvolvimento cafeeiro, criar os estímulos que anteriormente não existiam.

Na região central, onde floresce a economia mineira, a população tende a deslocar-se a grandes distâncias, em razão da maior escassez de boas terras. Forma-se, assim, uma corrente migratória em direção ao atual estado de São Paulo, bem antes da penetração da lavoura cafeeira.[120] Outra corrente cresceu na

---

120. Sobre a transumância da população da antiga região mineira, anterior à grande expansão do café, veja-se PIERRE MONBEIG, *Pionniers et planteurs de São Paulo*, Paris, 1952, pp. 116-20. Nesse interessante livro encontra-se, demais, uma admirável descrição do meio físico de economia cafeeira.

direção de Mato Grosso, ocupando primeiro as terras bem irrigadas do chamado Triângulo Mineiro. A vanguarda desses movimentos de população — com exceção das regiões de colônias, onde a propriedade da terra constituía preocupação principal do homem que a trabalhava — estava sempre formada por indivíduos de iniciativa e com algum capital que logo se apropriavam de grandes extensões de terras, cujo usufruto, entretanto, era compartilhado por muitos outros em um sistema de economia de subsistência.

Na região nordestina, uma expansão vegetativa desse estilo se realizava desde o século XVII. Em algumas sub-regiões, na segunda metade do século XIX, os sintomas de pressão demográfica sobre a terra tornaram-se mais ou menos evidentes. O desenvolvimento da cultura algodoeira, nos primeiros decênios do século, havia permitido uma diversificação da atividade econômica, o que contribuíra para intensificar o crescimento da população. Nos anos 1860, quando ocorre a grande elevação de preços provocada pela guerra civil nos EUA, a produção de algodão se intensifica, e certas regiões, como o Ceará, conhecem pela primeira vez uma etapa de prosperidade. Essas ondas de prosperidade iam contribuindo, entretanto, para criar um desequilíbrio estrutural na economia de subsistência, à qual sempre revertia a população nas etapas subsequentes. Esse problema estrutural assumira extrema gravidade por ocasião da prolongada seca de 1877-80, durante a qual desapareceu quase todo o rebanho da região e pereceram de 100 mil a 200 mil pessoas. O movimento de ajuda às populações vitimadas logo foi habilmente orientado no sentido de promover sua emigração para outras regiões do país, particularmente a região amazônica. A concentração de gente nas cidades litorâneas facilitou o recrutamento. Por outro lado, as condições de miséria prevalecentes dificultaram, pelo

O PROBLEMA DA MÃO DE OBRA. III.

menos durante algum tempo, a reação dos grupos dominantes da economia da região, os quais viam na saída da mão de obra a perda de sua principal fonte de riqueza. Iniciada a corrente transumante, foi mais fácil fazê-la prosseguir. Os governos dos estados amazônicos interessados organizaram serviços de propaganda e concederam subsídios para gastos de transporte. Formou-se, assim, a grande corrente migratória que fez possível a expansão da produção de borracha na região amazônica, permitindo à economia mundial preparar-se para uma solução definitiva do problema.

Se se comparam os dois grandes movimentos de população ocorridos no Brasil, em fins do século XIX e começo do XX, surgem alguns contrastes particularmente notórios. O imigrante europeu, exigente e ajudado por seu governo, chegava à plantação de café com todos os gastos pagos, residência garantida, gastos de manutenção assegurados até a colheita. Ao final do ano estava buscando outra fazenda em que lhe oferecessem qualquer vantagem. Dispunha sempre de terra para plantar o essencial ao alimento de sua família, o que o defendia contra a especulação dos comerciantes na parte mais importante de seus gastos. A situação do nordestino na Amazônia era bem diversa: começava sempre a trabalhar endividado, pois via de regra obrigavam-no a reembolsar os gastos com a totalidade ou parte da viagem, com os instrumentos de trabalho e outras despesas de instalação. Para alimentar-se dependia do suprimento que, em regime de estrito monopólio, realizava o mesmo empresário com o qual estava endividado e que lhe comprava o produto. As grandes distâncias e a precariedade de sua situação financeira reduziam-no a um regime de servidão. Entre as longas caminhadas na floresta e a solidão das cabanas rudimentares onde habitava, esgotava-se sua vida, num isolamento que talvez nenhum outro sistema econô-

FORMAÇÃO ECONÔMICA DO BRASIL

mico haja imposto ao homem. Demais, os perigos da floresta e a insalubridade do meio encurtavam sua vida de trabalho.[121]

Os planos do imigrante nordestino que seguia para a Amazônia, seduzido pela propaganda fantasista dos agentes pagos pelos interesses da borracha, ou pelo exemplo das poucas pessoas afortunadas que regressavam com recursos, baseavam-se nos preços que o produto havia alcançado em suas melhores etapas. Ao declinarem estes de vez, a miséria generalizou-se rapidamente. Sem meios para regressar e na ignorância do que realmente se passava na economia mundial do produto, lá foram ficando. Obrigados a completar seu orçamento com recursos locais de caça e pesca, foram regredindo à forma mais primitiva de economia de subsistência, que é a do homem que vive na floresta tropical, e que pode ser aferida por sua baixíssima taxa de reprodução. Excluídas as consequências políticas que possa haver tido,[122] e o enriquecimento fortuito de reduzido grupo,

121. O contraste maior entre os dois movimentos migratórios resultaria, entretanto, do desenvolvimento subsequente das duas regiões. A economia cafeeira, em meio século de altos e baixos, demonstraria ser suficientemente sólida para prolongar-se num processo de industrialização. Pela metade do século xx, sua população apresentaria um nível de vida relativamente elevado — pelo menos bem mais elevado que o das regiões do sul da Europa de onde havia emigrado. A economia da borracha, ao contrário, entraria em brusca e permanente prostração. A população imigrante seria reduzida a condições de extrema miséria, em um meio em que era impossível encontrar uma saída para outro sistema de produção de alguma rentabilidade. Poucos anos depois estaria reduzida de forma permanente a condições de vida ainda mais precárias que as que havia conhecido em sua região de origem.

122. A busca de seringais levou os brasileiros a penetrar no território fronteiriço da Bolívia, cujos limites com o Brasil e o Peru ainda não haviam sido perfeitamente definidos nessa região. Como consequência dessa invasão criou-se o território do Acre, finalmente anexado ao Brasil mediante indenização à Bolívia de 2 milhões de libras e obrigação do Brasil de construir uma estrada de fer-

O PROBLEMA DA MÃO DE OBRA. III.

o grande movimento de população nordestina para a Amazônia consistiu basicamente em um enorme desgaste humano em uma etapa em que o problema fundamental da economia brasileira era aumentar a oferta de mão de obra.

---

ro que proporcionasse à Bolívia acesso ao curso navegável do rio Madeira, afluente do Amazonas.

24. O problema da mão de obra

IV. Eliminação do trabalho escravo

Já observamos que, na segunda metade do século XIX, não obstante a permanente expansão do setor de subsistência, a inadequada oferta de mão de obra constitui o problema central da economia brasileira. Vimos também como esse problema foi resolvido nas duas regiões em rápida expansão econômica: o planalto paulista e a bacia amazônica. Sem embargo, não seria avisado deixar de lado um outro aspecto desse problema, que aos contemporâneos pareceu ser em realidade de todos o mais fundamental: a chamada "questão do trabalho servil".

Mais que em qualquer outra matéria, nesta dificilmente se conseguem separar os aspectos exclusivamente econômicos de outros de caráter social mais amplo. Constituindo a escravidão no Brasil a base de um sistema de vida secularmente estabelecido, e caracterizando-se o sistema econômico escravista por uma grande estabilidade estrutural, explica-se facilmente que para o homem que integrava esse sistema a abolição do trabalho servil assumisse as proporções de uma "hecatombe social". Mesmo os espíritos mais lúcidos e fundamentalmente antiescravistas, como

O PROBLEMA DA MÃO DE OBRA. IV.

Mauá, jamais chegaram a compreender a natureza real do problema e se enchiam de susto diante da proximidade dessa "hecatombe" inevitável.[123] Prevalecia então a ideia de que um escravo era uma "riqueza" e que a abolição da escravatura acarretaria o empobrecimento do setor da população que era responsável pela criação de riqueza no país. Faziam-se cálculos alarmistas das centenas de milhares de contos de réis de riqueza privada que desapareceriam instantaneamente por um golpe legal. Outros argumentavam que, pelo contrário, a abolição da escravatura traria a "liberação" de vultosos capitais, pois o empresário já não necessitaria imobilizar em força de trabalho ou na comercialização de escravos importantes porções de seu capital.

A abolição da escravatura, à semelhança de uma "reforma agrária", não constitui per se nem destruição nem criação de riqueza. Constitui simplesmente uma redistribuição da propriedade dentro de uma coletividade. A aparente complexidade desse problema deriva de que a propriedade da força de trabalho, ao passar do senhor de escravos para o indivíduo, deixa de ser um *ativo* que figura numa contabilidade para constituir-se em simples virtualidade. Do ponto de vista econômico, o aspecto fundamental desse problema radica no tipo de repercussões que a redistribuição da propriedade terá na organização da produção, no aproveitamento dos fatores disponíveis, na distribuição da renda e na utilização final dessa renda.

À semelhança de uma reforma agrária, a abolição da escravatura teria de acarretar modificações na forma de organização da produção e no grau de utilização dos fatores. Com efeito, somente em condições muito especiais a abolição se limitaria a uma transformação formal dos escravos em assalariados. Em algumas ilhas das Antilhas inglesas, em que as terras já haviam

---

123. Veja-se VISCONDE DE MAUÁ, op. cit., pp. 219-20.

FORMAÇÃO ECONÔMICA DO BRASIL

sido totalmente ocupadas e os ex-escravos não dispunham de nenhuma possibilidade de emigrar, a abolição da escravatura assumiu esse aspecto de mudança formal, passando o escravo liberado a receber um salário monetário que estava fixado pelo nível de subsistência prevalecente, o qual por sua vez refletia as condições de vida dos antigos escravos.[124] Nesse caso extremo, a redistribuição da "riqueza" não teria sido acompanhada de quaisquer modificações na organização da produção ou na distribuição da renda. O caso extremo oposto seria aquele em que a oferta de terra fosse totalmente elástica: os escravos, uma vez libertados, tenderiam, então, a abandonar as antigas plantações e dedicar-se à agricultura de subsistência. Neste caso, as modificações

124. O caso da ilha de Antígua é apresentado na literatura especializada inglesa como demonstrativo do caráter puramente formal da abolição da escravatura ali onde as terras estavam monopolizadas por uma classe social. A assembleia dessa ilha dispensou os escravos das obrigações criadas pelo *Apprenticeship System*, introduzido pelo Parlamento britânico como medida de transição na abolição da escravatura. Esse sistema obrigava os escravos menores de seis anos a trabalhar seis anos para os seus senhores durante uma jornada diária de sete horas e meia, mediante alimentação, roupa e alojamento. Ao escravo ficava a possibilidade de trabalhar pelo menos mais duas horas e meia diárias, mediante salário. Concedendo de imediato a liberdade total, os latifundistas de Antígua se concertaram para fixar um salário de subsistência extremamente baixo. A consequência foi que os ex-escravos, em vez de trabalhar sete horas e meia para cobrir os gastos de subsistência, como ocorreria se se aplicasse o *Apprenticeship System*, tiveram que trabalhar dez horas diárias para alcançar o mesmo fim. Não existindo possibilidade prática de encontrar ocupação fora das plantações, nem de emigrar, os antigos escravos tiveram que submeter-se. Com razão se pôde afirmar no Parlamento britânico, nessa época, que os milhões de libras de indenização pagos pelo governo da Grã-Bretanha aos senhores de escravos antilhanos constituíram um simples presente, sem consequências práticas para a vida das populações trabalhadoras. Em outras palavras, a abolição da escravatura só trouxe benefícios aos escravistas. Para uma análise completa do caso de Antígua, veja-se LAW MATHIESON, *British slavery and its abolition 1823-1838*, Londres, 1926.

200

O PROBLEMA DA MÃO DE OBRA. IV.

na organização da produção seriam enormes, baixando o grau de utilização dos fatores e a rentabilidade do sistema. Esse caso extremo, entretanto, não poderia concretizar-se, pois os empresários, vendo-se privados da mão de obra, tenderiam a oferecer salários elevados, retendo dessa forma parte dos ex-escravos. A consequência última seria, portanto, uma redistribuição da renda em favor da mão de obra.

No Brasil não se apresentou nenhum dos dois casos extremos referidos no parágrafo anterior. Contudo, pode-se afirmar que a região açucareira aproximou-se mais do primeiro caso, e a cafeeira, mais do segundo. Na região nordestina as terras de utilização agrícola mais fácil já estavam ocupadas praticamente em sua totalidade à época da abolição. Os escravos liberados que abandonaram os engenhos encontraram grandes dificuldades para sobreviver. Nas regiões urbanas pesava já um excedente de população que desde o começo do século constituía um problema social. Para o interior, a economia de subsistência se expandira a grande distância, e os sintomas da pressão demográfica sobre as terras semiáridas do agreste e da caatinga se faziam sentir claramente. Essas duas barreiras limitaram a mobilidade da massa de escravos recém-libertados na região açucareira. Os deslocamentos se faziam de engenho para engenho, e apenas uma fração reduzida filtrou-se fora da região. Não foi difícil, em tais condições, atrair e fixar uma parte substancial da antiga força de trabalho escravo, mediante um salário relativamente baixo. Se bem não existam estudos específicos sobre a matéria, seria difícil admitir que as condições materiais de vida dos antigos escravos se hajam modificado sensivelmente após a abolição, sendo pouco provável que esta última haja provocado uma redistribuição de renda de real significação.

A indústria açucareira, no decênio que antecedeu a abolição, havia passado por importantes transformações técnicas, be-

FORMAÇÃO ECONÔMICA DO BRASIL

neficiando-se de vultosas inversões de capital estrangeiro, sob os auspícios do governo central.[125] Sem embargo, o último decênio do século se caracteriza por modificações fundamentais no mercado mundial do açúcar, como consequência da libertação política de Cuba. Inversões maciças de capitais norte-americanos foram feitas na indústria açucareira dessa ilha, a qual passou a gozar de uma situação de privilégio no mercado dos EUA.[126] Tanto as inovações técnicas como as dificuldades de exportação contribuíram para reduzir a procura de mão de obra. Destarte, a contração da oferta provocada pela abolição da escravatura não chegou a ter consequências graves sobre a utilização dos recursos e muito provavelmente não provocou qualquer modificação sensível na distribuição da renda.

Na região cafeeira, as consequências da abolição foram diversas. Nas províncias que hoje constituem os estados do Rio de Janeiro e de Minas Gerais, e em pequena escala em São Paulo, se havia formado uma importante agricultura cafeeira à base de trabalho escravo. A rápida destruição da fertilidade das terras ocupadas nessa primeira expansão cafeeira — situadas principalmente em regiões montanhosas facilmente erodíveis — e a possibilidade de utilização de terras a maior distância com a in-

125. Em 1875 o Parlamento aprovou uma lei autorizando o governo imperial a dar garantia de juros a capitais estrangeiros invertidos na indústria açucareira até o montante de 3 milhões de libras. Nos dez anos seguintes se instalaram cinquenta usinas de açúcar com equipamento moderno, financiadas quase sempre por capitais ingleses ao abrigo dessa lei.

126. O tratado de reciprocidade firmado entre Cuba e os EUA depois da independência da ilha concedeu ao açúcar cubano uma redução de vinte por cento na tarifa americana. Esse privilégio, vindo-se somar aos custos reduzidos do transporte e às facilidades criadas pela grande afluência de capital norte-americano, tornou possível o surto excepcional da produção cubana no primeiro quartel do século xx.

O PROBLEMA DA MÃO DE OBRA. IV.

trodução da estrada de ferro haviam colocado essa agricultura em situação desfavorável já na época imediatamente anterior à abolição. Seria de esperar, portanto, que ao proclamar-se esta ocorresse uma grande migração de mão de obra em direção às novas regiões em rápida expansão, as quais podiam pagar salários substancialmente mais altos. Sem embargo, é exatamente por essa época que tem início a formação da grande corrente migratória europeia para São Paulo. As vantagens que apresentava o trabalhador europeu com respeito ao ex-escravo são demasiado óbvias para insistir sobre elas. Todavia, se bem não tenha havido um forte incentivo para que os antigos escravos se deslocassem em massa para o planalto paulista, a situação dos mesmos na antiga região cafeeira passou a ser muito mais favorável que a daqueles da região açucareira do Nordeste. A relativa abundância de terras tornava possível ao antigo escravo refugiar-se na economia de subsistência. A dispersão, entretanto, foi menor do que se poderia esperar, talvez por motivos de caráter social, e não especificamente econômicos.

A situação favorável, do ponto de vista das oportunidades de trabalho, que existia na região cafeeira valeu aos antigos escravos liberados salários relativamente elevados. Com efeito, tudo indica que na região do café a abolição provocou efetivamente uma redistribuição da renda em favor da mão de obra. Sem embargo, essa melhora na remuneração real do trabalho parece haver tido efeitos antes negativos que positivos sobre a utilização dos fatores. Para bem captar esse aspecto da questão é necessário ter em conta alguns traços mais amplos da escravidão. O homem formado dentro desse sistema social está totalmente desaparelhado para responder aos estímulos econômicos. Quase não possuindo hábitos de vida familiar, a ideia de acumulação de riqueza é praticamente estranha. Demais, seu rudimentar desenvolvimento mental limita extremamente suas "necessidades". Sendo o trabalho para o escravo uma maldição e o ócio o bem inalcançável, a elevação de seu salário acima de suas necessidades — que estão definidas pelo nível de subsistência de um escravo — determina de imediato uma forte preferência pelo ócio.

Na antiga região cafeeira, onde, para reter a força de trabalho, foi necessário oferecer salários relativamente elevados, observou-se de imediato um afrouxamento nas normas de trabalho. Podendo satisfazer seus gastos de subsistência com dois ou três dias de trabalho por semana, ao antigo escravo parecia muito mais atrativo "comprar" o ócio que seguir trabalhando quando já tinha o suficiente "para viver". Dessa forma, uma das consequências diretas da abolição, nas regiões em mais rápido desenvolvimento, foi reduzir-se o grau de utilização da força de trabalho. Esse problema terá repercussões sociais amplas que não compete aqui refletir. Cabe tão somente lembrar que o reduzido desenvolvimento mental da população submetida à escravidão provocará a segregação parcial desta após a abolição, retardando sua assimilação e entorpecendo o desenvolvimento econômico do país. Por toda a primeira metade do século xx, a grande massa dos descendentes da antiga população escrava continuará vivendo dentro de seu limitado sistema de "necessidades", cabendo-lhe um papel puramente passivo nas transformações econômicas do país.

Observada a abolição de uma perspectiva ampla, comprova-se que a mesma constitui uma medida de caráter mais político que econômico. A escravidão tinha mais importância como base de um sistema regional de poder que como forma de organização da produção. Abolido o trabalho escravo, praticamente em nenhuma parte houve modificações de real significação na forma de organização da produção e mesmo na distribuição da renda. Sem embargo, havia-se eliminado uma das vigas básicas do sistema de poder formado na época colonial e que, ao perpetuar-se no século XIX, constituía um fator de entorpecimento do desenvolvimento econômico do país.

25. Nível de renda e ritmo de crescimento na segunda metade do século XIX

Considerada em conjunto, a economia brasileira parece haver alcançado uma taxa relativamente alta de crescimento na segunda metade do século XIX. Sendo o comércio exterior o setor dinâmico do sistema, é no seu comportamento que está a chave do processo de crescimento nessa etapa. Comparando os valores médios correspondentes aos anos 1890 com os relativos ao decênio dos 1840, depreende-se que o quantum das exportações brasileiras aumentou 214 por cento. Esse aumento do volume físico da exportação foi acompanhado de uma elevação nos preços médios dos produtos exportados de aproximadamente 46 por cento. Por outro lado, observa-se uma redução de cerca de oito por cento no índice de preços dos produtos importados, sendo, portanto, de 58 por cento a melhora na relação de preços do intercâmbio externo. Um aumento de 214 por cento do quantum das exportações acompanhado de uma melhora de 58 por cento na relação de preços do intercâmbio significa um incremento de 396 por cento na renda real gerada pelo setor exportador.[127]

127. Os índices de quantum e preços das exportações foram calculados com base no decênio 1841-50, incluídos os seguintes produtos: café, açúcar, cacau,

NÍVEL DE RENDA E RITMO DE CRESCIMENTO NA SEGUNDA...

Dessa forma o setor mais dinâmico da economia quintuplicou no período considerado. Qual teria sido o aumento do conjunto da renda gerada no território brasileiro no correr desse meio século? A informação disponível não nos permite ir mais além de conjeturas sobre este assunto. Se observarmos os dados relativos aos principais produtos exportados, constataremos grandes discrepâncias. Assim, se bem que o quantum das exportações haja aumentado 214 por cento, a quantidade das exportações de açúcar cresceu apenas 33 por cento, e a das de algodão, 43 por cento. Por outro lado, não obstante o índice de preços das exportações haja aumentado 46 por cento, os preços do algodão se elevaram apenas 32 por cento, e os do açúcar declinaram onze por cento. A renda real gerada por esses dois produtos, tomados conjuntamente, aumentou somente 54 por cento no período considerado. Sendo o açúcar e o algodão os dois únicos artigos de significação na exportação nordestina,[128] depreende-se claramente que o desenvolvimento da segunda metade do século XIX não se estendeu a todo o território do país.

---

erva-mate, fumo, algodão, borracha e couros. No referido decênio esses produtos representaram 88,2 por cento do valor das exportações, subindo essa participação para 95,6 por cento nos anos 1890. Como índice de preços das importações, se utilizou o das exportações inglesas, o qual constitui uma boa indicação do comportamento dos preços das manufaturas no comércio mundial. Todavia, é possível que os preços das importações brasileiras hajam baixado ainda mais do que indica esse índice, em razão da importância do trigo nas compras do Brasil e do forte declínio ocorrido nos preços desse cereal no último quartel do século XIX.

128. A situação dos couros, que também aparecem na exportação nordestina, não foi mais favorável, pois a quantidade exportada aumentou 48 por cento, e os preços baixaram três por cento. O cacau, cujas exportações evoluíram muito favoravelmente — incremento de 259 por cento na quantidade e aumento de 119 por cento nos preços —, veio a constituir o núcleo de um sistema econômico autônomo — na região sul da Bahia — destacado geograficamente da economia nordestina preexistente.

FORMAÇÃO ECONÔMICA DO BRASIL

Para fins de análise do comportamento da renda real, no período que estamos considerando, convém dividir a economia brasileira em três setores principais. O primeiro, constituído pela economia do açúcar e do algodão e pela vasta zona de economia de subsistência a ela ligada, se bem que por vínculos cada vez mais débeis. O segundo, formado pela economia principalmente de subsistência do sul do país. O terceiro, tendo como centro a economia cafeeira.

O primeiro desses sistemas está formado pela faixa que se estende desde o Maranhão até Sergipe. Exclui-se a Bahia pelo fato de que sua economia foi profundamente modificada durante essa etapa pelo advento do cacau. A população dos oito estados da região referida,[129] segundo o censo de 1872, ainda representava a terça parte da população do país. Se se acrescenta a população baiana, chega-se quase à metade da população do Brasil.

Comparando-se os dados dos censos de 1872 e 1900, depreende-se que a população dos oito estados indicados aumentou com uma taxa anual de 1,2 por cento. Se se aplica a mesma taxa para o meio século que estamos considerando, obtém-se um incremento demográfico de oitenta por cento, bem superior ao da renda real gerada pelo setor exportador (54 por cento). Se se tem em conta que na região nordestina existiam dois sistemas — o litorâneo, principalmente exportador, e o mediterrâneo, principalmente de subsistência —, os dados referidos permitem formular algumas hipóteses. Em primeiro lugar, pode-se admitir que a população dos dois sistemas haja crescido com igual intensidade e que a renda per capita do sistema de subsistência haja permanecido estável; neste caso, a queda da renda per capita do sistema exportador teria sido substancial. Em segundo lugar, pode-se

129. Maranhão, Piauí, Ceará, Rio Grande do Norte, Paraíba, Pernambuco, Alagoas e Sergipe.

208

NÍVEL DE RENDA E RITMO DE CRESCIMENTO NA SEGUNDA...

admitir que tenha havido transferência de população do sistema exportador para o de subsistência e que a renda per capita naquele se haja mantido; neste caso, mesmo que se mantivesse a renda per capita no setor de subsistência, haveria uma baixa na renda média da região, pois a produtividade era mais baixa no setor de subsistência. Em síntese, para que não houvesse redução na renda per capita da região, teria sido necessário que aumentasse substancialmente a produtividade no setor de subsistência, o que obviamente é uma hipótese inadmissível, pois durante essa época já se tornara notória a pressão demográfica sobre as terras agricolamente aproveitáveis da região. Portanto, cabe admitir que houve declínio na renda per capita desse sistema da economia brasileira, se bem não seja possível quantificá-lo rigorosamente.

O segundo sistema estava formado pela economia principalmente de subsistência, que se beneficiou indiretamente com a expansão das exportações. Encontrando um mercado dentro do país capaz de absorver seus excedentes de produção, alguns setores da economia de subsistência puderam expandir a faixa monetária de suas atividades produtivas. Na região paranaense, por exemplo, a grande expansão da produção de erva-mate para exportação trouxe um duplo benefício à economia de subsistência, em grande parte constituída de populações transplantadas da Europa no quadro de planos nacionais e provinciais da imigração subsidiada. Os colonos que se encontravam mais no interior puderam dividir seu tempo entre a agricultura de subsistência e a extração de folhas de erva-mate, aumentando substancialmente sua renda. Os colonos mais próximos do litoral se beneficiaram da expansão do mercado urbano, expansão essa que tinha seu impulso primário no desenvolvimento das exportações.[130]

---

130. O valor médio anual das exportações de erva-mate subiu de 48 mil libras, nos anos 1840, para 393 mil no último decênio do século. Nos dois primeiros

FORMAÇÃO ECONÔMICA DO BRASIL

No Rio Grande do Sul, coube o impulso dinâmico ao setor pecuário, através de suas exportações para o mercado interno do país. Essas exportações, particularmente as de charque, que chegaram a constituir a metade das vendas totais do estado para os mercados interno e externo, no fim do século XIX,[131] reintegraram a pecuária rio-grandense na economia brasileira. A região das colônias se beneficiou da expansão do mercado interno, seja diretamente, colocando alguns produtos de qualidade, como o vinho e a banha de porco, seja indiretamente, através da expansão urbana do estado, possibilitada pelo aumento de produtividade no setor pecuário.

O contraste entre a região de economia principalmente de subsistência, do sul do país, e a região nordestina transparece claramente nos dados demográficos. Entre os censos de 1872 e 1900, a população dos estados do Rio Grande do Sul, Santa Catarina, Paraná e Mato Grosso aumenta 127 por cento, isto é, a uma taxa anual de três por cento, enquanto a dos oito estados nordestinos referidos cresce à taxa de 1,2 por cento. Se se aplica a taxa de três por cento ao meio século que estamos considerando, obtém-se um crescimento de 332 por cento. Esse dado apresenta particular interesse, pois indica que, mesmo que não se houvesse registrado nenhum aumento da renda per capita na economia da região sul, o seu crescimento absoluto ter-se-ia aproximado do setor exportador, o qual foi de 396 por cento, conforme indicamos. Para que a renda per capita permanecesse estacionária, seria necessário, dada a abundância de terras de boa qualidade

---

decênios do século XX continuaria a rápida expansão das exportações desse produto a preços altamente favoráveis.

131. Para um cálculo das exportações do Rio Grande do Sul destinadas aos demais estados e ao exterior, nos últimos dois decênios do século XIX, veja-se J. P. WILEMAN, *Brazilian exchange*, Buenos Aires, 1896, p. 106.

NÍVEL DE RENDA E RITMO DE CRESCIMENTO NA SEGUNDA...

na região, que a importância relativa do setor exportador dentro dessa economia não se modificasse. Como cresceu essa importância relativa — conforme se depreende das exportações de mate da região paranaense e das de produtos pecuários da rio--grandense —, é muito provável que haja aumentado a produtividade econômica média e por conseguinte a renda per capita. Demais, em razão da elasticidade da oferta de produtos agrícolas que existia na região, cabe admitir que o aumento da renda per capita haja sido de alguma magnitude.

O terceiro sistema estava constituído pela região produtora de café.[132] Essa região compreendia então os estados do Espírito Santo, Rio de Janeiro, Minas Gerais e São Paulo. A população desses quatro estados, considerados conjuntamente, aumentou a uma taxa de 2,2 por cento entre 1872 e 1900. Essa taxa, se bem que muito superior à do Nordeste (1,2 por cento) e à da Bahia (1,5 por cento), é inferior à da Amazônia (2,6 por cento) e à da região sul (três por cento). Contudo, se se observa mais de perto a região cafeeira, comprovam-se grandes movimentos demográficos dentro da mesma. A população dos dois estados — antigos produtores (Rio de Janeiro e Minas Gerais) — se expande com relativa lentidão (taxa de 1,6 por cento); por outro lado, a região que se integra na produção cafeeira no último quartel do século XIX (Espírito Santo e São Paulo) apresenta a taxa extraordinariamente elevada de 3,6 por cento. Esses dados põem em evidência que o desenvolvimento da região cafeeira se realizou, durante essa etapa, com transferência de mão de obra das regiões de

---

132. O café, que foi introduzido no Brasil no começo do século XVIII, se produz praticamente em todo o território do país, com exceção do extremo sul. Os estados do Norte e do Nordeste exportaram durante muito tempo pequenas quantidades desse produto. Em fins do século XIX o consumo local já absorvia em sua quase totalidade as colheitas dos estados pequenos produtores.

FORMAÇÃO ECONÔMICA DO BRASIL

mais baixa produtividade — e certamente do setor de subsistência dessa região — para outras de mais alta produtividade. Ou seja, um processo inverso ao ocorrido no Nordeste durante a mesma época. A rápida expansão do mercado interno na região cafeeira teria de repercutir muito favoravelmente na produtividade do setor de subsistência, o qual se concentrava principalmente no estado de Minas Gerais. Demais, a transferência de mão de obra do setor de subsistência para o cafeeiro significava que a importância relativa deste estava aumentando. Tendo em conta a ação desses distintos fatores, pode-se admitir como provável que a renda real per capita do conjunto da região não estaria crescendo com ritmo inferior ao do setor exportador. Como a quantidade de café exportado aumentou 341 por cento, e os preços do produto, 91 por cento, entre os anos 1840 e o último decênio do século XIX, deduz-se que a renda real gerada pelas exportações desse artigo teria crescido à taxa anual de 4,5 por cento. Dado o crescimento da população, a taxa de aumento anual da renda real per capita seria de 2,3 por cento.

Duas regiões de importância econômica permaneceram fora dos três sistemas a que fizemos referência. São elas o estado da Bahia, que compreendia, em 1872, treze por cento do total da população do país, e a Amazônia, à qual correspondiam três por cento da população na mesma época. A produção de cacau se iniciou na Bahia, para fins de exportação, na segunda metade do século XIX, proporcionando a esse estado uma alternativa para o uso dos recursos de terra e mão de obra de que não se beneficiaram os demais estados nordestinos. Contudo, a importância relativa do cacau em fins do século XIX ainda era relativamente pequena, representando tão só 1,5 por cento do valor das exportações do país nos anos 1890. Sem embargo, um outro produto tradicional da exportação baiana — o fumo — apresenta relativa recuperação na segunda metade do século. Produto antes prin-

NÍVEL DE RENDA E RITMO DE CRESCIMENTO NA SEGUNDA...

cipalmente destinado ao escambo de escravos, o fumo brasileiro passou a encontrar mercado crescente na Europa. A quantidade exportada aumentou 361 por cento entre os anos 1840 e os 1890, e os preços médios subiram 41 por cento. Se consideramos conjuntamente o cacau e o fumo, o valor médio de suas exportações aumenta de 151 mil para 1,057 milhão de libras no meio século referido. Esses dados, entretanto, não nos revelam senão um aspecto do desenvolvimento baiano na segunda metade do século XIX. Se se admite, como uma aproximação, que o fumo e o cacau exportados pelo país saíram em sua totalidade da Bahia, e que todo o açúcar e o algodão provieram dos oito estados do Nordeste, a exportação per capita da região baiana não seria superior à nordestina. Tudo indica, portanto, que também na Bahia o desenvolvimento foi entorpecido pela ação profunda de fatores similares aos que atuaram no Nordeste. A melhora da situação de algumas regiões terá ocorrido simultaneamente com o empobrecimento de outras. A produção açucareira para exportação já desaparecera completamente, por essa época, e a expansão da pecuária de subsistência se realizava em terras cada vez mais pobres. Explica-se assim que, não obstante o fluxo imigratório que conheceu a região cacaueira já em fins do século XIX — principalmente de emigrantes nordestinos —, a população do estado haja crescido à taxa reduzida de 1,5 por cento entre 1872 e 1900. Sem embargo, o fato mesmo de que essa taxa seja superior à que se observa no Nordeste constitui uma indicação de que sua renda real evoluiu menos desfavoravelmente.

Por último cabe considerar a região amazônica, cujas exportações alcançam extraordinária importância relativa na etapa final do século XIX. A participação da borracha no valor total das exportações elevou-se de 0,4 por cento, nos anos 1840, para quinze por cento nos 1890. Neste último decênio o valor das exportações per capita da região amazônica duplicou o da região cafeeira. Se

FORMAÇÃO ECONÔMICA DO BRASIL

bem que grande parte dessa renda não revertesse à região e que parte substancial da que revertia se liquidasse em importações,[133] não é menos certo que, para fins de cômputo da renda nacional, era na Amazônia que ela se gerava.

Com base nas observações feitas nos parágrafos anteriores, trataremos de estimar grosso modo a tendência da renda per capita do conjunto do país no período que estamos considerando. A região nordestina parece ser a única cuja renda per capita diminuiu. Contudo, a renda absoluta da região cresceu, pois a renda do setor exportador aumentou 54 por cento. Admitiremos que o crescimento absoluto da renda haja sido igual ao da metade da população, isto é, que a renda per capita haja diminuído a uma taxa anual de 0,6 por cento. Na Bahia as forças nos dois sentidos possivelmente se contrabalançaram, podendo-se admitir que a renda per capita se haja mantido. Na região sul, onde a população cresceu à taxa de três por cento ao ano, houve uma óbvia expansão da renda per capita, a qual dificilmente teria sido inferior a um por cento ao ano. Com respeito à região cafeeira, admitiremos a taxa de 2,3 por cento per capita, já referida. Finalmente, com relação à Amazônia, nos limitaremos a admitir que o crescimento absoluto da renda gerada nessa região teria alcançado o duplo da intensidade observada na região cafeeira. Dessas suposições se deriva que, no meio século referido, a renda real do Brasil se teria multiplicado por 5,4,[134] o que representa uma

---

133. O *multiplicador* das inversões realizadas na economia da borracha devia ser baixíssimo e quiçá negativo, pois o aumento da produção de borracha provocava o abandono de múltiplas outras atividades, passando-se a importar grande parte do que antes se produzia. Para uma explicação do conceito de multiplicador, veja-se nota 163, no capítulo 31, p. 269.

134. Como base de ponderação se tomou a importância relativa da população de cada região segundo o censo de 1872; em seguida, fez-se crescer a renda absoluta de cada região tendo em conta o aumento demográfico da mesma

NÍVEL DE RENDA E RITMO DE CRESCIMENTO NA SEGUNDA...

taxa de crescimento anual de 3,5 por cento e de crescimento per capita de 1,5 por cento. Essa taxa de crescimento é elevada, com respeito ao desenvolvimento da economia mundial no século XIX. Durante a mesma época a renda real dos EUA se multiplicou por 5,7, mas, dado o crescimento mais intenso de sua população, a taxa per capita é algo menor que a indicada para o Brasil. A diferença fundamental está em que, enquanto os EUA na segunda metade do século XIX mantiveram um ritmo de crescimento que vinha do último quartel do século anterior, o Brasil iniciou uma etapa de crescimento após três quartos de século de estagnação e provavelmente de retrocesso em sua renda per capita.

Em seção anterior indicamos que de maneira muito geral se pode admitir que a renda per capita da população brasileira muito provavelmente não teria sido inferior a cinquenta dólares (de poder aquisitivo atual) no começo do século XIX, se bem que possivelmente tenha declinado no correr do último quartel do século. Também indicamos que essa renda dificilmente alcançaria

---

e a taxa de incremento ou decremento, indicada no texto, para a renda per capita:

REGIÃO	% DA POPULAÇÃO DO PAÍS	TAXA DE CRESCIMENTO DA POPULAÇÃO	TAXA DE CRESCIMENTO DA RENDA PER CAPITA
Nordeste	35	1,2	-0,6
Bahia	13	1,5	0,0
Sul	9	3,0	1,0
Centro	40	2,2	2,3
Amazônia	3	2,6	6,2
Total	100	2,0	1,5

Admite-se implicitamente que não haveria grandes discrepâncias entre os níveis de renda per capita das distintas regiões do país, no período-base, isto é, no decênio 1841-50.

215

esses mesmos cinquenta dólares pela metade do século, particularmente se se incluem os escravos na população. Partindo dessa base e admitindo a taxa de incremento de 1,5, obtém-se uma renda da ordem de 106 dólares ao término do século. Se se aplica essa mesma taxa à primeira metade do século xx, obtém-se para 1950 uma renda de 224 dólares, a qual se aproxima muito das estimativas existentes para esse ano. Existe, portanto, alguma indicação de que a taxa de crescimento da economia brasileira tem sido relativamente estável no correr dos últimos cem anos.[135] Outra observação de interesse é a seguinte: se a economia brasileira houvesse alcançado, na primeira metade do século xix, uma taxa de crescimento idêntica à da segunda metade do mesmo século, partindo dos cinquenta dólares a que fizemos referência, chegar-se-ia ao fim do século com 224. Mantida a mesma taxa na primeira metade do século xx, a renda real da população brasileira seria, em 1950, da ordem de quinhentos dólares, isto é, comparável à média dos países da Europa Ocidental, nesse ano.

Os dados apresentados no parágrafo anterior projetam alguma luz sobre o problema do atraso relativo da economia brasileira na etapa atual. Esse atraso tem sua causa não no ritmo de desenvolvimento dos últimos cem anos, o qual parece haver sido razoavelmente intenso, mas no retrocesso ocorrido nos três quartos de século anteriores. Não conseguindo o Brasil integrar-se nas correntes em expansão do comércio mundial durante essa etapa de rápida transformação das estruturas econômicas dos países mais avançados, criaram-se profundas dessemelhanças entre seu sistema econômico e os daqueles países. A essas

---

135. Sem ser excepcionalmente intensa, a taxa secular de 1,5 por cento é provavelmente superior à da média das economias da Europa Ocidental. Nos EUA a taxa secular seria algo superior (1,9 por cento), segundo as estimativas do National Bureau of Economic Research, apresentadas por SIMON KUZNETS.

dessemelhanças teremos que voltar ao analisar os problemas específicos de subdesenvolvimento com que se confronta a economia brasileira no presente.

26. O fluxo de renda na economia de trabalho assalariado

O fato de maior relevância ocorrido na economia brasileira do último quartel do século XIX foi, sem lugar a dúvida, o aumento da importância relativa do setor assalariado. A expansão anterior se fizera seja através do crescimento do setor escravista, seja pela multiplicação dos núcleos de subsistência. Em um e outro casos o fluxo de renda, real ou virtual, circunscrevia-se a unidades relativamente pequenas, cujos contatos externos assumiam caráter internacional no primeiro caso e eram de limitadíssimo alcance no segundo. A nova expansão tem lugar no setor que se baseia no trabalho assalariado. O mecanismo desse novo sistema, cuja importância relativa cresce rapidamente, apresenta diferenças profundas com respeito à antiga economia exclusivamente de subsistência. Esta última, como vimos, caracteriza-se por um elevado grau de estabilidade, mantendo-se imutável sua estrutura tanto nas etapas de crescimento como nas de decadência. A dinâmica do novo sistema é distinta. Convém analisá-la devidamente, se pretendemos compreender as transforma-

O FLUXO DE RENDA NA ECONOMIA DE...

ções estruturais que levariam, na primeira metade do século xx, à formação no Brasil de uma economia de mercado interno.

Observada em conjunto, a nova economia cafeeira baseada no trabalho assalariado apresenta certas similaridades com a antiga economia escravista: está constituída por uma multiplicidade de unidades produtoras que se ligam intimamente às correntes do comércio exterior. Todavia, se nos fixamos mais de perto no mecanismo dessas unidades, vemos que são profundas as diferenças. Para facilidade de exposição, consideraremos o processo econômico a partir do momento em que a produção é vendida ao exportador. O valor total dessa venda é a renda bruta da unidade produtiva, renda essa que deverá cobrir a depreciação do capital real utilizado no processo produtivo e remunerar a totalidade dos fatores utilizados na produção. A fim de simplificar a análise, dividiremos essa renda em dois grupos gerais: renda dos assalariados e renda dos proprietários. O comportamento desses dois grupos, no que respeita à utilização da renda, é sabidamente muito distinto. Os assalariados transformam a totalidade ou quase totalidade de sua renda em gastos de consumo. A classe proprietária, cujo nível de consumo é muito superior, retém parte de sua renda para aumentar seu capital, fonte dessa mesma renda.

Vejamos como se propaga o fluxo de renda criado pelas exportações. Os gastos de consumo — compra de alimentos, roupas, serviços etc. — vêm a constituir a renda dos pequenos produtores, comerciantes etc. Estes últimos também transformam grande parte de sua própria renda em gastos de consumo. Destarte, a soma de todos esses gastos terá necessariamente de exceder de muito a renda monetária criada pela atividade exportadora. Suponhamos agora que ocorra um aumento do impulso externo. Crescendo a massa de salários pagos, aumentaria automaticamente a procura de artigos de consumo. A produção de parte destes últimos, por seu lado, pode ser expandida com rela-

FORMAÇÃO ECONÔMICA DO BRASIL

tiva facilidade, dada a existência de mão de obra e terras subuti-
lizadas, particularmente em certas regiões em que predomina a
atividade de subsistência. Desta forma o aumento do impulso externo — atuando sobre um setor da economia organizado à base
de trabalho assalariado — determina melhor utilização de fatores já existentes no país.[136] Demais, o aumento de produtividade
— efeito secundário do impulso externo — manifesta-se fora da
unidade produtora-exportadora. A massa de salários pagos no
setor exportador vem a ser, por conseguinte, o núcleo de uma
economia de mercado interno. Quando convergem certos fatores
a que nos referiremos mais adiante, o mercado interno se encontra em condições de crescer mais intensamente que a economia
de exportação, se bem que o impulso de crescimento tenha origem nesta última.

O impulso externo de crescimento se apresenta inicialmente, via de regra, sob a forma de elevação nos preços dos produtos exportados, a qual se transforma em maiores lucros. Os
empresários tratam, como é natural, de reinverter esses lucros
expandindo as plantações. Dadas a relativa elasticidade da oferta
de mão de obra e a abundância de terras, essa expansão pode
seguir adiante sem encontrar obstáculo por parte dos salários ou
da renda da terra. Com efeito, os deslocamentos de mão de obra
dentro do país e a imigração processaram-se independentemente
da elevação do salário real naqueles setores ou regiões que atraí-
ram fatores. O setor cafeeiro pôde, na verdade, manter seu salário
real praticamente estável durante a longa etapa de sua expansão.
Bastou que esse salário fosse, em termos absolutos, mais elevado

136. Exemplo típico da melhor utilização dos recursos provocada pela expansão da procura interna de bens de consumo é dado pela economia de subsistência formada no sul do país com imigração de origem europeia. Veja-se capítulo 25.

que aqueles pagos nos demais setores da economia, e que a produção se expandisse, para que a força de trabalho se deslocasse.

Portanto, teve importância fundamental, no desenvolvimento do novo sistema econômico baseado no trabalho assalariado, a existência da massa de mão de obra relativamente amorfa que se fora formando no país nos séculos anteriores. Se a expansão da economia cafeeira houvesse dependido exclusivamente da mão de obra europeia imigrante, os salários ter-se-iam estabelecido em níveis mais altos, à semelhança do que ocorreu na Austrália e mesmo na Argentina. A mão de obra de recrutamento interno — utilizada principalmente nas obras de desflorestamento, construções e tarefas auxiliares — exerceu uma pressão permanente sobre o nível médio dos salários.

A estabilidade do salário real médio no setor exportador não significava, entretanto, que o mesmo ocorresse no conjunto da economia. Com a absorção de mão de obra pelo setor exportador, a importância relativa desse centro da economia ia crescendo. Ao serem absorvidos fatores do setor de subsistência, elevava-se o salário real médio, e ainda mais o salário monetário médio, pois nesse setor o fluxo monetário era relativamente muito menor. Destarte, o fato de que o crescimento do setor exportador fosse extensivo não impedia que o salário médio do conjunto da economia se elevasse. Em síntese, como a população crescia muito mais intensamente no setor monetário que no conjunto da economia, a massa de salários monetários — base do mercado interno — aumentava mais rapidamente que o produto global.

Que significação econômica tinha o fato de que o empresário se encontrasse em uma situação favorável que lhe permitia reter a totalidade dos benefícios derivados das elevações ocasionais dos preços dos produtos de exportação? Suponhamos por um momento que os salários subissem ao se elevarem os preços de exportação. A consequência prática seria que o volume de in-

FORMAÇÃO ECONÔMICA DO BRASIL

versões teria de ser menor, e também menor a expansão do setor exportador. A absorção do setor de subsistência resultaria ser mais lenta. A mão de obra ocupada no setor exportador se transformaria progressivamente num grupo privilegiado, tendendo a crescer a diferença entre os salários pagos no setor de exportação e no de subsistência.

Os aumentos de produtividade da economia cafeeira refletiam principalmente melhoras ocasionais de preços, ocorridas, via de regra, nas altas cíclicas, sendo mínimas as melhoras de produtividade física logradas diretamente no processo produtivo.[137] Seria possível argumentar, portanto, que a transferência de parte dos frutos desses aumentos ocasionais de produtividade econômica para os assalariados teria como consequência imprimir à massa total de salários acentuadas expansões e contrações cíclicas. Mas também se poderia argumentar que, como os salários oferecem maior resistência à compressão que os lucros, a economia estaria em melhores condições para defender-se na baixa cíclica e possivelmente a longo prazo na relação de preços de intercâmbio, caso transferisse para os assalariados parte do aumento de produtividade econômica ganho na etapa de elevação de preços. Não se realizando essa transferência, toda a pressão da queda cíclica se concentrava na massa de lucros. Veremos mais adiante a forma como os empresários conseguiam transferir essa pressão para os demais setores da coletividade.

137. Aumentos de produtividade também podiam resultar da abertura de melhores terras, da maior eficiência dos transportes etc.

27. A tendência ao desequilíbrio externo

O funcionamento do novo sistema econômico, baseado no trabalho assalariado, apresentava uma série de problemas que, na antiga economia exportadora escravista, apenas se haviam esboçado. Um desses problemas — aliás comum a outras economias de características similares — consistiria na impossibilidade de adaptar-se às regras do padrão-ouro, base de toda a economia internacional no período que aqui nos ocupa. O princípio fundamental do sistema do padrão-ouro radicava em que cada país deveria dispor de uma reserva metálica — ou de divisas conversíveis, na variante mais corrente — suficientemente grande para cobrir os déficits ocasionais de sua balança de pagamentos. É fácil compreender que uma reserva metálica — estivesse ela amoedada ou não — constituía uma inversão improdutiva, que era na verdade a contribuição de cada país para o financiamento a curto prazo das trocas internacionais. A dificuldade estava em que cada país deveria contribuir para esse financiamento em função de sua participação no comércio internacional e da amplitude das flutuações de sua balança de pagamentos.[138] Ora, um país exportador de produtos primários tinha, como regra, uma elevada participação relativa no comércio internacional, isto é, seu intercâmbio per capita era relativamente muito maior que sua renda monetária per capita. Por outro lado, sua economia — pelo fato mesmo de que dependia muito mais das exportações — estava sujeita a oscilações muito mais agudas.

O problema que se apresentava à economia brasileira era, em essência, o seguinte: a que preço as regras do padrão-ouro poderiam aplicar-se a um sistema especializado na exportação de produtos primários e com um elevado coeficiente de importação? Esse problema não preocupou os economistas europeus, que sempre teorizaram em matéria de comércio internacional em termos de economia de graus de desenvolvimento mais ou menos similar, com estruturas de produção não muito distintas e com coeficientes de importação relativamente baixos.

A teoria monetária do século XIX constitui, indubitavelmente, um instrumento de utilidade para explicar a realidade europeia. Ela se baseava no princípio de que, se todos os países seguissem as regras do padrão-ouro — isto é, se o meio circulante dos distintos países tivesse como base a mesma moeda-mercadoria —, o ouro disponível tenderia a distribuir-se em função das necessidades do comércio interno de cada país e das do comércio internacional. Destarte, os sistemas de preços dos distintos países seriam solidários. Estava implícito nessa teoria que, se um país importava mais do que exportava — criando um desequilíbrio em sua balança de pagamentos —, esse país se veria obrigado a exportar ouro, reduzindo-se consequentemente o seu meio cir-

---

138. A balança de pagamentos por definição está sempre em equilíbrio. As flutuações a que se refere o texto são aquelas do saldo da conta corrente e do movimento de capitais não destinado especificamente a cobrir esse saldo.

A TENDÊNCIA AO DESEQUILÍBRIO EXTERNO

culante. Essa redução, de acordo com a teoria quantitativa, deveria acarretar uma baixa de preços — contrapartida da alta do preço do ouro —, criando-se automaticamente um estímulo às exportações e um desestímulo às importações, o que traria consigo a correção do desequilíbrio.[139]

Nas economias em que as importações constituíam uma reduzida parcela do dispêndio nacional, um desequilíbrio ocasional da balança de pagamentos podia ser financiado com numerário de circulação interna sem provocar grande redução no grau de liquidez do sistema. O mesmo, entretanto, não se podia esperar de uma economia de elevado coeficiente de importações. Neste último caso, um brusco desequilíbrio na balança de pagamentos exigiria uma redução de grandes proporções no meio circulante, provocando verdadeira traumatização do sistema. Esse tipo de dificuldade poderia ter ocorrido com a Inglaterra, cujo coeficiente de importações cresceu fortemente no correr do século xix, se esse país não se houvesse transformado em grande exportador de capitais e não fosse ele mesmo o centro que comandava as flutuações da economia mundial.

Numa economia do tipo da brasileira do século xix, o coeficiente de importações era particularmente elevado, se se tem em conta apenas o setor monetário, ao qual se limitavam praticamente as transações externas. Por outro lado, os desequilíbrios na balança de pagamentos eram relativamente muito mais amplos, pois refletiam as bruscas quedas de preços das matérias-primas no mercado mundial. Por último, caberia ter em conta as inter-relações entre o comércio exterior e as finanças públicas,

139. A correção do desequilíbrio também se podia realizar através do movimento de capitais: a escassez relativa de ouro acarretaria uma elevação da taxa de juros, o que atrairia capitais estrangeiros. O déficit na balança em conta corrente seria assim compensado por um saldo na conta de capital.

FORMAÇÃO ECONÔMICA DO BRASIL

pois o imposto das importações era a principal fonte de renda do governo central.

Como se apresentara esse problema na antiga economia exportadora escravista? Quando existiu em forma pura, esta desconheceu por natureza qualquer forma de desequilíbrio externo. Sendo a procura monetária igual às exportações, é evidente que toda ela poderia transformar-se em importações sem que por essa razão surgisse qualquer desequilíbrio. É quando a procura monetária tende a crescer mais que as exportações que começa a surgir a possibilidade de desequilíbrio. Esse desajustamento está intimamente ligado ao regime de trabalho assalariado, como é fácil perceber.

Ao crescer a renda criada pelas exportações, cresce a massa total de pagamentos a fatores, realizados dentro da economia. Essa renda, conforme vimos, tende a multiplicar-se, primeiramente em termos monetários e finalmente em termos reais, dada a existência de fatores subocupados. O aumento da renda se realiza, portanto, em duas etapas: em primeiro lugar graças ao crescimento das exportações, e em segundo pelo efeito multiplicador interno. Parte desse aumento da renda terá de ser satisfeita com importações, conforme uma relação relativamente estável que existe entre o aumento da renda e o das importações.

O mais importante a considerar, entretanto, é o seguinte: no momento em que deflagrava uma crise nos centros industriais, os preços dos produtos primários caíram bruscamente, reduzindo-se de imediato a entrada de divisas no país de economia dependente. Enquanto isso, o efeito dos aumentos anteriores do valor e do volume das exportações continuava a propagar-se lentamente.[140] Existia portanto uma etapa intermédia em que a pro-

---

140. A forma como se financiavam as importações brasileiras contribuía para agravar a pressão sobre a balança de pagamentos por ocasião das depressões.

A TENDÊNCIA AO DESEQUILÍBRIO EXTERNO

cura de importações continuava crescendo, se bem que a oferta de divisas já se houvesse reduzido drasticamente. Nessa etapa é que caberia mobilizar as reservas metálicas. Estas, entretanto, teriam de ser de grandes proporções para que funcionasse o mecanismo do padrão-ouro, não somente porque a participação das importações no dispêndio total da coletividade era muito elevada, e as flutuações da capacidade para importar, muito grandes, mas também porque numa economia desse tipo a conta de capital da balança de pagamentos se comporta adversamente nas etapas de depressão.

Se se observa a natureza dos fenômenos cíclicos nas economias dependentes, em contraste com as industrializadas, percebe-se facilmente por que aquelas estiveram sempre condenadas a desequilíbrios de balança de pagamentos e à inflação monetária. O ciclo na economia industrializada está ligado às flutuações no volume das inversões. A crise se caracteriza por uma contração brusca dessas inversões, contração essa que reduz automaticamente a procura global e desencadeia uma série de reações que têm por efeito ir reduzindo cada vez mais essa procura. É fácil

---

As importações brasileiras procediam em grande parte da Inglaterra ou estavam controladas por casas comerciais inglesas, com grande liquidez nas praças brasileiras. Essas casas inglesas emprestavam a médio prazo aos comerciantes (inclusive de outras nacionalidades) que exportavam para outros países. Dessa forma, o comércio de importação é que financiava o de exportação. Ao ocorrer um colapso na procura de produtos brasileiros no exterior, acumulavam-se os fundos líquidos em mãos dos importadores, fundos esses que advinham das vendas na etapa anterior de prosperidade. Esses fundos líquidos pressionavam sobre a balança de pagamentos exatamente no momento em que se reduzia a oferta de divisas. É interessante observar a forma distinta como se apresentou esse mesmo problema nos EUA, onde os fundos líquidos dos exportadores ingleses tenderam desde cedo a aplicar-se em títulos da dívida pública. Veja-se A. K. MANCHESTER, op. cit., p. 315; e também LELAND H. JENKS, *Migration of British capital to 1873*, Nova York, 1927, pp. 68-70.

FORMAÇÃO ECONÔMICA DO BRASIL

compreender que essa redução da procura se traduz imediatamente em contração das importações e liquidação de estoques. À simples notícia de que teve início a crise, os importadores, sabendo que a procura de produtos importados tenderá a reduzir-se, suspenderão os seus pedidos, o que acarreta a brusca baixa dos preços das mercadorias importadas, que neste caso são principalmente os produtos primários fornecidos pelas economias dependentes. Por outro lado, a contração dos negócios provocada pela crise reduz a liquidez das empresas, induzindo-as a lançar mão de quaisquer fundos de que disponham, inclusive aqueles que se encontram no exterior. Dessa forma, a crise vem acompanhada, para o país industrializado, de contração das importações, baixa de preços dos artigos importados e entrada de capitais. Por último, como grande parte dos capitais exportados no século XIX eram empréstimos públicos, ou inversões no setor privado com garantia de juros, o serviço dos capitais constituía uma partida relativamente rígida na conta corrente da balança de pagamentos e contribuía para reforçar a posição internacional dos países exportadores de capital nas etapas de depressão.

Nas economias dependentes, a crise se apresenta de forma totalmente distinta, tendo início com uma queda no valor das exportações, em razão de uma redução seja no valor unitário dos produtos exportados, seja nesse valor e no volume total das exportações.[141] É necessário que passe algum tempo para que a contração do valor das exportações exerça seu pleno efeito sobre

---

141. O primeiro desses fenômenos ocorre com os produtos alimentícios, cuja procura apresenta uma baixa elasticidade-renda, isto é, se deixa influenciar pouco pelas flutuações da renda do consumidor. O segundo ocorre com as matérias-primas industriais, cuja procura se contrai bruscamente com a redução da atividade industrial. Num e noutro caso, entretanto, baixam os preços, pois se reduzem as perspectivas de lucros nos negócios.

A TENDÊNCIA AO DESEQUILÍBRIO EXTERNO

a procura de importações, sendo portanto de esperar que se crie um desequilíbrio inicial na balança de pagamentos. Por outro lado, a queda dos preços das mercadorias importadas (produtos manufaturados) se faz mais lentamente e com menor intensidade que a dos produtos primários exportados, isto é, tem início uma piora na relação de preços do intercâmbio. A esses dois fatores vêm acumular-se os efeitos da rigidez do serviço dos capitais estrangeiros e a redução na entrada desses capitais.[142] Em tais condições, é fácil prever as imensas reservas metálicas que exigiria o pleno funcionamento do padrão-ouro numa economia como a do apogeu do café no Brasil. À medida que a economia escravista-exportadora era substituída por um novo sistema, com base no trabalho assalariado, tornava-se mais difícil o funcionamento do padrão-ouro.

A análise dessa questão é tanto mais interessante quanto mais projeta luz sobre o tipo de dificuldade que enfrentava o homem público brasileiro da época para captar a realidade econômica do país. Constituindo a economia brasileira uma dependência dos centros industriais, dificilmente se podia evitar a tendência a "interpretar", por analogia com o que ocorria na Europa, os

---

142. O serviço dos capitais estrangeiros não chegou a constituir uma carga excessivamente pesada para a balança de pagamentos do Brasil na segunda metade do século XIX. Comparado com o valor das exportações, esse serviço teria aumentado de 9,4 por cento em 1861-64 para 12,1 por cento em 1890- -92. Sem embargo, se se excetuam casos especiais — constituídos por períodos em que se contraíram grandes empréstimos públicos para fins não econômicos: Guerra do Paraguai, consolidação da dívida etc. —, a entrada de capitais foi sempre inferior ao serviço da dívida. Num período excepcionalmente favorável como 1886-89, a importação de capitais alcançou 14,3 por cento do valor das exportações, enquanto o serviço dos capitais estrangeiros atingia 14,6 por cento. Num período menos favorável, como 1876-85, a importação de capitais se reduz a 5,3 por cento, e o serviço dos capitais estrangeiros alcança 12,2 por cento. Veja-se sobre esse assunto o meticuloso estudo de J. P. WILEMAN, cit.

problemas econômicos do país. A ciência econômica europeia penetrava através das escolas de direito e tendia a transformar-se em um "corpo de doutrina", que se aceitava independentemente de qualquer tentativa de confronto com a realidade. Ali onde a realidade se distanciava do mundo ideal da doutrina, supunha-se que tinha início a patologia social. Dessa forma passava-se diretamente de uma interpretação idealista da realidade para a política, excluindo qualquer possibilidade de crítica da doutrina em confronto com a realidade.

Essa inibição mental para captar a realidade de um ponto de vista crítico-científico é particularmente óbvia no que diz respeito aos problemas monetários. A razão disso deriva de que na Europa não se fez, durante o século XIX, nenhum esforço sério para elaborar uma teoria monetária fora do esquema do padrão-metálico. O político brasileiro com a formação de economista estava preso por uma série de preconceitos doutrinários em matéria monetária, que eram as regras do padrão-ouro. Na moeda que circulava no Brasil via-se apenas o aspecto "patológico", ou seja, sua "inconversibilidade". E ao tentar aplicar a essa moeda "inconversível" as regras do padrão-metálico — particularmente aquelas que derivavam da teoria quantitativa —, ele era levado a afastar-se mais e mais da realidade. Ao historiador das ideias econômicas no Brasil não deixará de surpreender a monótona insistência com que se acoima de aberrativo e anormal tudo que ocorre no país: a inconversibilidade, os déficits, as emissões de papel-moeda. Essa "anormalidade" secular não chega, entretanto, a constituir objeto de estudo sistemático. Com efeito, não se faz nenhum esforço sério para compreender tal anormalidade, que em última instância era a realidade dentro da qual se vivia. Todos os esforços se gastam numa tarefa que a experiência histórica demonstrava ser vã: submeter o sistema econômico às regras monetárias que prevaleciam na Europa. Esse enorme esforço de

A TENDÊNCIA AO DESEQUILÍBRIO EXTERNO

mimetismo — que derivava de uma fé inabalável nos princípios de uma doutrina sem fundamento na observação da realidade — se estenderá pelos três primeiros decênios do século xx.

28. A defesa do nível de emprego e a concentração da renda

Vimos que a existência de uma reserva de mão de obra dentro do país, reforçada pelo forte fluxo imigratório, permitiu que a economia cafeeira se expandisse durante um longo período sem que os salários reais apresentassem tendência para a alta. A elevação do salário médio no país refletia o aumento de produtividade que se ia alcançando através da simples transferência de mão de obra da economia estacionária de subsistência para a economia exportadora. As melhoras de produtividade obtidas na própria economia exportadora, essas o empresário podia retê-las, pois nenhuma pressão se formava dentro do sistema que o obrigasse a transferi-las total ou parcialmente para os assalariados. Também assinalamos que esses aumentos de produtividade do setor exportador eram de natureza puramente econômica e refletiam modificações nos preços do café. Para que houvesse aumento na produtividade física, seja da mão de obra, seja da terra, era necessário que o empresário aperfeiçoasse os processos de cultivo ou intensificasse a capitalização, isto é, aplicasse maior quantidade de capital por unidade de terra ou de mão de obra.

Não existindo nenhuma pressão da mão de obra no sentido da elevação dos salários, ao empresário não interessava substituir essa mão de obra por capital, isto é, aumentar a quantidade de capital por unidade de mão de obra. Como os frutos dos aumentos de produtividade revertiam para o capital, quanto mais extensiva fosse a cultura, vale dizer, quanto maior fosse a quantidade produzida por unidade de capital imobilizado, mais vantajosa seria a situação do empresário. Transformando-se qualquer aumento de produtividade em lucros, é evidente que seria sempre mais interessante produzir a maior quantidade possível por unidade de capital, e não pagar o mínimo possível de salários por unidade de produto. A consequência prática dessa situação era que o empresário estava sempre interessado em aplicar seu capital novo na expansão das plantações, não se formando nenhum incentivo à melhora dos métodos de cultivo.

Observação idêntica se poderia fazer relativamente à terra. É evidente que se esta fosse escassa, concluída sua ocupação os empresários seriam induzidos a melhorar os métodos de cultivo e a intensificar a capitalização para aumentar os rendimentos. Por outro lado, a ocupação de solos de qualidade inferior iria elevando a renda da terra, isto é, obrigaria o empresário a transferir para o proprietário da terra uma parcela crescente de seus lucros. Para defender-se contra essa pressão da renda da terra, o empresário seria levado a intensificar os cultivos, ou seja, a aumentar a dose de capital imobilizado por unidade de terra cultivada. Ora, a terra, mais ainda do que a mão de obra, existia em abundância, desocupada ou subocupada na economia de subsistência. O empresário tratava de utilizá-la aplicando o mínimo de capital por unidade de superfície. Sempre que essa terra dava sinais de esgotamento, se justificava, do ponto de vista do empresário, abandoná-la, transferindo-se o capital para solos novos de mais elevado rendimento. A destruição de solos que, do ponto

FORMAÇÃO ECONÔMICA DO BRASIL

de vista social, pode parecer inescusável, do ponto de vista de um empresário privado, cuja meta é obter o máximo de lucro de seu capital, é perfeitamente concebível. A preservação do solo só preocupa o empresário quando tem um fundamento econômico. Ora, os incentivos econômicos o induziam a estender suas plantações, a aumentar a quantidade de terra e de mão de obra por unidade de capital.

As condições econômicas em que se desenvolvia a cultura do café não criavam, portanto, nenhum estímulo ao empresário para aumentar a produtividade física seja da terra, seja da mão de obra por ele utilizadas. Era essa, aliás, a forma racional de crescimento de uma economia onde existiam terra e mão de obra desocupadas ou subocupadas, e onde era escasso o capital. Pode-se argumentar, evidentemente, que a destruição consciente de solos seria de efeitos negativos a longo prazo. Nem por isso se poderá deixar de reconhecer que o método da cultura extensiva possibilitava um volume de produção por unidade de capital — fator escasso — muito superior ao que se lograria com métodos agrícolas intensivos. A situação pode ser perfeitamente assimilada à de uma indústria extrativa, pois o esgotamento de uma reserva mineral representa a alienação de um patrimônio cuja ausência poderá ser lamentada pelas gerações futuras. Mas, se o aproveitamento da reserva esgotável se faz para dar início a um processo de desenvolvimento econômico, não somente a geração presente mas também as futuras — que receberão a reserva transformada em capital reprodutível — serão beneficiadas. O problema dos solos é, até certo ponto, menos grave, pois quase sempre é possível reconstituí-los. São raros os casos em que a destruição de solos é irreparável.

Pelas razões indicadas e outras, o setor exportador não apresentou, graças à sua expansão, nenhuma tendência a aumentar sua produtividade física. Os frutos do aumento de produtividade,

A DEFESA DO NÍVEL DE EMPREGO E...

que retinha o empresário e a que antes nos referimos, refletiam principalmente elevações ocasionais de preços. Ora, essas elevações de preços se manifestavam por meio do ciclo econômico, sendo portanto de esperar que o empresário devolvesse, na forma de lucros mais baixos, aquilo que ganhara em lucros extraordinários na etapa cíclica favorável. As flutuações dos preços de exportação se traduziriam, dessa maneira, em contrações e expansões da margem de lucro do empresário. Entretanto, assim não ocorria, por motivos mais ou menos óbvios. Já observamos que a contração cíclica trazia consigo, quase necessariamente, um desequilíbrio na balança de pagamentos, cuja correção se fazia por meio de reajustamentos na taxa cambial.[143]

Ora, o desequilíbrio externo, conforme indicamos, decorria de uma série de fatores ligados à própria natureza do sistema econômico. A crise penetrava neste de fora para dentro, e seu impacto alcançava necessariamente grandes proporções. Verificamos que na primeira etapa, isto é, naquela que se seguia imediatamente à baixa dos preços de exportação, a procura de importações, influenciada pelos efeitos indiretos da expansão anterior das vendas externas e pela forma de financiamento das importações, teria de prolongar-se durante algum tempo. Da ação deste e de outros fatores que indicamos resultava o desequilíbrio, isto é, a acumulação de um déficit na conta corrente da balança de pagamentos.

143. A paridade legal do mil-réis (a partir de 1942 chamado cruzeiro), que na época da independência era 67½ pence (correspondente a 1$600 por oitava de ouro de 22 quilates), foi reduzida a 43½ pence em 1833 e a 27 pence em 1846. No decênio de 1850, a taxa média anual esteve a 27 ou acima de 27 durante seis anos em dez e em todos os anos foi superior a 25. No de 1860, a média anual alcançou 27 em um ano e foi superior a 25 em cinco anos. No de 1870, alcançou 27 num ano e foi superior a 25 em quatro anos. No de 1880 não alcançou 27 em nenhum ano, foi superior a 25 em dois e inferior a vinte em dois. No de 1890 foi inferior a vinte em nove anos.

235

FORMAÇÃO ECONÔMICA DO BRASIL

Se a economia operasse dentro das regras do padrão-ouro, vale dizer, através da liquidação de ativos externos e reservas metálicas, a correção do desequilíbrio adviria como consequência da contração geral que se propagaria do setor exportador a todas as atividades econômicas. Já observamos que a contração do setor exportador, pela lógica do sistema, deveria traduzir-se principalmente em redução na margem dos lucros. A contração da renda global resultante da crise se manifestaria, portanto, basicamente, numa redução das remunerações das classes não assalariadas. Como nos gastos de consumo dessas classes de altas rendas os produtos importados participavam com elevada parcela, é evidente que uma brusca contração nos lucros do setor exportador tenderia a reduzir a procura de bens importados. Demais, a redução dos lucros afetaria o volume das inversões, provocando uma série de efeitos secundários tendentes a reduzir a procura de importações.

A correção do desequilíbrio através da taxa cambial era uma operação de natureza e consequências inteiramente distintas. Ao reduzirem-se os preços dos produtos exportados — no caso, o café — tendia a baixar bruscamente o poder aquisitivo externo da moeda nacional.[144] Essa baixa se processava mesmo antes que se materializasse o desequilíbrio, pois a simples previsão de que viria

144. O papel do preço do café, como fator determinante da taxa cambial, foi perfeitamente percebido por WILEMAN, numa época em que os observadores mais esclarecidos do Brasil preocupavam-se apenas com as emissões de moeda-papel e os déficits do governo central. WILEMAN observa que entre 1861-64 e 1865-69 o preço médio da saca de café baixou de 5$729 para 4$952 (ouro) e a taxa de câmbio média desce de 26⅞ para 21,31; no período 1870-75 a saca de café sobe para 6$339, e a taxa de câmbio se recupera, indo para 24,3; no período 1876-85, a saca desce para 3$247, e o câmbio baixa para 22¼. Finalmente, em 1886-89 o café sobe para 5$432, e o câmbio se eleva para 24¼. Op. cit., pp. 234-48.

236

tal desequilíbrio era suficiente para que tivesse início uma corrida contra o valor externo da moeda. Dessa forma, encareciam bruscamente todos os produtos importados, reduzindo-se automaticamente sua procura dentro do país. Assim, sem necessitar liquidar reservas, que aliás não possuía, a economia lograva corrigir o desequilíbrio externo. Por um lado, cortava-se o poder de compra dos consumidores de artigos importados, elevando os preços destes, e por outro estabelecia-se uma espécie de taxa sobre a exportação de capitais, fazendo pagar mais àqueles que desejassem reverter fundos para o exterior.

A redução do valor externo da moeda significava, demais, um prêmio a todos os que vendiam divisas estrangeiras, isto é, aos exportadores. Para aclarar esse mecanismo, vejamos um exemplo. Suponhamos que, na situação imediatamente anterior à crise, o exportador de café estivesse vendendo a saca a 25 dólares e transformando esses dólares em duzentos cruzeiros, isto é, ao câmbio de oito cruzeiros por dólar. Desencadeada a crise, ocorreria uma redução, digamos, de quarenta por cento do preço de venda da saca de café, a qual passava a ser cotada a quinze dólares. Se a economia funcionasse num regime de estabilidade cambial, tal perda de dez dólares se traduziria, pelas razões já indicadas, em uma redução equivalente dos lucros do empresário. Entretanto, como o reajustamento vinha pela taxa cambial, as consequências eram outras. Admitamos que, ao deflagrar a crise, o valor do dólar subisse de oito para doze cruzeiros. Os quinze dólares a que o nosso empresário estava vendendo agora a saca do café já não valiam 120 cruzeiros, mas sim 180. Dessa forma, a perda do empresário, que em moeda estrangeira havia sido de quarenta por cento, em moeda nacional passava a ser de dez por cento.

O processo de correção do desequilíbrio externo significava, em última instância, uma transferência de renda daqueles que pagavam as importações para aqueles que vendiam as exporta-

FORMAÇÃO ECONÔMICA DO BRASIL

ções. Como as importações eram pagas pela coletividade em seu conjunto, os empresários exportadores estavam na realidade logrando socializar as perdas que os mecanismos econômicos tendiam a concentrar em seus lucros. É verdade que parte dessa transferência de renda se fazia dentro da própria classe empresarial, na sua qualidade dupla de exportadora e consumidora de artigos importados. Não obstante, a parte principal da transferência teria de realizar-se entre a grande massa de consumidores de artigos importados e os empresários exportadores. Para dar-se conta do vulto dessa transferência, bastaria atentar na composição das importações brasileiras no fim do século XIX e começo do XX, quando metade delas era constituída por alimentos e tecidos. Durante a depressão, as importações que se contraíam menos — dada a baixa elasticidade-renda de sua procura — eram aquelas de produtos essenciais utilizados pela grande massa consumidora. Os produtos de consumo de importação exclusiva das classes não assalariadas apresentavam elevada elasticidade-renda, dado o seu caráter de não essencialidade.

Em síntese, os aumentos de produtividade econômica alcançados na alta cíclica eram retidos pelo empresário, dadas as condições que prevaleciam de abundância de terras e de mão de obra. Havia, portanto, uma tendência à concentração da renda nas etapas de prosperidade. Crescendo os lucros mais intensamente que os salários, ou crescendo aqueles enquanto estes permaneciam estáveis, é evidente que a participação dos lucros no total da renda territorial tendia a aumentar. Na etapa de declínio cíclico, havia uma forte baixa na produtividade econômica do setor exportador. Pelas mesmas razões por que na alta cíclica os frutos desse aumento de produtividade eram retidos pela classe empresarial, na depressão os prejuízos da baixa de preços tenderiam a concentrar-se nos lucros dos empresários do setor exportador. Não obstante, o mecanismo pelo qual a economia cor-

238

A DEFESA DO NÍVEL DE EMPREGO E...

rigia o desequilíbrio externo — o reajustamento da taxa cambial — possibilitava a transferência do prejuízo para a grande massa consumidora. Destarte, o processo de concentração de riqueza, que caracterizava a prosperidade, não encontrava um movimento compensatório na etapa de contração da renda. A razão de ser dessa forma de operar estava no esforço de sobrevivência de um organismo econômico que contava com escassos meios de defesa. A crise econômica, do ponto de vista de um centro industrial, apresentava-se como uma parada mais ou menos regular numa marcha firme para a frente. Essa parada permitia reajustar as peças do sistema, que numa etapa de crescimento rápido tendiam a descoordenar-se. A queda brusca da lucratividade significava a eliminação dos menos eficientes e dos financeiramente mais débeis. Por outro lado, exigia dos financeiramente fortes aumentarem sua eficiência e possibilitava a concentração do poder financeiro indispensável na etapa superior de desenvolvimento da economia capitalista.

Na economia dependente, exportadora de produtos primários, a crise se apresentava como um cataclismo, imposto de fora para dentro. As contorções que realizava essa economia, para defender-se da pressão esmagadora que vinha do exterior, não guardavam nenhuma semelhança com as ações e reações que se processavam na economia industrializada nos períodos de depressão e recuperação que sucediam à crise. Se a baixa dos preços de exportação se transformasse, como seria de esperar pela lógica do sistema, em redução dos lucros dos empresários, é evidente que, conforme fosse o grau dessas perdas, muitos deles teriam que interromper a produção de café, ou as compras desse produto aos pequenos produtores locais. Não sendo praticável uma redução do custo a curto prazo através de uma compressão dos salários, cujo nível não se elevava na alta cíclica, a única solução que ficaria ao empresário, ou àqueles financeiramente menos resis-

239

FORMAÇÃO ECONÔMICA DO BRASIL

tentes, seria reduzir a produção. Dessa forma, tenderia a paralisar-se uma grande parte da atividade econômica. Dada a natureza dessa atividade, a paralisação acarretaria a maior de todas as perdas.

Por sua própria natureza, a plantação de café significa uma inversão a longo prazo com grandes imobilizações de capital. A terra ocupada pelo café não pode ser utilizada senão de forma subsidiária para outras culturas. Não existe, como no caso dos cereais, a possibilidade de reduzir, no período produtivo seguinte, a área semeada. O abandono da plantação de café significaria para o empresário um grande prejuízo, dado o montante do capital imobilizado. Por outro lado, como não existia possibilidade alternativa de utilização da mão de obra, a perda total de renda seria de grandes proporções. A população que deixasse de trabalhar nos cafezais reverteria à pura economia de subsistência. A queda da renda monetária teria evidentemente uma série de efeitos secundários sobre a economia de mercado interno, ampliando-se o efeito depressivo. E esse elevado preço seria pago por coisa nenhuma ou por muito pouco. Provavelmente se operaria uma maior concentração da propriedade, absorvendo os empresários de maior poder financeiro os mais fracos. Não há, entretanto, nenhuma razão para crer que se criassem estímulos no sentido de aumento da produtividade. Dada a natureza da atividade econômica, a única forma de lograr, a curto prazo, aumentos de produtividade física seria cortando na folha de salários, o que não constituía uma solução do ponto de vista do conjunto da coletividade.

Explica-se, portanto, que a economia procurasse por todos os meios manter o seu nível de emprego durante os períodos de depressão. Qualquer que fosse a redução no preço internacional do café, sempre era vantajoso, do ponto de vista do conjunto da coletividade, manter o nível das exportações. Defen-

240

A DEFESA DO NÍVEL DE EMPREGO E...

dia-se, assim, o nível de emprego dentro do país e limitavam-se os efeitos secundários da crise. Sem embargo, para que esse objetivo fosse alcançado era necessário que o impacto da crise não se concentrasse nos lucros dos empresários, pois do contrário parte destes últimos seria forçada a paralisar suas atividades por impossibilidade financeira de enfrentar maiores reduções em suas receitas.

29. A descentralização republicana e a formação de novos grupos de pressão

Observando mais detidamente o processo de depreciação cambial, depreende-se facilmente que as transferências de renda assumiam várias formas. Por um lado, havia transferências entre o setor de subsistência e o exportador, em benefício deste último, pois os preços que pagava o setor de subsistência pelo que importava cresciam relativamente aos preços que pagava o setor exportador pelos produtos de subsistência. Por outro, havia importantes transferências dentro do próprio setor exportador, uma vez que os assalariados rurais empregados neste último, se bem que produzissem boa parte de seus próprios alimentos, recebiam em moeda a principal parte de seu salário e consumiam uma série de artigos de uso corrente que eram importados ou semimanufaturados no país com matéria-prima importada. Os núcleos mais prejudicados eram, entretanto, as populações urbanas. Vivendo de ordenados e salários e consumindo grandes quantidades de artigos importados, inclusive alimentos, o salário real dessas populações era particularmente afetado pelas modificações da taxa cambial.

A DESCENTRALIZAÇÃO REPUBLICANA E...

O efeito regressivo na distribuição da renda provocado pela depreciação cambial era, demais, agravado pelo funcionamento das finanças públicas. O imposto sobre as importações, base da receita do governo central, era cobrado a uma taxa fixa de câmbio.[145] Ao depreciar-se a moeda, reduzia-se a importância ad valorem do imposto, acarretando dois efeitos de caráter regressivo. Por um lado, a redução real do gravame era maior para os produtos que pagavam maior imposto, isto é, para os artigos cujo consumo se limitava às classes de alta renda. Por outro, a redução relativa das receitas públicas obrigava o governo a emitir para financiar o déficit, e as emissões operavam como um imposto altamente regressivo, pois incidiam particularmente sobre as classes assalariadas urbanas.

A redução do valor em ouro da receita governamental era tanto mais grave porque o governo tinha importantes compromissos a saldar em ouro. Ao depreciar-se o câmbio, o governo era obrigado a dedicar uma parte muito maior de sua receita em moeda nacional ao serviço da dívida externa. E, em consequência, para manter os serviços públicos mais indispensáveis, via-se obrigado a emitir moeda-papel. Se se excetua o período da Guerra

---

145. Sendo o imposto ad valorem pago em moeda nacional a uma taxa de câmbio fixa (27 d. por mil-réis), resultava que, ao depreciar-se a moeda, a parte do imposto permanecia estável, enquanto aumentava o valor em moeda nacional da mercadoria importada. Dessa forma, a receita governamental proveniente do imposto de importação permanecia estacionária, enquanto crescia o valor em moeda nacional do que se importava e ainda mais o valor das divisas. Em 1886 a reforma Belisário fixou em 24 d. o valor do mil-réis para fim de arrecadação do imposto. Ao subir o câmbio acima desse nível nos dois anos seguintes, o valor do imposto aumentou mais que o das importações, enquanto se reduzia o preço das divisas, o que contribuiu para criar a situação excepcionalmente favorável das finanças públicas nesses anos. Murtinho, em 1900, deu uma solução radical ao problema, introduzindo a tarifa-ouro.

243

do Paraguai, não existe nenhuma indicação de que as emissões de moeda-papel hajam sido destinadas a expandir as atividades do setor público.[146] Por outro lado, para "defender o câmbio" o governo contraía sucessivos e onerosos empréstimos externos, cujo serviço acarretava uma sobrecarga fiscal incompressível. O aumento da importância relativa do serviço da dívida na despesa pública tornou mais e mais difícil ao governo financiar seus gastos com receitas correntes nas etapas de depressão. Dessa forma, estabelecia-se uma íntima conexão entre os empréstimos externos, os déficits orçamentários, as emissões de papel-moeda — em boa parte efetuadas para financiar os déficits — e os desequilíbrios da conta corrente da balança de pagamentos, através das flutuações da taxa de câmbio.

A forma de operar do sistema fiscal merece particular atenção, pois, se por um lado contribuía para reduzir o impacto das flutuações externas, por outro agravava o processo de transferência regressiva da renda nas etapas de depressão. O fato de que se reduzisse a carga fiscal ao depreciar-se a moeda — isto é, nas etapas em que os preços dos produtos exportados baixavam no mercado internacional — operava evidentemente como um fator compensatório da pressão deflacionária externa. Sem embargo, a redução da carga fiscal se fazia principalmente em benefício dos

---

146. A comparação entre o decênio dos 1880 e o dos 1890 é, a esse respeito, muito ilustrativa. No primeiro desses decênios, o meio circulante se manteve estacionário, e no segundo, mais que triplicou. Sem embargo, se comparamos o monte da empresa do governo central com o valor das exportações, comprovamos que a relação entre aquela e estas desce de 0,72 para 0,49. Essa redução reflete em parte a transferência de renda em benefício da classe exportadora acarretada pela depreciação cambial, mas também evidencia que muito provavelmente houve uma forte redução da carga fiscal. Outro indício dessa redução nos é dado pelo fato de que a receita ordinária representou somente oitenta por cento da despesa, no segundo decênio, contra 88 por cento no anterior.

A DESCENTRALIZAÇÃO REPUBLICANA E...

grupos sociais de rendas elevadas. Por outro lado, a cobertura dos déficits com emissões de papel-moeda criava uma pressão inflacionária cujos efeitos imediatos se sentiam mais fortemente nas zonas urbanas. Dessa forma, a depressão externa (redução dos preços das exportações) transformava-se internamente em um processo inflacionário.

No último decênio do século, desequilíbrios internos desse tipo foram agravados pela política monetária que seguiu o governo provisório instalado após a proclamação do regime republicano. A política monetária do governo imperial nos anos 1880, traumatizada pela miragem da "conversibilidade", por um lado conduzira a um grande aumento da dívida externa e por outro mantivera o sistema econômico em regime de permanente escassez de meios de pagamentos. Entre 1880 e 1889, a quantidade de papel-moeda em circulação diminuiu de 216 mil para 197 mil contos, enquanto o valor do comércio exterior (importações mais exportações) cresceu de 411 mil para 477 mil contos. Se se tem em conta que nesse período o sistema da escravidão foi substituído pelo do trabalho assalariado e que entraram no país cerca de 200 mil imigrantes, compreende-se facilmente a enorme adstringência de meios de pagamentos que prevaleceu então. O sistema monetário de que dispunha o país demonstrava ser totalmente inadequado para uma economia baseada no trabalho assalariado. Esse sistema tinha como base uma massa de moeda-papel emitida pelo Tesouro para cobrir déficits do governo e em menor quantidade (cerca de vinte por cento nos anos 1880) por notas emitidas por bancos que em certas ocasiões haviam gozado do privilégio de emissão. Era totalmente destituído de elasticidade, e sua expansão anterior havia resultado de medidas de emergência tomadas em momento de crise, ou do simples arbítrio dos governantes. Enquanto prevalecera o regime de trabalho escravo, sendo reduzido o fluxo de renda monetária,

FORMAÇÃO ECONÔMICA DO BRASIL

não eram muitos os tropeços criados por esse rudimentar sistema monetário. Contudo, a partir da crise de 1875, fez-se evidente a necessidade de dotar o país de um mínimo de automatismos monetários. Seria preciso esperar, entretanto, até 1888 para que o Parlamento aprovasse uma imprecisa reforma, a qual o governo imperial relutaria até o fim em aplicar.

A incapacidade do governo imperial para dotar o país de um sistema monetário adequado, bem como sua inaptidão para encaminhar com firmeza e positivamente a solução do problema da mão de obra refletem em boa medida divergências crescentes de interesses entre distintas regiões do país. Nas etapas anteriores, mesmo que fossem reduzidas as relações econômicas entre essas regiões, nenhuma divergência de interesses fundamentais as separava. No norte e no sul as formas de organização social eram as mesmas, as classes dirigentes falavam a mesma linguagem e estavam unidas em questões fundamentais, como fora o caso da luta pela manutenção do tráfico de escravos. Nos últimos decênios do século as divergências começam a aprofundar-se. A organização social do sul transformou-se rapidamente, sob a influência do trabalho assalariado nas plantações de café e nos centros urbanos, e da pequena propriedade agrícola na região de colonização das províncias meridionais.

As necessidades de ação administrativa no campo dos serviços públicos, da educação e da saúde, da formação profissional, da organização bancária etc. no sul do país são cada vez maiores. O governo imperial, entretanto, em cuja política e administração pesam homens ligados aos velhos interesses escravistas, apresentava escassa sensibilidade com respeito a esses novos problemas. A proclamação da República, em 1889, toma, em consequência, a forma de um movimento de reivindicação da autonomia regional. Aos novos governos estaduais caberá, nos dois primeiros decênios da vida republicana, um papel funda-

A DESCENTRALIZAÇÃO REPUBLICANA E...

mental no campo da política econômico-financeira. A reforma monetária de 1888, que o governo imperial não executou, do modo como foi aplicada posteriormente, pelo governo provisório, concedeu o poder de emissão a inúmeros bancos regionais, provocando subitamente em todo o país uma grande expansão de crédito. A transição de uma prolongada etapa de crédito excessivamente difícil para outra de extrema facilidade deu lugar a uma febril atividade econômica como jamais se conhecera no país. A brusca expansão da renda monetária acarretou enorme pressão sobre a balança de pagamentos. A taxa média de câmbio desceu de 26 d., em 1890, para $13^{15}/_{16}$ em 1893, e continuou declinando nos anos seguintes, até o fim do decênio, quando alcançou $8^{7}/_{32}$.

A grande depreciação cambial do último decênio do século XIX, provocada principalmente pela expansão creditícia imoderada do primeiro governo provisório, criou forte pressão sobre as classes assalariadas, particularmente nas zonas urbanas. Essa pressão não é alheia à intranquilidade social e política que se observa nessa época, caracterizada por levantes militares e intentos revolucionários, dos quais o país se havia desabituado no correr do meio século anterior. A partir de 1898 a política de Murtinho reflete um novo equilíbrio de forças.[147] A redução do serviço da dívida externa por meio de um empréstimo de consolidação (1898), a introdução da cláusula-ouro na arrecadação do imposto

147. Joaquim Murtinho, ministro da Fazenda do governo Campos Salles (1898-1902), adotou pela primeira vez no Brasil um conjunto de medidas econômico-financeiras coordenadas e visando um objetivo definido, que era reduzir a pressão sobre a balança de pagamentos e restabelecer o crédito exterior do governo. Murtinho foi influenciado pelo livro de WILEMAN, cit., o qual constitui indubitavelmente a primeira análise objetiva e sistemática — com base em crítica cuidadosa das fontes estatísticas — das causas da tendência ao desequilíbrio externo da economia brasileira.

247

de importação (1900), uma série de medidas de caráter deflacionário e um substancial aumento no valor das exportações, de 26 milhões de libras em 1896-99 para 37 milhões em 1900-03, tornaram possível a recuperação do equilíbrio externo.[148] Os interesses diretamente ligados à depreciação externa da moeda — grupos exportadores — terão a partir dessa época que enfrentar a resistência organizada de outros grupos. Entre estes se destacam a classe média urbana — empregados do governo, civis e militares, e do comércio —, os assalariados urbanos e rurais, os produtores agrícolas ligados ao mercado interno, as empresas estrangeiras que exploram serviços públicos, das quais nem todas têm garantia de juros. Os nascentes grupos industriais, mais interessados em aumentar a capacidade produtiva (portanto nos preços dos equipamentos importados) que em proteção adicional, também se sentem prejudicados com a depreciação cambial.

Se por um lado a descentralização republicana deu maior flexibilidade político-administrativa ao governo no campo econômico, em benefício dos grandes interesses agrícola-exportadores, por outro a ascensão política de novos grupos sociais — facilitada pelo regime republicano —, cujas rendas não derivavam da propriedade, veio reduzir substancialmente o controle que antes exerciam aqueles grupos agrícola-exportadores sobre o governo central. Tem início assim um período de tensões entre os dois níveis de governo — estadual e federal — que se prolongará pelos primeiros decênios do século xx.

---

148. O grande aumento do valor das exportações brasileiras, entre o último decênio do século xix e o primeiro do século xx — fator principal da melhora substancial na posição da balança de pagamentos —, teve como causa básica a grande expansão das exportações de borracha. A participação desse produto no valor das exportações brasileiras subiu de dez por cento em 1890 para 39 por cento em 1910.

PARTE CINCO

ECONOMIA DE TRANSIÇÃO PARA
UM SISTEMA INDUSTRIAL
SÉCULO XX

30. A crise da economia cafeeira

No último decênio do século xix criou-se uma situação excepcionalmente favorável à expansão da cultura do café no Brasil. Por um lado, a oferta não brasileira atravessou uma etapa de dificuldades, sendo a produção asiática grandemente prejudicada por enfermidades, que praticamente destruíram os cafezais da ilha de Ceilão. Por outro, com a descentralização republicana o problema da imigração passou às mãos dos estados, sendo abordado de forma muito mais ampla pelo governo de São Paulo, vale dizer, pela própria classe dos fazendeiros de café. Finalmente, o efeito estimulante da grande inflação de crédito desse período beneficiou duplamente a classe de cafeicultores: proporcionou o crédito necessário para financiar a abertura de novas terras e elevou os preços do produto em moeda nacional com a depreciação cambial. A produção brasileira, que havia aumentado de 3,7 milhões de sacas (de sessenta quilos) em 1880-81 para 5,5 milhões em 1890-91, alcançaria em 1901-02 16,3 milhões.[149]

---

149. PIERRE DENIS, op. cit., p. 176, recolhe dados relativos à produção brasileira e mundial no período 1870-1905.

FORMAÇÃO ECONÔMICA DO BRASIL

A elasticidade da oferta de mão de obra e a abundância de terras, que caracterizavam os países produtores de café, constituíam clara indicação de que os preços desse artigo tenderiam a baixar a longo prazo, sob a ação persistente das inversões em estradas de ferro, portos e meios de transporte marítimo que se iam avolumando no último quartel do século XIX. Percebe-se melhor a natureza desse problema observando-o de uma perspectiva mais ampla. Os empresários das economias exportadoras de matérias-primas, ao realizarem suas inversões, tinham de escolher dentre um número limitado de produtos requeridos pelo mercado internacional. No caso do Brasil, o produto que apresentava maior vantagem relativa era o café. Enquanto o preço desse artigo não baixasse a ponto de que aquela vantagem desaparecesse, os capitais formados no país continuariam acorrendo para a cultura do mesmo. Portanto, era inevitável que a oferta de café tendesse a crescer, não em função do crescimento da procura, mas sim da disponibilidade de mão de obra e terras subocupadas, e da vantagem relativa que apresentasse esse artigo de exportação.

Ocorreu, entretanto, que a grande expansão da cultura cafeeira, do final do século XIX, teve lugar praticamente dentro das fronteiras de um só país. As condições excepcionais que oferecia o Brasil para essa cultura valeram aos empresários brasileiros a oportunidade de controlar três quartas partes da oferta mundial desse produto. Essa circunstância é que possibilitou a manipulação da oferta mundial de café, a qual iria emprestar um comportamento todo especial à evolução dos preços desse artigo. Ao comprovar-se a primeira crise de superprodução, nos anos iniciais do século XX, os empresários brasileiros logo perceberam que se encontravam em situação privilegiada, entre os produtores de artigos primários, para defender-se contra a baixa de preços. Tudo de que necessitavam eram recursos financeiros para reter parte da

252

A CRISE DA ECONOMIA CAFEEIRA

produção fora do mercado, isto é, para contrair artificialmente a oferta. Os estoques assim formados seriam mobilizados quando o mercado apresentasse mais resistência, vale dizer, quando a renda estivesse a altos níveis nos países importadores, ou serviriam para cobrir deficiências em anos de colheitas más.

A partir da crise de 1893, que foi particularmente prolongada nos EUA, começaram a declinar os preços no mercado mundial. O valor médio da saca exportada em 1896 foi 2,91 libras, contra 4,09 naquele ano. Em 1897 ocorreu nova depressão no mercado mundial, declinando os preços nos dois anos seguintes até alcançar 1,48 libra em 1899. Se os efeitos da crise de 1893 puderam ser absorvidos por meio de depreciação externa da moeda, a situação de extrema pressão sobre a massa de consumidores urbanos, que já existia em 1897, tornou impraticável insistir em novas depreciações. Já assinalamos que essa excessiva pressão levou a uma crescente intranquilidade social e finalmente à adoção de uma política tendente à recuperação da taxa de câmbio.

Exatamente nessa etapa em que se fazia impraticável apelar para o mecanismo cambial, a fim de defender a rentabilidade do setor cafeeiro, configura-se o problema da superprodução. Os estoques de café, que se avolumam ano a ano, pesam sobre os preços, provocando uma perda permanente de renda para os produtores e para o país. A ideia de retirar do mercado parte desses estoques amadurece cedo no espírito dos dirigentes dos estados cafeeiros, cujo poder político e financeiro fora amplamente acrescido pela descentralização republicana. No convênio celebrado em Taubaté em fevereiro de 1906, definem-se as bases do que se chamaria política de "valorização" do produto. Em essência, essa política consistia no seguinte:

a) com o fim de restabelecer o equilíbrio entre oferta e procura de café, o governo interviria no mercado para comprar os excedentes;

253

FORMAÇÃO ECONÔMICA DO BRASIL

b) o financiamento dessas compras se faria com empréstimos estrangeiros;

c) o serviço desses empréstimos seria coberto com um novo imposto cobrado em ouro sobre cada saca de café exportada;

d) a fim de solucionar o problema mais a longo prazo, os governos dos estados produtores deveriam desencorajar a expansão das plantações.

A acalorada polêmica que suscitou a política de "valorização" constituiu uma clara indicação das transformações que na época se operavam na estrutura político-social do país. A descentralização republicana havia reforçado o poder dos plantadores de café em nível regional. Vimos já que essa descentralização — que chegou a extremos no caso da aplicação da reforma bancária — não é estranha à excessiva expansão das plantações de café, que ocorre entre 1891 e 1897. Durante esse mesmo período, sem embargo, os grupos que exerciam pressão sobre o governo central tornaram-se mais numerosos e complexos. Assinalamos a importância crescente da classe média urbana, na qual se destacava a burocracia civil e militar, diretamente afetada pela depreciação cambial. O importante grupo financeiro internacional reunido em torno da casa Rothschild segue de perto a política econômico-financeira do governo brasileiro, particularmente depois do empréstimo de consolidação de 1898.[150] Por último os comerciantes importadores e os industriais, cujos interesses por

150. A atitude de lorde Rothschild, que publicou uma carta violenta contra a "valorização", refletia o temor de que nova bancarrota do governo brasileiro viesse repercutir no serviço da dívida externa, que deveria ser retomado em 1911. Não desejando participar de uma empresa arriscada, Rothschild tampouco via com bons olhos que dela se aproveitassem outros grupos financeiros internacionais, que buscavam uma oportunidade para firmar o pé num domínio bem guardado da velha casa financeira, a que se ligara o governo brasileiro desde o seu segundo empréstimo externo, realizado em 1825.

254

A CRISE DA ECONOMIA CAFEEIRA

motivos distintos se opõem aos dos cafeicultores, encontram no regime republicano oportunidade para aumentar o seu poder político.

O primeiro esquema de valorização teve de ser posto em prática pelos estados cafeicultores — liderados por São Paulo — sem o apoio do governo federal. Diante da relutância deste último, os governos estaduais — aos quais a descentralização republicana concedera o poder constitucional exclusivo de criar impostos sobre as exportações — apelaram diretamente para o crédito internacional e puseram em marcha o projeto. Essa decisão lhes valeu a vitória sobre os grupos opositores. O governo federal teve finalmente que chamar a si a responsabilidade maior na execução da tarefa. O êxito financeiro da experiência veio consolidar a vitória dos recalcitrantes, que reforçaram o seu poder e por mais um quarto de século — isto é, até 1930 — lograram submeter o governo central aos objetivos de sua política econômica.

O plano de defesa elaborado pelos cafeicultores fora bem concebido. Sem embargo, deixava em aberto um lado do problema. Mantendo-se firmes os preços, era evidente que os lucros se mantinham elevados. E também era óbvio que os negócios do café continuariam atrativos para os capitais que neles se formavam. Em outras palavras, as inversões nesse setor se manteriam em nível elevado, pressionando cada vez mais sobre a oferta. Dessa forma, a redução artificial da oferta engendrava a expansão dessa mesma oferta e criava um problema maior para o futuro. Esse perigo foi perfeitamente percebido na época. Entretanto, não era fácil contorná-lo. A solução, aparentemente, estaria em evitar que a capacidade produtiva continuasse crescendo, ou que crescesse mais intensamente como efeito da estabilidade dos preços num nível elevado. As medidas tomadas nesse sentido foram, porém, infrutíferas. Teria sido necessário que se oferecessem ao

FORMAÇÃO ECONÔMICA DO BRASIL

empresário outras oportunidades, igualmente lucrativas, de aplicação dos recursos que estavam afluindo continuamente a suas mãos sob a forma de lucros. Em síntese, a situação era a seguinte: a defesa dos preços proporcionava à cultura do café uma situação privilegiada entre os produtos primários que entravam no comércio internacional. A vantagem relativa que proporcionava esse produto tendia, consequentemente, a aumentar. Por outro lado, os lucros elevados criavam para o empresário a necessidade de seguir com suas inversões. Destarte, tornava-se inevitável que essas inversões tendessem a encaminhar-se para a própria cultura do café. Dessa forma, o mecanismo de defesa da economia cafeeira era, em última instância, um processo de transferência para o futuro da solução de um problema que se tornaria cada vez mais grave.

O complicado mecanismo de defesa da economia cafeeira funcionou com relativa eficiência até fins do terceiro decênio do século xx. A crise mundial em 1929 o encontrou, entretanto, em situação extremamente vulnerável. Vejamos a razão disso. A produção de café, em razão dos estímulos artificiais recebidos, cresceu fortemente na segunda metade desse decênio. Entre 1925 e 1929 tal crescimento foi de quase cem por cento, o que revela a enorme quantidade de arbustos plantados no período imediatamente anterior.[151] Enquanto aumenta dessa forma a produção, mantêm-se praticamente estabilizadas as exportações. Em 1927--29 as exportações apenas conseguiam absorver as duas terças

151. A produção exportável de café aumentou de 15,761 milhões para 28,492 milhões de sacas de sessenta quilos, segundo dados publicados pelo Instituto Brasileiro do Café. Os dados estatísticos relativos à evolução do problema cafeeiro a partir de 1925 estão reunidos em O desenvolvimento econômico do Brasil, Banco Nacional do Desenvolvimento Econômico — Comissão Econômica para a América Latina das Nações Unidas, segunda parte, capítulo II, anexo estatístico.

256

A CRISE DA ECONOMIA CAFEEIRA

partes da quantidade produzida.[152] A retenção da oferta possibilitava a manutenção de elevados preços no mercado internacional. Esses preços elevados se traduziam numa alta taxa de lucratividade para os produtores, e estes continuavam a intervir em novas plantações. A procura, por outro lado, continuava a evoluir dentro das linhas tradicionais de seu comportamento. Se se contraía pouco nas depressões, também pouco se expandia nas etapas de grande prosperidade. Com efeito, não obstante a grande elevação da renda real, ocorrida nos países industrializados no decênio dos 1920, essa prosperidade em nada modificaria a dinâmica própria da procura de café, a qual cresce lenta mas firmemente com a população e a urbanização. Nos EUA, principal importador, onde a renda real per capita aumentou cerca de 35 por cento no correr desse decênio, o consumo de café se manteve em torno de doze libras-peso por habitante, se bem que os preços no varejo se mantivessem estáveis.[153]

Existia, portanto, uma situação perfeitamente caracterizada de desequilíbrio estrutural entre oferta e procura. Não se podia esperar um aumento sensível da procura resultante de elevação da renda disponível para consumo nos países importadores. Tampouco se podia pensar em elevar o consumo desses países baixando os preços. A única forma de evitar enormes prejuízos para os produtores e para o país exportador era evitar — retirando do mercado parte da produção — que a oferta se elevasse

---

152. A produção média de 1927-29 foi de 20,9 milhões de sacas, e a exportação, de 14,1 milhões. O desequilíbrio máximo foi alcançado no ano da crise, 1929, quando a produção atingiu 28,941 milhões de sacas, e a exportação, 14,281 milhões.

153. Os preços pagos em 1929 pelo consumidor norte-americano não eram mais elevados que os de 1920 e estavam um pouco abaixo dos de 1925. Veja-se, para detalhes sobre este problema, *Capacidad de los Estados Unidos para absorber los productos latino-americanos*, CEPAL, 1951.

acima daquele nível que exigia a procura para manter um consumo per capita mais ou menos estável a curto prazo. Era perfeitamente óbvio que os estoques que se estavam acumulando não tinham nenhuma possibilidade de ser utilizados economicamente num futuro previsível. Mesmo que a economia mundial lograsse evitar nova depressão, após a grande expansão dos anos 1920, não havia nenhuma porta pela qual se pudesse antever a saída daqueles estoques, pois a capacidade produtiva continuava a aumentar. A situação que se criara era, destarte, absolutamente insustentável.

A partir da perspectiva mais ampla de que hoje dispomos para observar esse processo histórico, podemos perguntar onde estava o erro básico de toda essa política, seguida inegavelmente com excepcional audácia. O erro, se assim o podemos qualificar, estava em não se terem em conta as características próprias de uma atividade econômica de natureza tipicamente colonial, como era a produção de café no Brasil. O equilíbrio entre oferta e procura dos produtos coloniais obtinha-se, do lado desta última, quando se atingia a saturação do mercado, e do lado da oferta quando se ocupavam todos os fatores de produção — mão de obra e terras — disponíveis para produzir o artigo em questão. Em tais condições era inevitável que os produtos coloniais apresentassem uma tendência, a longo prazo, à baixa de seus preços.

Manter elevado o preço do café de forma persistente era criar condições para que o desequilíbrio entre oferta e procura se aprofundasse cada vez mais. Para evitar essa tendência teria sido necessário que a política de defesa dos preços houvesse sido completada por outra de decidido desestímulo às inversões em plantações de café. Essa política de desestímulo era impraticável se não se abria uma alternativa para o empresário produtor de café, isto é, se não lhe era dada oportunidade de aplicar alhures os lucros obtidos no setor cafeeiro com uma rentabilidade com-

A CRISE DA ECONOMIA CAFEEIRA

parável à deste último. Essa oportunidade quase por definição não existia, pois nenhum outro produto colonial poderia ser objeto de uma política de defesa do tipo da que beneficiava o café. Na verdade, requeria-se dar um passo mais adiante e criar artificialmente a referida oportunidade. Para tanto, teria sido necessário estimular outras exportações através de uma política de subsídios, o que só seria praticável transferindo recursos financeiros do setor cafeeiro. Os preços pagos ao produtor de café teriam de ser mantidos em um nível desencorajador de novas inversões, e os frutos da diferença entre os preços pagos ao produtor e os de exportação, cobertos os demais gastos, poderiam ser utilizados para criar estímulos a outras atividades exportadoras, estímulos esses que poderiam tomar a forma de empréstimos a longo prazo e de subsídios diretos à exportação.

Mesmo que se lograsse evitar a superprodução, na forma indicada no parágrafo anterior, não seria possível evitar que a política de defesa dos preços do café fomentasse a produção desse artigo naqueles outros países que dispusessem de terras e de mão de obra em condições semelhantes às do Brasil, ainda que menos vantajosas. A manutenção dos preços a baixos níveis era condição indispensável para que os produtores brasileiros retivessem sua situação de semimonopólio. Ao se prevalecerem dessa situação semimonopolística para defender os preços, estavam eles destruindo as bases em que se assentara o seu privilégio. Dessa forma, por mais bem concebida que tivesse sido a política de defesa dos preços do café, a longo prazo ela surtiria certos efeitos negativos. Esses efeitos teriam sido certamente menores se a referida política houvesse obedecido a princípios mais amplos. Não resta dúvida, porém, de que, na forma como foi seguida, ela precipitou e aprofundou a crise da economia cafeeira no Brasil.

Vejamos mais uma vez os dados gerais do problema, antes de analisarmos a solução que o mesmo encontrou na prática.

FORMAÇÃO ECONÔMICA DO BRASIL

O terceiro decênio do século xx foi uma etapa de excepcional prosperidade para os países industrializados. Entre 1920 e 1929, o produto nacional bruto dos EUA cresceu de 103,6 bilhões para 152,7 bilhões de dólares (a preços constantes), o que representa um aumento da renda real per capita de mais de 35 por cento. Enquanto isso o consumo de café se mantivera estável em torno de doze libras, e o preço pago pelo consumidor norte-americano, com pequenas variações, em torno de 47 centavos de dólar por libra. As possibilidades de expansão do mercado eram portanto praticamente nulas. A manutenção daquele nível de preços vinha sendo obtida à custa de grandes retenções de estoques. O valor dos estoques acumulados entre 1927-29 alcançou a soma avultada de 1,2 milhão de contos, ou seja, pelos preços de 1950, cerca de 24 bilhões de cruzeiros. Em 1929 o valor dos estoques acumulados sobrepassou dez por cento do produto territorial bruto do ano.[154]

É fácil compreender a enorme força perturbadora potencial que representava para a economia esse tipo de operação. O financiamento desses estoques havia sido obtido em grande parte de bancos estrangeiros. Pretendia-se, dessa forma, evitar o desequilíbrio externo. Vejamos o que em realidade se passara. Os empréstimos externos serviam de base para a expansão de meios de pagamentos destinados à compra de café que era retirado do

154. Os dados relativos ao produto territorial e às inversões, nominais e reais, no período 1925-39, a que se faz referência neste capítulo e no seguinte, foram elaborados pelo autor com base no valor e volume físico da produção agrícola e industrial, no valor e no quantum das importações, na relação de preços do intercâmbio e nos gastos do governo federal, usando-se como deflator para estes últimos o índice do custo de vida na cidade do Rio de Janeiro. Para os dados básicos, veja-se *Anuário estatístico do Brasil*, 1937-39, e para os índices de produção agrícola, industrial, quantum das importações e relação de preços do intercâmbio, CEPAL, *Estudio económico de América Latina*, 1949, capítulo VII.

260

A CRISE DA ECONOMIA CAFEEIRA

mercado. O aumento brusco e amplo da renda monetária dos grupos que derivavam suas receitas da exportação não podia, evidentemente, deixar de provocar pressão inflacionária.[155] Essa pressão é particularmente grande numa economia subdesenvolvida, e se manifesta de imediato em rápido crescimento das importações, em razão da baixa elasticidade da oferta interna.[156]

Do que se disse no parágrafo anterior se depreende que a política de acumulação de estoques de café criaria necessariamente uma pressão inflacionária. Ocorre, entretanto, que as maiores inversões em estoques foram realizadas em 1927-29, época que se caracterizou igualmente por fortes entradas de capital privado estrangeiro no país. A coincidência da afluência de capitais privados e da chegada dos empréstimos destinados a financiar o café deu lugar a uma situação cambial extremamente favorável e induziu o governo brasileiro a embarcar numa política de conversibilidade.[157]

Deflagrada a crise no último trimestre de 1929, não foram necessários mais que alguns meses para que todas as reservas

155. O aumento do valor das exportações determina um crescimento da renda monetária maior, de acordo com a magnitude do multiplicador. Como a oferta é inelástica, entre a expansão da renda monetária e o aumento da real, há uma série de ajustamentos no nível de preços.

156. Entre 1920-22 e 1929, enquanto o quantum das exportações aumentava apenas dez por cento, o das importações crescia cerca de cem por cento. Para os dados básicos, veja-se *Estudio económico de América Latina*, cit.

157. Em 1926 o governo Washington Luís estabeleceu a paridade do mil-réis em 0,200 grama de ouro fino, correspondente a $5^{115}/_{128}$ d., e criou uma Caixa de Estabilização, à qual caberia emitir papel-moeda contra reserva de cem por cento de ouro. À semelhança do que já ocorrera com a Caixa de Conversão, criada em 1906, no governo Afonso Pena, as notas emitidas com anterioridade não eram conversíveis, passando a existir dois meios circulantes no país: um conversível e outro não. Em 1929 circulavam notas não conversíveis no valor de 2,543 milhões de contos e conversíveis na importância de 848 mil contos.

261

FORMAÇÃO ECONÔMICA DO BRASIL

metálicas acumuladas à custa de empréstimos externos fossem tragadas pelos capitais em fuga do país. Dessa forma, a ventura da conversibilidade do final dos anos 1920 — a qual em última instância era um subproduto da política de defesa do café — serviu apenas para facilitar a fuga de capitais. Não fosse a possibilidade de conversão que existiu nesse período, a queda do mil-réis teria sido muito mais brusca, estabelecendo-se automaticamente uma taxa sobre a exportação de capitais. Essa taxa evidentemente chegou, mas somente depois de se evaporarem todas as reservas.[158]

158. As reservas de ouro do governo alcançaram 31,1 milhões de libras em setembro de 1919. Em dezembro de 1930 haviam desaparecido em sua totalidade.

31. Os mecanismos de defesa e a crise de 1929

Ao deflagrar-se a crise mundial a situação da economia cafeeira se apresentava como segue. A produção, que se encontrava em altos níveis, teria de seguir crescendo, pois os produtores haviam continuado a expandir as plantações até aquele momento. Com efeito, a produção máxima seria alcançada em 1933, ou seja, no ponto mais baixo da depressão, como reflexo das grandes plantações de 1927-28. Por outro lado, era totalmente impossível obter crédito no exterior para financiar a retenção de novos estoques, pois o mercado internacional de capitais se encontrava em profunda depressão, e o crédito do governo desaparecera com a evaporação das reservas. Os pontos básicos do problema que cabia equacionar eram os seguintes:

a) Que mais convinha, colher o café ou deixá-lo apodrecer nos arbustos, abandonando parte das plantações como uma fábrica cujas portas se fecham durante a crise?

b) Caso se decidisse colher o café, que destino deveria dar-se ao mesmo? Forçar o mercado mundial, retê-lo em estoques ou destruí-lo?

FORMAÇÃO ECONÔMICA DO BRASIL

c) Caso se decidisse estocar ou destruir o produto, como financiar essa operação? Isto é, sobre quem recairia a carga, caso fosse colhido o café?

A solução que à primeira vista pareceria mais racional consistia em abandonar os cafezais. Entretanto, o problema consistia menos em saber o que fazer com o café do que em decidir quem pagaria pela perda. Colhido ou não o café, a perda existia. Abandonar os cafezais sem dar nenhuma indenização aos produtores significava fazer recair sobre estes a perda maior. Ora, conforme já vimos, a economia havia desenvolvido uma série de mecanismos pelos quais a classe dirigente cafeeira lograra transferir para o conjunto da coletividade o peso da carga nas quedas cíclicas anteriores. Seria de esperar, portanto, que se buscasse por esse lado a linha de menor resistência.

Vejamos em primeiro lugar como operou o mecanismo clássico de defesa através da taxa cambial. A grande acumulação de estoques de 1929, a rápida liquidação das reservas metálicas brasileiras e as precárias perspectivas de financiamento das grandes safras previstas para o futuro aceleraram a queda do preço internacional do café, iniciada conjuntamente com a de todos os produtos primários, em fins de 1929. Essa queda assumiu proporções catastróficas, pois, de setembro de 1929 a esse mesmo mês de 1931, a baixa foi de 22,5 centavos de dólar por libra para oito centavos. Dadas as características da procura do café, cujo consumo não baixa durante as depressões nos países de elevadas rendas, essa tremenda redução de preços teria sido inconcebível sem a situação especial que se havia criado do lado da oferta. Basta ter em conta que o preço médio pago pelo consumidor norte-americano, entre 1929 e 1931, baixou apenas de 47,9 para 32,8 centavos por libra.[159] Acumularam-se, portanto, os efeitos de duas cri-

---

159. Veja-se *Capacidad de los Estados Unidos para absorber los productos latino--americanos*, cit.

OS MECANISMOS DE DEFESA E A CRISE DE 1929

ses: uma do lado da procura e outra do lado da oferta. A situação favoreceu as organizações intermediárias no comércio do café, as quais, percebendo a debilidade da posição da oferta, puderam transferir para os produtores brasileiros grande parte de suas perdas causadas pela crise geral.

A baixa brusca do preço internacional do café e a falência do sistema de conversibilidade acarretaram a queda do valor externo da moeda. Essa queda trouxe, evidentemente, um grande alívio ao setor cafeeiro da economia. A baixa do preço internacional do café havia alcançado sessenta por cento. A alta da taxa cambial chegou a representar uma depreciação de quarenta por cento.[160] O grosso das perdas poderia, portanto, ser transferido para o conjunto da coletividade através da alta dos preços das importações. Restava considerar, entretanto, o outro lado do problema. Não obstante toda essa baixa de preços, o mercado internacional não podia absorver a totalidade da produção, pela razão muito simples já indicada de que a procura era pouco elástica em função dos preços. É verdade que, deixada de lado a preocupação de defender os preços, abria-se a possibilidade de forçar o mercado. E assim se fez, logrando um aumento do volume físico exportado, entre 1929 e 1937, de 25 por cento. Mesmo assim, uma parte apreciável da produção ficava sem nenhuma possibilidade de colocar-se no mercado. Era evidente, portanto, que se requeriam medidas suplementares.

A depreciação da moeda, ao atenuar o impacto da baixa do preço internacional sobre o empresário brasileiro, induzia este a

160. O valor médio da saca de café exportada declinou de 4,71 libras, em 1929, para 1,80 libra em 1932-34, ou seja, uma baixa de 62 por cento. Em moeda nacional a queda foi de 192 mil-réis para 145 mil-réis, isto é, 25 por cento. No triênio seguinte o preço em libras baixou para 1,29 e em mil-réis subiu para 159. Nesses cálculos continua-se a utilizar o valor-ouro da libra anterior à desvalorização desta.

265

FORMAÇÃO ECONÔMICA DO BRASIL

continuar colhendo o café e a manter a pressão sobre o mercado. Essa situação acarretava nova baixa de preços e nova depreciação da moeda, contribuindo para agravar a crise. Como a depreciação da moeda era menor que a baixa de preços, pois também estava influenciada por outros fatores, era claro que se chegaria a um ponto em que o prejuízo acarretado aos produtores de café seria suficientemente grande para que estes abandonassem as plantações. Somente então se restabeleceria o equilíbrio entre a oferta e a procura do produto. A análise desse processo de ajustamento põe em evidência que o mecanismo do câmbio não podia constituir um instrumento de defesa efetivo da economia cafeeira nas condições excepcionalmente graves criadas pela crise que estamos considerando.

Fazia-se indispensável evitar que os estoques invendáveis pressionassem sobre os mercados acarretando maiores baixas de preços. Era essa a única forma de evitar que o equilíbrio fosse obtido à custa do abandono puro e simples da colheita, isto é, com perdas concentradas no setor cafeeiro. Entretanto, como financiar a retenção de estoque? Teria de ser evidentemente com recursos obtidos dentro do próprio país, seja retendo uma parte do fruto da exportação do café, seja com pura e simples expansão de crédito. À medida que se utilizou a expansão de crédito, houve mais uma vez uma socialização dos prejuízos. Essa expansão de crédito, por seu lado, iria agravar o desequilíbrio externo, contribuindo para maior depreciação da moeda, o que beneficiava indiretamente o setor exportador.

Mas não bastava retirar do mercado parte da produção de café. Era perfeitamente óbvio que esse excedente da produção não tinha nenhuma possibilidade de ser vendido dentro de um prazo que se pudesse considerar como razoável. A produção prevista para os dez anos seguintes excedia, com sobras, a capacidade previsível de absorção dos mercados compradores. A destruição dos

266

OS MECANISMOS DE DEFESA E A CRISE DE 1929

excedentes das colheitas se impunha, portanto, como uma consequência lógica da política de continuar colhendo mais café do que se podia vender. À primeira vista parece um absurdo colher o produto para destruí-lo. Contudo, situações como essa se repetem todos os dias na economia de mercados. Para induzirem o produtor a não colher, os preços teriam que baixar muito mais, particularmente se se tem em conta que os efeitos da baixa de preços eram parcialmente anulados pela depreciação da moeda. Ora, como o que se tinha em vista era evitar que continuasse a baixa de preços, compreende-se que se retirasse do mercado parte do café colhido para destruí-lo. Obtinha-se, dessa forma, o equilíbrio entre a oferta e a procura em nível mais elevado de preços.

Dependendo, assim, fundamentalmente da estrutura da oferta, o preço do café atravessou o decênio dos 1930 totalmente indiferente à recuperação que, a partir de 1934, se operava nos países industrializados. Após alcançar seu ponto mais baixo em 1933, a cotação internacional desse produto se mantém quase sem alteração até 1937, para em seguida cair ainda mais nos dois últimos anos do decênio. É muito significativa essa grande estabilidade do preço do café, assim deprimido, durante todo o decênio dos 1930. Como é sabido, a recuperação compreendida entre 1934 e 1935 trouxe consigo uma elevação geral dos preços dos produtos primários. O preço do açúcar, por exemplo, subiu 140 por cento, entre 1933 e 1937; o do cobre elevou-se pouco mais de cem por cento, no mesmo período. O preço do café, entretanto, em 1937 era igual ao de 1934 e inferior ao de 1932.

Essa observação põe em evidência o fato de que o preço do café é condicionado fundamentalmente pelos fatores que prevalecem do lado da oferta, sendo de importância secundária o que ocorre do lado da procura. Já vimos que a grande elevação da renda real per capita ocorrida nos EUA nos anos 1920 deixou inalterável o consumo de café nesse país, não obstante os preços pa-

FORMAÇÃO ECONÔMICA DO BRASIL

gos pelo consumidor se tenham mantido estáveis. Durante os anos de depressão, os preços pagos pelo consumidor chegaram a baixar cerca de quarenta por cento, sem que o consumo apresentasse qualquer modificação significativa. Em 1933 esse consumo era exatamente igual ao de 1929. Seria possível argumentar que o efeito-preço teria anulado o efeito-renda, isto é, que a alta do consumo ocasionada pela baixa do preço foi anulada pela baixa desse consumo trazida pela contração da renda. Entretanto não parece ser essa a razão, pois no período seguinte, de elevação de renda (1934-37), os preços pagos pelo consumidor continuaram a baixar, tendo sido de 25,5 centavos por libra em 1937, contra 26,4 em 1933. Houve assim dois efeitos positivos no sentido do aumento do consumo: elevação da renda real per capita e baixa de preço. Contudo, o consumo se manteve praticamente inalterado, tendo sido de 13,1 libras per capita em 1937, contra 13,9 em 1931 e 12,5 em 1933.[161]

Consideremos mais detidamente as consequências da política de retenção e destruição de parte da produção cafeeira seguida, com o objetivo explícito de proteger o setor cafeicultor. Ao garantir preços mínimos de compra, remuneradores para a grande maioria dos produtores, estava-se na realidade mantendo o nível de emprego na economia exportadora e, indiretamente, nos setores produtores ligados ao mercado interno. Ao evitar-se uma contração de grandes proporções na renda monetária do

---

161. Veja-se *Capacidad de los Estados Unidos para absorber los productos latino-americanos*, cit. A procura de café, conforme a experiência dos anos 1950 veio indicar, apresenta certa elasticidade em função dos preços quando estes ultrapassam determinados níveis muito elevados. Com respeito ao mercado dos EUA, esse nível pode ser situado em torno de um dólar por libra, no varejo. Tida em conta a elevação dos preços, para os anos 1930 o referido nível não seria inferior a cinquenta centavos. Como os preços oscilavam em torno de 25 centavos, depreende-se que nenhum efeito podiam ter sobre a procura.

OS MECANISMOS DE DEFESA E A CRISE DE 1929

setor exportador, reduziam-se proporcionalmente os efeitos do multiplicador de desemprego sobre os demais setores da economia. Como a produção de café cresceu nos anos da depressão, tendo sido a colheita máxima de todos os tempos a de 1933, é evidente que a renda global dos produtores agrícolas se reduziu menos que os preços pagos a esses produtores.[162] Dessa forma, ao permitir que se colhessem quantidades crescentes de café, estava-se inconscientemente evitando que a renda monetária se contraísse na mesma proporção que o preço unitário que o agricultor recebia por seu produto. É fácil compreender que o abandono nas árvores de, digamos, um terço dessa produção, que foi o que aproximadamente se destruiu entre 1931 e 1939, teria significado enorme redução da renda do agricultor. Vejamos por meio de um exemplo numérico simples o mecanismo dessa contração da renda do setor exportador e sua influência no nível da renda global da coletividade. Suponhamos que o multiplicador[163] de desemprego do setor exportador seja três. Isso significa que uma redução de um na renda gerada pelas exportações determina uma redução global de três no conjunto da renda da coletividade. As causas que estão por detrás desse mecanismo multiplicador são

162. A produção exportável média, no quinquênio 1925-29, foi de 21,3 milhões de sacas, em 1930-34 sobe a 22,7 milhões de sacas, e em 1935-39 a 22,8 milhões de sacas. No mesmo período, o valor em moeda nacional da exportação se reduz de 26,8 mil contos para 20,3 mil contos, alcançando no terceiro quinquênio 22,1 mil contos. Os dados relativos à produção exportável são do Instituto Brasileiro do Café, e os relativos às exportações, do Ministério da Fazenda, Serviço de Estatística Econômica e Financeira.

163. O multiplicador é o fator pelo qual teríamos de multiplicar o aumento ou diminuição das inversões (ou das exportações) para conhecer o efeito, sobre a renda territorial, dessa modificação no nível das inversões (ou exportações). No nosso caso, tratamos de medir o efeito, no período de um ano, de uma redução na renda gerada diretamente pelas exportações. Se a redução direta é dez, e a baixa total da renda, trinta, dizemos que o multiplicador é três.

FORMAÇÃO ECONÔMICA DO BRASIL

mais ou menos óbvias e refletem a interdependência das distintas partes de uma economia. Ao receberem menos dinheiro por suas vendas ao exterior, os exportadores e produtores ligados à exportação reduzem suas compras. Os produtores internos afetados por essa redução também reduzem as suas, e assim por diante.

Admitamos que a renda territorial de um país de economia dependente seja gerada em dois setores: um, correspondente a quarenta por cento, totalmente autônomo do comércio exterior, seria o setor de subsistência, e o outro, formado diretamente pelas atividades de exportação e influenciado indiretamente por elas. Sendo três o multiplicador de desemprego, num momento dado, diremos que as atividades exportadoras geram indiretamente vinte por cento da renda nacional e quarenta por cento indiretamente. Consideremos agora as distintas situações indicadas no quadro abaixo:

	SETOR EXPORTADOR	SETOR INFLUENCIADO PELO SETOR EXPORTADOR	SETOR AUTÔNOMO	RENDA TOTAL
(a)	20,0	40	40	100,0
(b)	10,0	20	40	70,0
(c)	12,0	24	40	76,5
(d)	7,5	15	40	62,5

Partindo da situação (a) consideramos distintas hipóteses de contração da renda do setor exportador e seus efeitos sobre a renda global da coletividade. No caso (b) admitimos que se mantém o nível de produção no setor exportador, isto é, que se evita o desemprego, enquanto os preços pagos ao produtor nesse setor são cortados pela metade. O efeito final sobre a renda é uma re-

OS MECANISMOS DE DEFESA E A CRISE DE 1929

dução de trinta por cento, sendo dez por cento efeito direto e vinte por cento indireto da contração de preços no setor exportador. Na situação (c) contemplamos igualmente uma redução de cinquenta por cento no preço, mas com um aumento concomitante de vinte por cento da quantidade produzida, no setor de exportação. O efeito final é uma redução de 24 por cento na renda global. O caso (d) é distinto dos anteriores: admitimos que para defender os preços se tenha permitido uma redução de cinquenta por cento da quantidade produzida. Dada essa redução na produção, a queda de preços teria sido de apenas 25 por cento. Não obstante isso, o efeito final seria uma contração de 37,5 por cento da renda total, isto é, a maior de todas.

O caso (c) reflete aproximadamente a experiência brasileira dos anos da depressão, quando os preços pagos ao produtor de café foram reduzidos à metade, permitindo-se, entretanto, que crescesse a quantidade produzida. A redução da renda monetária, no Brasil, entre 1929 e o ponto mais baixo da crise, se situa entre 25 por cento e trinta por cento, sendo, portanto, relativamente pequena se se compara com a de outros países. Nos EUA, por exemplo, essa redução excedeu a cinquenta por cento, não obstante os índices de preços por atacado, desse país, tenham sofrido quedas muito inferiores às do preço do café no comércio internacional. A diferença está em que nos EUA a baixa de preços acarretava enorme desemprego, ao contrário do que estava ocorrendo no Brasil, onde se mantinha o nível de emprego se bem que se tivesse de destruir o fruto da produção. O que importa ter em conta é que o valor do produto que se destruía era muito inferior ao montante da renda que se criava. Estávamos, em verdade, construindo as famosas pirâmides que anos depois preconizaria Keynes.

Dessa forma, a política de defesa do setor cafeeiro nos anos da grande depressão concretiza-se num verdadeiro programa

FORMAÇÃO ECONÔMICA DO BRASIL

de fomento da renda nacional. Praticou-se no Brasil, inconscientemente, uma política anticíclica de maior amplitude que a que se tenha sequer preconizado em qualquer dos países industrializados. Vejamos como se passou isso. Em 1929 as inversões líquidas, realizadas no conjunto da economia brasileira, se elevaram a aproximadamente 2,3 milhões de contos de réis, pelo valor aquisitivo da época. Com a crise essas inversões se contraíram bruscamente e já em 1931 estavam reduzidas a 300 mil contos, sempre em valores do ano corrente. Não obstante, nesse ano de 1931 se acumulam estoques de café no valor de 1 milhão de contos. Essa acumulação de estoques tem, do ponto de vista da formação da renda, um efeito idêntico ao das inversões líquidas. Portanto, a redução do montante das inversões líquidas não havia sido de 2,3 para 0,3 e sim para 1,3. Ora, esse 1,3 representava mais de sete por cento do produto líquido, o que significa uma alta taxa para um período de depressão.

Explica-se, assim, que já em 1933 tenha recomeçado a crescer a renda nacional no Brasil, quando nos EUA os primeiros sinais de recuperação só se manifestam em 1934. Na verdade, no Brasil, em nenhum ano da crise houve inversões líquidas negativas, fato que ocorreu nos EUA e como regra geral em todos os países. Já em 1933 as inversões líquidas brasileiras alcançavam 1 milhão de contos, às quais cabia adicionar 1,1 milhão de estoques de café acumulados. Estava-se, portanto, a 2,1 milhões, valor que se aproximava do montante das inversões líquidas de 1929. Ora, os 2,3 de 1929 representavam nove por cento do produto líquido desse ano, enquanto os 2,1 de 1933 constituíam dez por cento do produto líquido deste último ano. O impulso de que necessitava a economia para crescer já havia sido recuperado.

É, portanto, perfeitamente claro que a recuperação da economia brasileira, que se manifesta a partir de 1933, não se deve a nenhum fator externo, e sim à política de fomento seguida

OS MECANISMOS DE DEFESA E A CRISE DE 1929

inconscientemente no país e que era um subproduto da defesa dos interesses cafeeiros. Consideremos o problema sob outro aspecto. A acumulação de estoques de café realizada antes da crise tinha a sua contrapartida em débito contraído no exterior. Não existia, portanto, nenhuma inversão líquida, pois o que se invertia dentro do país, acumulando estoque, se desinvertia no exterior contraindo dívidas. Tudo ocorria como se o café acumulado tivesse sido comprado por firmas estrangeiras que, no seu próprio interesse, postergavam o transporte da mercadoria para fora do país. A acumulação de café financiada do exterior se assemelha portanto a uma exportação.

O mesmo não ocorria à acumulação de estoques financiada de dentro do país, se a base desse financiamento era uma expansão de crédito. A compra do café para acumular representava uma criação de renda que se adicionava à renda criada pelos gastos dos consumidores e dos inversionistas. Ao injetar-se na economia, em 1931, 1 bilhão de cruzeiros para aquisição de café e sua destruição, estava-se criando um poder de compra que em parte iria contrabalançar a redução dos gastos dos inversionistas, gastos estes que haviam sido reduzidos em 2 bilhões de cruzeiros. Dessa forma, evitava-se uma queda mais profunda da procura naqueles setores que dependiam indiretamente da renda criada pelas exportações.

A diferença real entre a inversão líquida e a acumulação de estoques invendáveis de café residia em que aquela criava capacidade produtiva e a segunda, não. Entretanto, esse aspecto do problema tem importância secundária em épocas de depressão, as quais se caracterizam pela subocupação da capacidade produtiva já existente. É por essa razão que nessas etapas é muito mais importante criar procura efetiva, a fim de induzir a utilização da capacidade produtiva ociosa, do que aumentar essa capacidade produtiva.

273

32. Deslocamento do centro dinâmico

Vimos como a política de defesa do setor cafeeiro contribuiu para manter a procura efetiva e o nível de emprego nos outros setores da economia. Vejamos agora o que significou isso como pressão sobre a estrutura do sistema econômico. O financiamento dos estoques de café com recursos externos evitava, conforme indicamos, o desequilíbrio na balança de pagamentos. Com efeito, a expansão das importações induzida pela inversão em estoques de café dificilmente poderia exceder o valor desses estoques, os quais tinham uma cobertura cambial de cem por cento.

Suponhamos que cada mil-réis invertido em estoques de café se multiplicasse, de acordo com o mecanismo já exposto, por três, e criasse assim uma renda final de três mil-réis. Seria necessário que as importações induzidas pelo aumento da renda global ultrapassassem a terça parte desse aumento para que se criasse um desequilíbrio externo. Por uma série de razões fáceis de perceber, esse tipo de desequilíbrio não se concretiza sem que interfiram outros fatores, pois a propagação da renda dentro da economia reflete em grande parte as possibilidades que tem essa economia de satisfazer ela mesma as necessidades decorrentes do aumento da procura. No caso limite de que essas possibilidades fossem nulas, isto é, de que todo o aumento da procura tivesse de ser atendido com importações, o multiplicador seria um, crescendo a renda global apenas no montante em que tivessem crescido as exportações. Nesse caso não haveria nenhuma possibilidade de desequilíbrio, pois as importações induzidas seriam exatamente iguais ao aumento das exportações.

A situação seria totalmente distinta caso a acumulação de estoque fosse financiada com expansão de crédito. Suponhamos que se criassem meios de pagamentos no valor de 1 bilhão de cruzeiros para financiar estoques, e que, através do multiplicador, se originasse por essa forma um fluxo final de renda de 3 bilhões. Suponhamos, demais, que o coeficiente de importações fosse 0,33, vale dizer, que para cada cruzeiro de aumento global da renda a população em seu conjunto (consumidores e inversionistas) exigisse bens importados no montante de 33 centavos. Como cobrir essas importações? Não haveria evidentemente nenhuma possibilidade. As divisas proporcionadas pelas exportações eram insuficientes, durante os anos da depressão, para cobrir sequer as importações induzidas pela renda criada direta e indiretamente por aquelas mesmas exportações. Isto porque as partidas rígidas da balança de pagamentos constituíam agora, com baixa de preços, uma carga muito maior, e a fuga de capitais agravava a situação cambial.

Dessa forma, a política de fomento da renda, implícita na defesa dos interesses cafeeiros, era igualmente responsável por um desequilíbrio externo que tendia a aprofundar-se. A correção desse desequilíbrio se fazia, evidentemente, à custa de forte baixa no poder aquisitivo externo da moeda. Essa baixa se traduzia numa elevação dos preços dos artigos importados, o que automaticamente comprimia o coeficiente de importações. O coeficiente de 0,33, que demos como exemplo, refletiria uma determinada situação de equilíbrio em que os preços internos e externos se mantivessem em certos níveis. Baixando bruscamente o poder aquisitivo externo da moeda, o nível dos preços externos teria de elevar-se relativamente ao dos preços internos. Em tais circunstâncias aquele coeficiente automaticamente tenderia a reduzir-se. É por essa razão que se alcançava o equilíbrio, se bem que em um nível de depreciação cambial bem mais alto do que seria o caso na hipótese de que não tivesse havido a expansão de crédito para compra de café a destruir. Se se compara a evolução do poder aquisitivo externo e interno da moeda brasileira, nos anos que se seguiram à crise, constata-se que entre 1929 e 1931 o poder de compra de um cruzeiro caiu no exterior cerca de cinquenta por cento mais do que dentro do país. Essa situação reflete, até certo ponto, o esforço feito pela estrutura econômica para corrigir o desequilíbrio externo criado pela manutenção de um elevado nível de atividade dentro do país. Que destino tomava essa renda, que, devendo ser despendida no exterior em importações, ficava represada dentro do país pelo mecanismo corretor da baixa do referido coeficiente? É evidente que ia pressionar sobre os produtores internos. Como ocorre frequentemente, ao corrigir o desequilíbrio externo não se conseguia mais que transformá-lo em desequilíbrio interno. Grande parte da procura de mercadorias importadas se contraía com a alta relativa de preços, tanto mais que se assim não ocorresse a moeda continuaria a depreciar-se até que a procura de importações se equilibrasse com a oferta de divisas destinadas a esse fim.

Nos anos da depressão, ao mesmo tempo que se contraíam as rendas monetária e real, subiam os preços relativos das mercadorias importadas, conjugando-se os dois fatores para reduzir a procura de importações. Já observamos que de 1929 ao ponto mais baixo da depressão a renda monetária no Brasil se redu-

DESLOCAMENTO DO CENTRO DINÂMICO

ziu entre 25 por cento e trinta por cento. Nesse mesmo período o índice de preços dos produtos importados subiu 33 por cento. Compreende-se, assim, que a redução no quantum das importações tenha sido superior a sessenta por cento. Consequentemente, o valor das importações baixou de catorze por cento para oito por cento da renda territorial bruta, satisfazendo-se com oferta interna parte da procura que antes era coberta com importações. Depreende-se facilmente a importância crescente que, como elemento dinâmico, irá logrando a procura interna nessa etapa de depressão. Ao manter-se a procura interna com maior firmeza que a externa, o setor que produzia para o mercado interno passa a oferecer melhores oportunidades de inversão que o setor exportador. Cria-se, em consequência, uma situação praticamente nova na economia brasileira, que era a preponderância do setor ligado ao mercado interno no processo de formação de capital.

A precária situação da economia cafeeira, que vivia em regime de destruição de um terço do que produzia com um baixo nível de rentabilidade, afugentava desse setor os capitais que nele ainda se formavam. E não apenas os lucros líquidos, pois os gastos de manutenção e reposição foram praticamente suprimidos. A capacidade produtiva dos cafezais foi reduzida a cerca da metade, nos quinze anos que se seguiram à crise. Restringida a reposição, parte dos capitais que haviam sido imobilizados em plantações de café foi desinvertida. Boa parte desses capitais, não há dúvida, a própria agricultura de exportação se encarregou de absorver em outros setores, particularmente o do algodão. O preço mundial desse produto havia sido mantido, durante a depressão, em benefício dos produtores e exportadores norte-americanos. Os produtores brasileiros não deixaram passar essa oportunidade, pois já em 1934 o valor da produção algodoeira (preços pagos ao produtor) correspondia a cinquenta por cento do valor da produção

FORMAÇÃO ECONÔMICA DO BRASIL

cafeeira, enquanto em 1929 aquela relação havia sido de menos de dez por cento.

Contudo, o fator dinâmico principal, nos anos que se seguem à crise, passa a ser, sem nenhuma dúvida, o mercado interno. A produção industrial, que se destinava em sua totalidade ao mercado interno, sofre durante a depressão uma queda de menos de dez por cento, e já em 1933 recupera o nível de 1929.[164] A produção agrícola para o mercado interno supera com igual rapidez os efeitos da crise. É evidente que, mantendo-se elevado o nível da procura e represando-se uma maior parte dessa procura dentro do país, através do corte das importações, as atividades ligadas ao mercado interno puderam manter, na maioria dos casos, e em alguns aumentar, sua taxa de rentabilidade. Esse aumento da taxa de rentabilidade se fazia concomitantemente com a queda dos lucros no setor ligado ao mercado externo. Explica-se, portanto, a preocupação de desviar capitais de um para outro setor. As atividades ligadas ao mercado interno não somente cresciam impulsionadas por seus maiores lucros, mas ainda recebiam novo impulso ao atrair capitais que se formavam ou desinvertiam no setor de exportação.

É bem verdade que o setor ligado ao mercado interno não podia aumentar sua capacidade, particularmente no campo industrial, sem importar equipamentos, e que estes se tinham feito mais caros com a depreciação do valor externo da moeda. Entre-

164. Alguns setores da produção industrial haviam atravessado uma etapa de relativa depressão, nos anos 1920, quando as importações foram favorecidas pela situação cambial. É o caso típico da indústria têxtil, cuja produção de tecidos de algodão foi inferior em 1929 aos pontos mais altos alcançados durante a Primeira Guerra Mundial. A recuperação dessa indústria foi rápida, nos anos que se seguiram à crise. De 448 milhões de metros, a produção de tecidos de algodão elevou-se a 689 milhões de metros em 1933 e 915 milhões de metros em 1936. Veja-se *Anuário estatístico do Brasil*, cit., p. 1329.

DESLOCAMENTO DO CENTRO DINÂMICO

tanto, o fator mais importante na primeira fase da expansão da produção deve ter sido o aproveitamento mais intenso da capacidade já instalada no país. Bastaria citar como exemplo a indústria têxtil, cuja produção aumentou substancialmente nos anos que se seguiram à crise sem que sua capacidade produtiva tenha sido expandida. Esse aproveitamento mais intensivo da capacidade instalada possibilitava uma maior rentabilidade para o capital aplicado, criando os fundos necessários, dentro da própria indústria, para sua expansão subsequente. Outro fator que se deve ter em conta é a possibilidade que se apresentou de adquirir a preços muito baixos, no exterior, equipamentos de segunda mão. Algumas das indústrias de maior vulto instaladas no país, na depressão, o foram com equipamentos provenientes de fábricas que haviam fechado suas portas em países mais fundamente atingidos pela crise industrial.

O crescimento da procura de bens de capital, reflexo da expansão da produção para o mercado interno, e a forte elevação dos preços de importação desses bens, acarretada pela depreciação cambial, criaram condições propícias à instalação no país de uma indústria de bens de capital. Esse tipo de indústria encontra, por uma série de razões óbvias, sérias dificuldades para instalar-se em uma economia dependente. A procura de bens de capital coincide, nas economias desse tipo, com a expansão das exportações — fator principal do aumento da renda — e portanto com a euforia cambial. Por outro lado, as indústrias de bens de capital são aquelas com respeito às quais, por motivos de tamanho de mercado, os países subdesenvolvidos apresentam maiores desvantagens relativas. Somando-se essas desvantagens relativas às facilidades de importações que prevalecem nas etapas em que aumenta a procura de bens de capital, tem-se um quadro do reduzido estímulo que existe para instalar as referidas indústrias nos países de economia dependente. Ora, as condições que se cria-

279

ram no Brasil nos anos 1930 quebraram este círculo. A procura de bens de capital cresceu exatamente numa etapa em que as possibilidades de importação eram as mais precárias possíveis.

Com efeito, a produção de bens de capital no Brasil (se a medirmos pela de ferro e aço e cimento) pouco sofreu com a crise, recomeçando a crescer já em 1931. Em 1932, ano mais baixo da depressão no Brasil, aquela produção já havia aumentado em sessenta por cento com respeito a 1929. No mesmo período, as importações de bens de capital se haviam reduzido a pouco mais da quinta parte. É de enorme significação o fato de que em 1935 as inversões líquidas (medidas a preços constantes) tenham ultrapassado o nível de 1929, quando as importações de bens de capital apenas haviam alcançado cinquenta por cento do nível deste último ano. O nível da renda nacional havia sido recuperado, não obstante esse corte pela metade nas importações de bens de capital. É evidente, portanto, que a economia não somente havia encontrado estímulo dentro dela mesma para anular os efeitos depressivos vindos de fora e continuar crescendo, mas também havia conseguido fabricar parte dos materiais necessários à manutenção e à expansão de sua capacidade produtiva.

Vejamos, em síntese, que modificações fundamentais resultaram para a economia brasileira da ação de todos esses fatores. Deve-se ter em conta, primeiramente, que a capacidade para importar não se recuperou nos anos 1930. Em 1937 ela ainda estava substancialmente abaixo do que havia sido em 1929. Em realidade, o quantum das importações daquele ano — bem superiores ao de qualquer outro ano do decênio — esteve 23 por cento abaixo do de 1929. A renda criada pelas exportações havia decrescido em termos reais. O quantum das exportações aumentara, mas, como o poder aquisitivo da unidade de exportação com respeito à unidade de importação se havia reduzido à metade, é evidente que

DESLOCAMENTO DO CENTRO DINÂMICO

a renda criada pelas exportações era muito inferior.[165] O valor da produção agrícola a preços correntes havia subido de 7,5 bilhões para 7,8 bilhões de cruzeiros, não obstante a produção para exportação haver baixado de 5,5 bilhões para 4,5 bilhões. A participação das exportações como elemento formador da renda do agricultor havia decrescido, portanto, de setenta por cento para 57 por cento. É óbvio, por conseguinte, que, se a economia houvesse apenas reagido passivamente aos estímulos externos, não só teria enfrentado uma depressão muito mais profunda, como não se teria recuperado durante todo o decênio.

A recuperação, entretanto, veio rápida, e comparativamente forte. A produção industrial cresceu em cerca de cinquenta por cento entre 1929 e 1937, e a produção primária para o mercado interno cresceu em mais de quarenta por cento no mesmo período. Dessa forma, não obstante a depressão imposta de fora, a renda nacional aumentou vinte por cento entre aqueles dois anos, o que representa um incremento per capita de sete por cento. Este aumento não é de nenhuma forma desprezível, se se tem em conta que nos EUA, no mesmo período, decresceu a renda per capita sensivelmente. Aqueles países de estrutura econômica similar à do Brasil, que seguiram uma política muito mais ortodoxa, nos anos da crise, e ficaram portanto na dependência do impulso externo para recuperar-se, chegaram a 1937 com suas economias ainda em estado de depressão.

165. A situação do intercâmbio externo nos anos 1930 depreende-se claramente dos dados abaixo, relativos a 1937, ano mais favorável do decênio:

ANO	Quantum das exportações	Preços das exportações	Preços das importações	Relação de preços	Capacidade para importar	Quantum das importações
1929	100,0	100	100	100	100	100,0
1937	130,2	101	196	52	67	76,9

Estudio económico de América Latina, cit.

A significação desse fenômeno é muito maior do que se depreende à primeira vista. Indicamos anteriormente a relação profunda que existe entre a intensidade do impulso externo e o crescimento de uma economia especializada na exportação de matérias-primas. Possibilitando um melhor aproveitamento dos recursos de terra e mão de obra preexistentes, o impulso externo cria o aumento de produtividade que é o ponto de partida no processo de acumulação de capital. A massa de salários e outras remunerações criadas no setor de exportação representam o embrião do mercado interno. Ao crescer o impulso externo, a expansão indireta da procura interna tende a integrar na economia monetária os recursos de mão de obra e terra subutilizados no setor de subsistência. Ao reduzir-se o impulso externo, por outro lado, a contração consequente da renda monetária tende a criar desemprego ou subutilização da capacidade no setor ligado ao mercado interno.

Por que meio logrou a economia brasileira, nos anos 1930, subverter a ação mais ou menos automática desses mecanismos? Por que forma foram compensados os efeitos depressivos da contração persistente da procura externa? Melhor ainda: a que se deve o fato de que a procura interna não tenha entrado em colapso ao contrair-se a procura externa? Esses resultados, de grande significação para o futuro imediato da economia brasileira, são um reflexo das dimensões catastróficas da crise do café e da amplitude com que foram defendidos, conscientemente ou não, os interesses da economia cafeeira.[166]

166. O movimento revolucionário de 1930 — ponto culminante de uma série de levantes militares abortados, iniciados em 1922 — tem sua base nas populações urbanas, particularmente na burocracia militar e civil e nos grupos industriais, e constitui uma reação contra o excessivo predomínio dos grupos cafeeiros — de seus aliados da finança internacional, comprometidos na política de valorização — sobre o governo federal. Contudo, em face da reação armada de 1932, o governo provisório tomou, a partir de 1933, uma série de medidas destinadas a ajudar financeiramente os produtores de café, inclusive uma redução de cinquenta por cento nas dívidas bancárias destes últimos.

DESLOCAMENTO DO CENTRO DINÂMICO

O fato de que a produção de café tenha continuado a expandir-se depois da crise e a circunstância de que os cafeicultores se tivessem habituado aos planos de defesa dirigidos pelo governo respondem, em boa parte, pela manutenção da renda monetária do setor exportador. Ao produtor de café pouco lhe interessava que a acumulação de estoques fosse financiada com empréstimos externos ou com expansão de crédito. A decisão de continuar financiando sem recursos externos a acumulação de estoques, qualquer que fosse a repercussão sobre a balança de pagamentos, foi de consequências que na época não se podiam suspeitar. Mantinha-se, assim, a procura monetária em nível relativamente elevado no setor exportador. Esse fato, combinado ao encarecimento brusco das importações (consequência da depreciação cambial), à existência de capacidade ociosa em algumas das indústrias que trabalhavam para o mercado interno e ao fato de que já existia no país um pequeno núcleo de indústrias de bens de capital, explica a rápida ascensão da produção industrial, que passa a ser o fator dinâmico principal no processo de criação da renda.

Essas modificações bruscas na estrutura econômica não podiam deixar de trazer persistentes desequilíbrios. O mais significativo destes talvez seja o que afeta a balança de pagamentos. A crise encontrou a economia brasileira mais ou menos adaptada a um certo coeficiente de importações. Durante todo o decênio dos 1920, a relação entre o produto territorial e o valor das importações não parece haver se alterado de forma significativa. Ora, conforme já observamos, ao manter-se a renda monetária em nível relativamente elevado enquanto baixava bruscamente a capacidade para importar, foi necessário que subissem fortemente os preços relativos dos artigos importados para que se restabelecesse o equilíbrio entre a procura e oferta de cambiais para pagar importações. Estabeleceu-se, assim, um novo nível de preços relativos para os artigos de produção interna e os artigos importados.

283

FORMAÇÃO ECONÔMICA DO BRASIL

Com base nesse novo nível de preços relativos, desenvolveram-se as indústrias destinadas a substituir importações. Em realidade, era esse nível de preços relativos que servia de base ao industrial decidido a inverter neste ou naquele setor. Ocorre, porém, que a recuperação do setor exportador teria que trazer mais cedo ou mais tarde uma modificação da situação cambial. Desde o momento em que melhorassem os preços relativos de exportação e aumentasse a disponibilidade de divisas, teria de modificar-se a situação cambial. Como é fácil depreender, uma valorização brusca do poder de compra externo da moeda traria necessariamente um aumento imediato da procura de bens importados e uma retração idêntica da procura de bens de produção interna, o que tenderia a reduzir a renda, pois criaria desemprego. Essa redução de renda iria, por seu lado, contrair a procura de artigos importados, restabelecendo o equilíbrio em um nível mais baixo de utilização da capacidade produtiva. O mais provável, entretanto, é que a correção do desequilíbrio se fizesse através da taxa de câmbio, e não do nível da renda. Assim, a melhora da situação cambial, ao provocar um brusco aumento das importações, criaria nova pressão sobre a balança de pagamentos, invertendo-se o movimento da taxa de câmbio. Seria essa uma situação extremamente instável, a qual poria de manifesto que o crescimento relativo do setor dedicado ao mercado interno tornava impraticável o funcionamento de um sistema cambial com taxa flutuante. Não sendo exequível o funcionamento do padrão-ouro, era necessário garantir por outra forma uma certa estabilidade cambial.

Na economia tipicamente exportadora de matérias-primas a concorrência entre produtores internos e importadores era quase inexistente. As flutuações na taxa cambial comprimiam a procura de um ou de outro setor, mas não determinavam modificações estruturais na oferta. Ao começarem a concorrer os dois setores, as modificações na taxa cambial passaram a ter repercus-

284

sões demasiado sérias para que fossem abandonadas às contingências do momento. Perdia-se, assim, um dos mecanismos de ajuste mais amplos de que dispunha a economia e ao mesmo tempo um dos instrumentos mais efetivos de defesa da velha estrutura econômica com raízes na era colonial.

As consequências da perda desse mecanismo serão profundas e respondem em boa parte pelas modificações estruturais que continuarão a operar-se. Ao lograr sobrepor-se à profunda crise dos anos 1930, a economia brasileira comprometeu partes fundamentais de seu mecanismo. Os desajustamentos consequentes se manifestarão com plenitude na etapa de tensões que se inicia com a economia de guerra da primeira metade do decênio seguinte.

33. O desequilíbrio externo e sua propagação

No capítulo anterior se fez referência ao fato de que a baixa do coeficiente de importação havia sido obtida, nos anos 1930, à custa de um reajustamento profundo dos preços relativos. A alta da taxa cambial reduziu praticamente à metade o poder aquisitivo externo da moeda brasileira e, se bem tenha havido flutuações durante o decênio nesse poder aquisitivo, a situação em 1938-39 era praticamente idêntica à do ponto mais agudo da crise. Esta situação permitira um amplo barateamento relativo das mercadorias de produção interna, e foi sobre a base desse novo nível de preços relativos que se processou o desenvolvimento industrial dos anos 1930.

Observamos também que a formação de um só mercado para produtores internos e importadores — consequência natural do desenvolvimento do setor ligado ao mercado interno — transformou a taxa cambial em um instrumento de enorme importância para todo o sistema econômico. Qualquer modificação, num sentido ou noutro, dessa taxa acarretaria uma alteração no nível dos preços relativos dos produtos importados e produzidos

O DESEQUILÍBRIO EXTERNO E SUA PROPAGAÇÃO

no país, os quais concorriam em um pequeno mercado. Era perfeitamente óbvio que a eficiência do sistema econômico teria de prejudicar-se com os sobressaltos provocados pelas flutuações cambiais. A possibilidade de perdas de grandes proporções, ocasionadas pelo brusco barateamento das mercadorias concorrentes importadas, desencorajaria as inversões no setor ligado ao mercado interno. Não era por outra razão que as economias mais desenvolvidas se haviam submetido ao delicado e dispendioso mecanismo do padrão-ouro, que fazia solidários a todos os sistemas nacionais de preços. Já vimos que para uma economia tipicamente exportadora de matérias-primas o regime do padrão-ouro se apresentava impraticável. Mas, superada essa etapa, o que se tornava impraticável era subsistir dentro da indisciplina do sistema de preços que havia prevalecido antes.[167]

A pequena valorização externa da moeda brasileira ocorrida entre 1934 e 1937 trouxe sérios transtornos a alguns setores industriais ligados ao mercado interno. Essa melhoria na situação cambial foi, entretanto, passageira, pois nos últimos anos do decênio houve nova depreciação no valor externo da moeda brasileira, o que praticamente restabeleceu o nível de preços relativos que havia prevalecido depois da crise.[168] Ora, no começo do decênio seguinte a política cambial iria ser submetida a uma prova definitiva. Acumulações sucessivas de saldos positivos

167. A reforma cambial de 1953 constituiu um retorno ao regime do câmbio flutuante, único em que a economia brasileira funcionou até hoje sem se criarem grandes problemas de balança de pagamentos. O novo sistema apresentava, demais, um elevado grau de flexibilidade, pois criou cinco compartimentos estanques que constituem outros tantos níveis de paridade para o poder aquisitivo externo da moeda.

168. A análise dos preços relativos no período 1929-37 faz-se com base nos índices do custo de vida da cidade do Rio de Janeiro e dos preços de importação e exportação, já referidos.

287

FORMAÇÃO ECONÔMICA DO BRASIL

na balança de pagamentos, resultantes da situação criada pela guerra, iriam pressionar a taxa cambial no sentido de rebaixá-la. Sendo a oferta de divisas internacionais muito superior à procura, era inevitável que a cotação das mesmas baixasse.

Que consequências poderia ter essa elevação do poder de compra externo da moeda brasileira? Em primeiro lugar significaria preços mais baixos, em cruzeiros, para os produtos exportados. Os exportadores, em vez de receberem vinte cruzeiros por dólar de café exportado, recebiam tão somente dez, digamos. Como o preço internacional do café estava fixado em acordos, a valorização da moeda significaria, em última instância, prejuízos crescentes para o setor cafeeiro. A contrapartida dessa valorização seria o barateamento das mercadorias importadas, o que teria consequências diretas no setor manufatureiro. Se bem que a oferta externa de artigos manufaturados estivesse comprimida, o produtor interno se preocupava seriamente com a possibilidade de bruscas importações em um nível de preços muito mais baixo do que o que prevalecia no mercado. Dessa forma se aliavam contra a revalorização externa da moeda os interesses dos exportadores e dos produtores ligados ao mercado interno. Compreende-se, assim, que o governo tenha fixado a taxa cambial, evitando explicitamente qualquer recuperação do poder de compra externa da moeda.

Criou-se, em consequência dessa política, uma situação algo paradoxal. No momento em que o mercado mundial se transformava de forma crescente em um mercado de vendedores, isto é, enquanto aumentava o número de compradores e diminuía a oferta de mercadorias, o Brasil fixava o valor externo de sua moeda em um nível de preços relativos que refletia a situação do decênio anterior, no qual havia sido necessário baixar o valor externo da moeda para recuperar o equilíbrio na balança de pagamentos. Essa situação iria favorecer enormemente as atividades liga-

288

das ao mercado externo. Mas, como nem sempre eram as linhas tradicionais de exportação as que se beneficiavam, pois a estrutura da procura externa se havia modificado, houve fortes deslocamentos de fatores dentro da economia em benefício da produção daqueles artigos que encontravam mercado no exterior. Tal situação, sem lugar à dúvida, concorreu para agravar os efeitos dos sérios desequilíbrios internos surgidos na economia durante esse período. A política seguida durante os anos da guerra foi, na essência, idêntica à que se havia adotado imediatamente depois da crise. Teve, como seria natural, consequências totalmente distintas, pois as situações eram radicalmente diversas. Ao se fixar a taxa cambial, sustentava-se o nível da renda monetária, tal como se havia conseguido com a compra do café invendável, no decênio anterior. Neste o café não encontrava compradores; na nova etapa esses compradores existiam, mas efetuavam a compra a crédito, isto é, pagavam com uma moeda que, em parte, era simples promessa de pagamento futuro. As consequências internas eram as mesmas: criava-se o fluxo de poder de compra dentro da economia sem uma contrapartida na oferta de bens e serviços. A diferença entre as duas situações estava no efeito que tinha sobre o sistema econômico esse fluxo de poder de compra criado sem contrapartida real. No começo dos anos 1930 esse poder de compra novo tomava o lugar automaticamente de outro que minguava, isto é, daquele formado pela procura externa que se debilitava. Dessa forma evitava-se que se reduzisse o grau de utilização da capacidade produtiva ligada ao setor interno. A situação que agora prevalecia era totalmente diversa. Partia-se de uma conjuntura em que a capacidade produtiva ligada ao mercado interno estava sendo intensamente utilizada. O índice de preços de exportação cresceu 75 por cento, entre 1937 e 1942, sendo portanto muito forte o estímulo externo. Ora, como o quantum das

FORMAÇÃO ECONÔMICA DO BRASIL

exportações no mesmo período reduziu-se apenas 25 por cento, ainda que a taxa de câmbio houvesse baixado de vinte para quinze cruzeiros por dólar a renda monetária criada pelo estímulo externo não se teria reduzido. Ao conservar a taxa de câmbio, estava-se, na realidade, incrementando a renda monetária do setor exportador, num momento em que a oferta de produtos importados se havia reduzido em mais de quarenta por cento.[169]

O contraste entre as duas situações ressalta dos dados seguintes. Entre 1929 e 1933, o efeito combinado da estabilização do quantum das exportações e da baixa de preços dos produtos exportados determinou — não obstante a desvalorização da moeda — uma redução da renda monetária criada pelas exportações de aproximadamente 35 por cento. Entre 1937 e 1942, os mesmos fatores determinaram uma elevação da renda monetária criada no setor exportador de aproximadamente 45 por cento. Ora, como a redução do quantum das importações neste segundo período foi de 43 por cento, é fácil compreender o desequilíbrio que se introduziu na economia através do setor externo.[170] Não

169. A evolução do intercâmbio externo nos anos do conflito bélico pode ser observada nos dados abaixo:

ANO	Quantum das exportações	Preços das exportações	Preços das importações	Relação de preços	Capacidade para importar	Quantum das importações
1937	100,0	100	100	100	100	100,0
1942	84,2	175	156	112	94	56,6
1945	110,8	216	182	118	131	90,3

Estudio económico de América Latina, cit.

170. A semelhança da política com a do decênio anterior vai ao ponto de que se continuou a comprar café para estoques. Entre 1941 e 1943 se acumularam cerca de 2 bilhões de cruzeiros (a preços correntes) de estoques de café. É evidente que os efeitos dessa política teriam de ser totalmente distintos daqueles alcançados no decênio anterior. Isso demonstra cabalmente que a política de proteção do setor cafeeiro foi seguida sem consciência de seus resultados últimos.

290

O DESEQUILÍBRIO EXTERNO E SUA PROPAGAÇÃO

sendo possível evitar a contração da oferta de bens importados, todo o aumento da renda monetária e mais uma parte dessa renda que antes se gastava com importações eram represados no mercado interno. Se se tem em conta, demais, a pressão resultante dos gastos de guerra e a baixa de produtividade provocada pelas dificuldades de toda ordem criadas pela mesma guerra, compreendem-se o extremo esforço a que foi submetido o sistema econômico e a estagnação em que esteve submerso nesse período.[171] Vejamos outros aspectos do problema cambial. Pela lógica do sistema cambial então vigente, a queda na procura relativa de divisas deveria acarretar a depreciação destas, evitando-se assim que o desequilíbrio externo se propagasse em toda sua extensão ao sistema econômico. A queda na procura de divisas significava, por outro lado, que o fluxo de renda monetária criado no setor exportador não tinha uma contrapartida real adequada na oferta de bens importados, sendo esse o ponto de partida do desequilíbrio. Uma tal situação não podia, entretanto, perdurar, pois ao reduzir-se a procura de divisas abaixo da oferta destas, haveria uma baixa de preços das mesmas, recebendo os exportadores menores somas em cruzeiros por suas cambiais e reduzindo-se a renda monetária criada no setor de exportação. Essa redução de rendas viria contrapesar a contração na oferta de bens e serviços importados, corrigindo-se assim o desequilíbrio. É verdade que o barateamento das divisas significava que os importadores despenderiam menores somas com as mercadorias importadas, isto é, comprariam as divisas a mais baixos preços. Ocorre, entretanto, que o maior comprador de divisas nessa ocasião eram as autoridades monetárias, que ficavam com toda a massa de divi-

171. Entre 1937 e 1942 houve uma redução da renda per capita de pelo menos dez por cento, isto é, idêntica ao crescimento da população. Os dados relativos ao produto territorial real e à renda, a partir de 1939, têm como fonte *O desenvolvimento econômico do Brasil*, BNDE-CEPAL, cit.

FORMAÇÃO ECONÔMICA DO BRASIL

sas que não encontravam aplicação no intercâmbio corrente. O montante do fluxo de renda criado pela retenção forçada dessas divisas seria proporcionalmente menor, conforme fosse a baixa do preço das mesmas. Em síntese: o valor dessas reservas cambiais era aproximadamente igual ao excesso da renda criada no setor exportador sobre a contrapartida de bens e serviços importados. Reduzindo-se o valor daquelas reservas, se reduziria em igual montante o excesso de renda monetária sobre a oferta de bens importados.

Mas não está aí todo o problema. Mesmo que tivesse sido possível evitar o aumento do fluxo de renda criado pelas exportações, através de uma revalorização cambial, com isso não se evitaria a acumulação de reservas monetárias. Em condições normais, a baixa de preço das divisas aumenta necessariamente a procura destas, pois barateia as mercadorias importadas, incrementando seu poder de concorrência. Dessa forma se restabelece o equilíbrio entre oferta e procura de divisas. No período de guerra, porém, por mais que se barateassem as divisas, o volume das importações não cresceria, pois a produção de bens exportáveis e a disponibilidade de transporte marítimo estavam controladas nos países em guerra e independiam do sistema de preços. Dadas as condições que então prevaleciam, qualquer que fosse a revalorização do cruzeiro, a procura externa de mercadorias brasileiras se teria mantido e a oferta de mercadorias importadas teria ficado, de modo geral, inalterada. A acumulação de reservas era, portanto, inevitável. A única possibilidade que existia de corrigir esse tipo de desequilíbrio estava em um desencorajamento dos produtores-exportadores, mediante o controle dos preços em cruzeiros. Mas, se uma tal política fosse considerada, os importadores premidos pelas necessidades de guerra teriam aumentado os preços em divisas ou ameaçado cortar as exportações para o Brasil, se este insistisse em uma tal política cambial.

O DESEQUILÍBRIO EXTERNO E SUA PROPAGAÇÃO

É bem verdade que se poderia ter evitado que a elevação, que a partir de 1941 se manifesta nos preços de exportação, inflasse a renda dos exportadores aprofundando o desequilíbrio. Mas, mesmo que os preços pagos ao produtor e aos intermediários no setor exportador houvessem sido conservados no nível de 1939, o desequilíbrio se teria formado à medida que se acumulavam reservas. Ora, como a economia estava funcionando à plena utilização de sua capacidade produtiva, mesmo sem ter em conta os efeitos da baixa geral de produtividade, era inevitável que a pressão resultante do desequilíbrio entre o nível da renda monetária e o da oferta de bens e serviços se resolvesse numa alta de preços. Essa alta de preços por seu lado refletia-se nos custos do setor exportador e dificultava a execução de qualquer política tendente a conservar o nível da renda nesse setor. Não resta dúvida, destarte, de que o desequilíbrio se teria formado, com ou sem revalorização monetária. Mesmo que se tivesse optado por uma política de revalorização, o desequilíbrio, que sempre viria, teria tornado muito difícil levá-la adiante. Desencadeada a alta dos preços internos, a pressão sobre o setor exportador teria aumentado de tal forma que se tornaria impraticável obrigar os exportadores a entregar suas divisas por um preço rebaixado ao arbítrio das autoridades monetárias.

A situação que se criou nos anos da guerra era de grande complexidade e exigia, se se pretendesse corrigir o desequilíbrio que se estava formando no sistema econômico — e que se manifestava através da alta rápida e desordenada dos preços —, uma ação muito mais ampla que a simples manipulação cambial. Teria de se partir do princípio de que a economia estava sendo submetida a um sobreesforço, e precisava produzir mais que o de que se necessitava correntemente para consumir e inverter no país. Essa diferença era dada pela acumulação de reservas cambiais, as quais indicavam o montante do que se produzia mas

FORMAÇÃO ECONÔMICA DO BRASIL

não se utilizava no território nacional. Por outro lado, devia-se ter em conta que o governo estava aumentando os seus gastos com despesas militares, reduzindo mais ainda a parte do produto destinada a atender às necessidades dos consumidores e aos desejos dos inversionistas. Finalmente, caberia considerar a baixa geral de produtividade, ocasionada pelos transtornos do comércio de cabotagem, pela substituição de combustíveis de qualidade superior por outros de qualidade inferior, pela paralisação de máquinas por falta de peças, pela substituição de equipamentos mecânicos por mão de obra etc.

Enquanto isso, o fluxo de renda continuava a avolumar-se. O setor externo gerava uma massa de poder de compra que ia aumentando com a elevação dos preços internacionais. O governo distribuía uma massa de salários maior.[172] No setor privado a baixa de produtividade não acarretava redução no pagamento aos fatores de produção empregados. Para restabelecer o equilíbrio entre esse fluxo de renda e a oferta de bens e serviços, que se havia reduzido, teria sido necessário atuar sobre o conjunto da economia para distribuir adequadamente o peso da carga. A ação poderia ter sido orientada, seja no sentido de reduzir diretamente o fluxo de renda — cortando salários e outras remunerações —, seja no sentido de esterilizar parte da renda que se criava. Numa economia de livre-empresa este segundo método é de aplicação mais fácil e de resultados menos imprevisíveis. Cortar remunerações pode acarretar efeitos extremamente desalentadores, seja sobre os empresários, seja sobre os próprios assalariados. Em uma etapa em que se necessitava estimular a produção esse método seria de efeitos contraproducentes. A esterilização de parte da renda significava apenas postergar o seu usufruto, o que é perfeitamente

---

172. Sempre que os financiasse adequadamente, o governo não criaria nenhum desequilíbrio ao aumentar os seus gastos. Mas assim não ocorreu, como o atestam os déficits persistentes desse período.

294

O DESEQUILÍBRIO EXTERNO E SUA PROPAGAÇÃO

aceitável em épocas de emergência, particularmente se essa medida vem acompanhada de uma série de controles diretos sobre a distribuição dos produtos essenciais.

Poderia perguntar-se por que razão no Brasil não se tentou corrigir o desequilíbrio através de uma série de medidas destinadas a congelar parte da renda monetária excedente, política que foi seguida com bastante êxito em numerosos países. A razão disso talvez esteja no fato de que não é fácil introduzir com êxito medidas desse tipo quando o processo inflacionário já está totalmente aberto. E esse processo se teria aberto no Brasil com mais rapidez do que na maioria dos demais países. Vejamos a razão.

Ao iniciar-se a conflagração armada, em 1939, a economia mundial se encontrava em plena depressão. Havia, por esse motivo, uma grande capacidade produtiva não utilizada na maioria dos países, sendo considerável o número de desempregados nos EUA, na Inglaterra, no Canadá, na Austrália e mesmo em países de economias menos desenvolvidas, onde o fenômeno do desemprego é menos aparente. A tensão causada pela guerra trouxe, através do aumento rápido dos gastos governamentais, a utilização progressiva da capacidade produtiva ociosa. Calcula-se, por exemplo, que na Austrália essa ocupação plena da capacidade existente não foi lograda antes de 1942. Somente depois de três anos de guerra é que a economia australiana chegou a sofrer uma verdadeira pressão de procura excedente. Processos idênticos ocorreram na maioria dos países. Esse período intermediário constituiu uma espécie de amortecedor, dando tempo aos governos de montarem o aparelhamento necessário ao controle da situação, antes que se manifestasse abertamente o desequilíbrio. Em razão disso, foi relativamente fácil prever os setores onde se manifestaria mais agudamente o desequilíbrio entre a procura e a oferta. Nesses setores, com tempo, foram introduzidos sistemas de controle direto. Por outro lado, também foi possível introdu-

295

FORMAÇÃO ECONÔMICA DO BRASIL

zir com a devida antecipação mecanismos destinados a orientar a utilização dos recursos, evitando-se assim que surgisse nos pontos mais vulneráveis desequilíbrio demasiadamente agudo.

A economia brasileira, conforme vimos, se havia recuperado por suas próprias forças nos anos 1930 e, ao contrário do que ocorrera nos EUA e numerosos outros países, havia chegado a 1937 com um nível de renda per capita superior ao de 1929. Por outro lado, a crise de 1938 foi de efeitos reduzidos no Brasil, pela simples razão de que o setor externo da economia não se havia propriamente recuperado na etapa anterior. Destarte, a queda da renda real, entre 1937 e 1938, foi de apenas dois por cento, e já em 1939 o nível de 1937 havia sido recuperado. Dessa forma, a economia brasileira não teve a seu favor um período de transição ao ser submetida ao esforço que a guerra impôs a praticamente todos os países do mundo. A tensão suplementar que se exerce sobre a economia, a partir de 1940, é automaticamente acompanhada de uma alta brusca de preços. O nível geral de preços, que entre 1929 e 1939 havia aumentado apenas 31 por cento, entre 1940 e 1944 sobe 86 por cento. Já em 1942, primeiro ano em que a economia é submetida a um esforço mais intenso, o nível de preços sobe dezoito por cento.[173]

Uma vez o desequilíbrio resolvido em alta de preços, qualquer política corretora se torna mais difícil de aplicar. Isto porque a alta dos preços não é senão um sintoma de que a forma de distribuição da renda se está modificando com rapidez. Vejamos mais de perto esse processo. A massa de renda criada no setor exportador se viu, bruscamente, sem contrapartida real, ao reduzirem-se as importações. Em 1942, por exemplo, o valor *fob* das

---

173. Como índice do nível de preços, a partir de 1939, utilizamos o deflator implícito na Renda Territorial, calculado pelo grupo misto BNDE-CEPAL e publicado em *O desenvolvimento econômico do Brasil*, cit., primeira parte, apêndice estatístico, quadro III.

O DESEQUILÍBRIO EXTERNO E SUA PROPAGAÇÃO

exportações excedeu em sessenta por cento o valor *cif* das importações, alcançando o saldo de 2,8 bilhões de cruzeiros. Demais, a economia continuava a produzir café em quantidade superior à que podia colocar no exterior ou consumir. Os estoques de café acumulados em 1942 se aproximaram de 1 bilhão de cruzeiros. Se a estes fatores adicionamos o déficit governamental, que foi de 1,5 bilhão de cruzeiros, temos já uma magnífica base de operação para o sistema bancário expandir os meios de pagamentos, os quais aumentaram, entre 1942 e 1943, em cerca de sessenta por cento.[174] Entre 1940 e 1943 a quantidade total de bens e serviços à disposição da população no território nacional aumentou apenas dois por cento, enquanto o fluxo de renda se incrementou em 43 por cento. Essa disparidade dá uma ideia do desequilíbrio que se formou entre a oferta real e a procura monetária.[175] Esse desequilíbrio teria de acarretar uma elevação de preços, a qual, uma vez iniciada, tenderia a acelerar-se, pois uma das formas de defesa da renda real consiste em reduzir ao mínimo os ativos líquidos. Ora, a alta de preços não é outra coisa senão uma valorização, por efeito de pressão da procura, de todos os bens em processo de produção ou já produzidos e em mãos dos intermediários. Essa elevação de preços tende a propagar-se a todo o sistema econômico, e a forma que toma esse processo é responsável pelo grau de redistribuição da renda que provoca.

É fácil compreender que, ao iniciar-se um processo brusco de elevação de preços, os empresários — pela razão de que de-

174. Essa expansão anormal dos meios de pagamentos reflete, demais, a atitude totalmente passiva das autoridades monetárias. O sistema bancário se encarregou de multiplicar rapidamente o impulso inflacionário.
175. Para os dados básicos, veja-se *O desenvolvimento econômico do Brasil*, cit., primeira parte, quadro e apêndice estatístico, quadro I. A mesma fonte se utiliza para todos os índices básicos, citados no presente capítulo, referentes ao período que se inicia em 1939.

FORMAÇÃO ECONÔMICA DO BRASIL

têm estoques de operação ou de outro tipo nas várias etapas do processo produtivo — realizam ganhos substanciais de capital. Dessa forma, a correção do desequilíbrio traz consigo necessariamente — sempre que os mecanismos atuem espontaneamente — uma redistribuição da renda em benefício de uns grupos e em prejuízo de outros. Como cada um desses grupos se comporta de forma distinta no que respeita à utilização da renda, essas transferências fazem mais difícil prever a forma como a população, em seu conjunto, quererá gastar a totalidade da renda. É por essa razão que, iniciando um processo de elevação rápida dos preços, torna-se extremamente difícil neutralizar a massa excedente de renda e introduzir controles diretos em pontos estratégicos.

A fixação de taxa cambial foi, conforme assinalamos, uma forma de proteger o setor exportador contra a pressão que as reservas cambiais acumuladas exerciam no sentido de valorização da moeda brasileira, e, portanto, de baixa dos preços em cruzeiros das mercadorias exportadas. Entretanto, concorrendo para manter elevado o nível da renda monetária, esse mecanismo de defesa desencadeou outros processos que tiveram efeitos inversos. A rápida ascensão dos preços teve evidentemente que repercutir sobre os custos no setor de exportação. Desde o momento em que se fixou a taxa do câmbio, o setor exportador encontrou-se capacitado para reter a totalidade do aumento dos preços no mercado exterior. Se o nível dos preços internos subisse ainda mais que o dos preços de exportação, é evidente que o setor exportador sofreria uma baixa de rentabilidade. Neste caso, a fixação da taxa de câmbio apenas teria evitado perdas de maiores proporções para os exportadores. Entretanto assim não ocorreu para o conjunto da economia exportadora, pois, entre 1939 e 1944, enquanto o nível dos preços internos se elevou 98 por cento, o dos preços de exportação cresceu 110 por cento, se bem que tenha favorecido de forma muito desigual a distintos

298

O DESEQUILÍBRIO EXTERNO E SUA PROPAGAÇÃO

grupos.[176] Em todos os anos desse período os preços de exportação marcharam muito na frente do nível interno de preços, o que revela que o setor exportador pôde tirar partido da taxa fixa de câmbio para aumentar sua participação relativa na renda territorial. Se bem que no período do pós-guerra, que se estende até 1949, os preços internos se tenham elevado com intensidade idêntica aos de exportação, o desnível criado nos anos anteriores persistiu e ainda se ampliou nos anos subsequentes.[177] Este ponto tem enorme importância na explicação das transformações ocorridas na economia brasileira no decênio dos 1940. Enquanto os preços internos e os de exportação se elevam intensamente em todo o período que tem início em 1939, os preços de importação crescem com muito menor rapidez. Entre 1939 e 1944, por exemplo, os preços de importação aumentaram 64 por cento, conquanto o nível dos preços internos se elevou em 98 por cento. No período seguinte a disparidade continua a acentuar-se: entre 1944 e 1949 os preços de importação se elevam em 36 por cento, conquanto o nível interno de preços cresça em setenta por cento.

A consequência prática dessa disparidade crescente foi a subversão do nível relativo de preços que havia servido de base para o desenvolvimento industrial desde o começo dos anos 1930. Se se compara a evolução do nível interno de preços no Brasil com a do nível dos preços de importação, entre 1929 e 1939, comprova-se um crescimento relativo de sessenta por cento nas mercadorias importadas. Foi sobre essa paridade de preços que

176. O preço pago ao produtor de café, por exemplo, cresceu apenas 31 por cento entre 1939 e 1943, enquanto o nível geral de preços no país se elevava em 65 por cento. Mas, já em 1944, o produtor de café recuperava e ultrapassava o nível geral de preços.
177. Entre 1939 e 1948 o nível interno de preços aproximadamente triplicou, e o dos preços de exportação quadruplicou. Entre este último ano e 1953, os preços internos aumentaram 64 por cento, e os de exportação, 84 por cento.

299

FORMAÇÃO ECONÔMICA DO BRASIL

se desenvolveu a economia brasileira desde a depressão até o presente. Uma tal paridade não significa necessariamente que o nível de preços dentro do país seja alto ou baixo, ou melhor, que a moeda esteja sub ou sobrevalorizada no exterior. Tanto é possível afirmar que em 1939 a moeda brasileira era subvalorizada no exterior como que o contrário ocorria em 1929. Entre 1939 e 1949 opera-se um processo inverso, elevando-se o nível de preços dentro do país, comparativamente ao nível dos preços de importação. Houve, portanto, uma revalorização da moeda brasileira, apenas ocultada pelo sistema de controle de câmbio. Tendia a restabelecer-se a paridade entre o poder de compra interno e o externo que havia prevalecido em 1929. É fácil perceber que uma modificação dessa ordem traria consequências profundas para o sistema econômico. A paridade de 1929 se refletia em um coeficiente de importações relativamente elevado. Ora, nos anos 1930 o desenvolvimento da economia teve por base o impulso interno e se processou no sentido da substituição de importações por artigos de produção interna. Com efeito, à medida que crescia a economia reduzia-se o coeficiente de importações.[178]

O coeficiente de importações reflete a composição do dispêndio total da população, entre produtos importados e de produção interna. Para que a população, que antes gastava perto de vinte por cento de sua renda com artigos importados, passe a gastar apenas dez por cento, é indispensável que haja uma mudança fundamental nos preços relativos dos artigos importados e de produção interna. Uma mudança no nível dos preços relativos teria de ser causada ou por um crescimento muito maior

---

178. A comparação é mais evidente quando feita entre uma série de rendas e outra de importações a preços constantes, para evitar que a elevação mais rápida dos preços de importação faça subir artificialmente o coeficiente. Os dados relativos a esse coeficiente no período 1939-54 encontram-se em *O desenvolvimento econômico do Brasil*, cit., primeira parte, apêndice estatístico, quadro XVI.

300

da produtividade dentro do país que nos setores congêneres dos países de onde procedem as importações, ou por uma modificação na taxa cambial, isto é, por uma baixa no poder aquisitivo externo da moeda. É fácil compreender que, dada a pobreza de capital e técnica de que padece uma economia subdesenvolvida, seria pouco avisado atribuir principalmente à melhora de produtividade relativa a redução do coeficiente de importações. Essa redução na realidade só se operou porque uma série de circunstâncias favoreceu a manutenção da renda monetária e ampliou o mercado do setor interno, encarecendo as mercadorias importadas. Modificar essa nova paridade de preços seria comprometer toda a estrutura econômica que se havia fundado sobre ela. Não significa isso que o coeficiente de importações não pudesse ser modificado. Se se recuperava a capacidade para importar e esta crescia mais rapidamente que a renda, haveria que contar com uma elevação do coeficiente. Mas essa elevação não teria de ser feita alterando simplesmente a paridade de preços a que nos referimos. Se se reduzissem relativamente os preços de importação, o coeficiente subiria rapidamente, mas subiria criando novos desequilíbrios na economia.

34. Reajustamento do coeficiente de importações

Ao liberarem-se as importações no pós-guerra e ao regularizar-se a oferta externa, o coeficiente de importações subiu bruscamente, alcançando, em 1947, quinze por cento. Aos observadores do momento, esse crescimento relativo das importações pareceu refletir apenas a compressão da procura nos anos anteriores. Tratava-se, entretanto, de um fenômeno muito mais profundo. Ao restabelecer-se o nível de preços relativos de 1929, a população novamente pretendeu voltar ao nível relativo de gastos em produtos importados, que havia prevalecido naquela época. Ora, uma tal situação era incompatível com a capacidade para importar. Essa capacidade em 1947 era praticamente idêntica à de 1929, enquanto a renda nacional havia aumentado cerca de cinquenta por cento. Era, portanto, natural que os desejos de importação manifestados pela população (consumidores e inversionistas) tendessem a superar em escala considerável as reais possibilidades de pagamento no exterior. Para corrigir esse desequilíbrio, as soluções que se apresentavam eram estas: desvalorizar substancialmente a moeda ou introduzir uma série de con-

302

REAJUSTAMENTO DO COEFICIENTE DE IMPORTAÇÕES

troles seletivos das importações. A decisão de adotar a segunda dessas soluções teve profunda significação para o futuro imediato, se bem que tenha sido tomada com aparente desconhecimento de seu verdadeiro alcance. Trata-se de uma resolução de importância básica na intensificação do processo de industrialização do país, conforme veremos em seguida. Não obstante, o setor industrial, mais preocupado com o problema da concorrência imediata dos produtores estrangeiros, supôs que se havia tomado uma decisão contrária aos interesses da indústria. Por outro lado, o setor exportador, julgando que se tratava de uma medida destinada a parar a alta de preços, acreditou que não lhe seria totalmente desfavorável. O motivo que guiou as autoridades brasileiras parece haver sido, na realidade, o temor de uma agravação da alta de preços. Ao elevarem-se os preços de importação, com a desvalorização da moeda, aumentaria a intranquilidade social que se vinha manifestando em forma crescente.

Vejamos quais foram as consequências dessa política de manutenção de uma taxa cambial que, esgotadas as reservas cambiais, resultaria ser incompatível com a real capacidade para importar. Conservava-se o desequilíbrio. Era, portanto, indispensável submetê-lo a um controle. O volume das importações teria de ser reduzido, sendo indispensável introduzir uma política seletiva de compras no exterior. Vale a pena chamar a atenção para o fato de que o objetivo imediato do governo — reduzir ou estabilizar o nível dos preços — ia ser totalmente perdido de vista. Teria sido necessário que se desse total liberdade às importações de bens de consumo acabados e que por essa forma se aumentasse a oferta desses bens dentro do país, para que a manutenção da taxa de câmbio favorecesse a baixa dos preços. Ora, quando chegou o momento de fazer o rateio das divisas, tornou-se evidente que aquela política não podia ser seguida. Cortar as importações de matérias-primas, produtos semielaborados, combustíveis, equipamentos

303

etc., para favorecer a entrada de produtos acabados de consumo, era impraticável. Basta ter em conta a ameaça de desemprego que uma tal política engendrava e a magnitude dos interesses que iam ser contrariados. Dessa forma, a consequência prática da política cambial destinada a combater a alta de preços foi uma redução relativa das importações de manufaturas acabadas de consumo, em benefício da de bens de capital e de matérias-primas. O setor industrial era assim favorecido duplamente: por um lado, porque a possibilidade de concorrência externa se reduzia ao mínimo através do controle das importações; por outro, porque as matérias-primas e os equipamentos podiam ser adquiridos a preços relativamente baixos.

Criou-se, em consequência, uma conjuntura extremamente favorável às inversões nas indústrias ligadas ao mercado interno. Essa conjuntura foi responsável pelo aumento da taxa de capitalização e pela intensificação do processo de crescimento que se observa no pós-guerra.[179] Enquanto continuava a elevar-se dentro do país o nível geral de preços, os bens de capital podiam ser adquiridos no exterior a preços praticamente constantes. Entre 1945 e 1950, por exemplo, o nível dos preços de importação elevou-se em apenas sete por cento, enquanto o nível de preços dos produtos manufaturados no país, preços de produtor, se elevava em 54 por cento. Compreende-se, assim, que as importações de equipamentos industriais tenham crescido 338 por cento, entre 1945 e 1951, conquanto o total das importações aumentasse apenas em 83 por cento. O setor industrial não reteve a totalidade do benefício que a situação cambial lhe proporcionou. Ao

---

179. A taxa média de crescimento anual do produto real per capita (excluído o efeito da variação na relação de preços do intercâmbio) foi de 1,9 por cento entre 1940 e 1946; três por cento entre 1946 e 1949; e 3,5 por cento entre 1949 e 1954. A taxa de poupança foi de 13,9 por cento da renda em 1946-48; dezesseis por cento em 1949-51; e quinze por cento em 1952-54.

REAJUSTAMENTO DO COEFICIENTE DE IMPORTAÇÕES

aumentar a produtividade, as indústrias transferiram parte do fruto dessa melhora para o conjunto da população, através de uma baixa relativa de preços. Assim, entre 1945 e 1953, a elevação dos preços dos produtos industriais de produção interna foi de cerca de sessenta por cento, enquanto o nível geral de preços da economia aumentava mais de 130 por cento. Mesmo assim, o desnível entre os preços internos dos produtos industriais e os das importações continuava a ser substancial, comparativamente à paridade de 1939.

Caberia indagar que consequências teria tido para a economia brasileira a adoção de uma política de desvalorização, em 1947, quando se tornou evidente a profundidade do desequilíbrio. Alguns países latino-americanos seguiram essa política, e a experiência dos mesmos ajuda a perceber o que teria ocorrido no Brasil. A desvalorização significaria, antes de tudo, uma redução no valor real das reservas que as empresas industriais haviam acumulado nos anos anteriores em que fora impraticável importar equipamentos. As possibilidades reais da ampliação da capacidade produtiva no setor industrial estariam assim reduzidas. Em segundo lugar aumentaria a renda dos exportadores e produtores ligados à exportação. Haveria, portanto, mais incentivo para inverter no setor exportador que no ligado ao mercado interno. Uma tal situação teria induzido os produtores de café a intensificar o rendimento de suas plantações e a expandir as mesmas. Melhorariam assim as perspectivas da oferta de café, com repercussão inevitável sobre os preços presentes e futuros desse artigo. Consequentemente, o reajustamento dos preços do café que se opera a partir de 1949 não teria ocorrido, ou teria em escala muito menor. Por outro lado, a elevação geral dos preços dos artigos importados corrigiria o desequilíbrio entre a procura e a oferta desses artigos, repondo o coeficiente de importações em seu devido nível. Dessa situação não resultaria necessariamente nem au-

305

FORMAÇÃO ECONÔMICA DO BRASIL

mento nem redução da capacidade para importar. Mas é inegável que teria repercussão sobre a composição das importações. Divisas que na realidade foram utilizadas para importar bens de capital e particularmente equipamentos industriais teriam sido absorvidas pelas importações de manufaturas de consumo, pois não bastaria a elevação de preços para eliminar, entre os grupos de altas rendas, a procura de manufaturas de consumo importadas. Esses artigos representaram em 1938-39 cerca de onze por cento do valor das importações e em 1947 mais de treze por cento. Com a introdução dos controles seletivos, tal porcentagem foi reduzida, em 1950, para sete por cento.

Dissemos anteriormente que a política cambial seguida no pós-guerra teve como efeito não buscado favorecer amplamente as inversões no setor produtivo ligado ao mercado interno, em particular o setor industrial. Detenhamo-nos um pouco mais na análise desse problema. Seria errôneo supor que se tratou pura e simplesmente de um processo de redistribuição da renda em favor de um setor. Um processo redistributivo de rendas, em favor dos empresários, somente dentro de certas condições e limites pode favorecer o desenvolvimento econômico. Numa economia de livre-empresa o processo de capitalização tem que correr paralelo com o crescimento do mercado. É sabido que o ajustamento entre esses dois processos de crescimento se faz aos solavancos, através das altas e baixas cíclicas. Mas seria ilusório supor que uma inflação prolongada, redistribuindo a renda em favor dos empresários, pode acelerar a capitalização. Desde o momento em que o mercado deixa de crescer, os empresários, antevendo a redução dos lucros, reduzem suas inversões.

A redistribuição da renda que caracterizou a experiência brasileira no pós-guerra é um fenômeno mais complexo. Não se tratou, como a mais de um pode parecer, de uma simples transferência de renda do setor exportador para o setor produtor li-

REAJUSTAMENTO DO COEFICIENTE DE IMPORTAÇÕES

gado ao mercado interno. Já observamos que o índice de preços de exportação e o de preços pagos ao produtor agrícola do setor exportador cresceram mais que o índice geral de preços da economia, durante todo o período que se inicia em 1939. Tampouco foi o caso de uma transferência de renda do setor agrícola para o industrial, pois a relação interna dos preços agrícolas com o índice geral de preços evoluiu favoravelmente para a agricultura durante todo o período. Entre 1939 e 1945 a posição relativa dos preços agrícolas melhorou em cerca de trinta por cento, e esse ganho se manteve até 1949, quando a alta brusca dos preços do café possibilita uma melhora adicional de vinte por cento, que tem lugar entre aquele ano e 1953.[180] Caberia levantar a hipótese de que a redistribuição se realizou em detrimento dos consumidores em geral. Essa hipótese se choca com a observação que já fizemos de que o crescimento das inversões — vale dizer, da capacidade produtiva — exige o incremento do poder de compra dos consumidores. Pode-se, ademais, tentar uma comprovação direta desse fenômeno. Se se elabora um índice do volume físico da produção total do país,[181] observa-se que essa produção (que em última instância vem a ser a quantidade total de trabalho realizado no território nacional) aumentou em pouco mais de cem por cento entre 1939 e 1954. Por outro lado, se medimos o volume real dos gastos em consumo do total da população, obtemos um incremento de mais de 130 por cento para o mesmo período. Parece, portanto, evidente que a população logrou, nesse período, incrementar o seu consumo mais do que cresceu a sua produção, não havendo, assim, possibilidade de que os empre-

180. Veja-se *O desenvolvimento econômico do Brasil*, cit., apêndice estatístico, quadro XIII.
181. Índice ponderado da produção de bens e serviços, excluído o efeito das modificações na relação de preços do intercâmbio.

sários se tenham apropriado, para inverter, de uma parte da renda que normalmente reverteria em benefício dos consumidores como fruto direto do seu trabalho.

O benefício que usufruíram os empresários industriais através das importações a baixos preços dos equipamentos e das matérias-primas representa o fruto, não de uma redistribuição de renda no sentido estático, e sim de uma apropriação por aqueles empresários de parte substancial do aumento da renda real da coletividade, que resultou da melhora na relação de preços do intercâmbio externo. A baixa relativa nos preços dos produtos importados, em vez de beneficiar igualmente a todos os setores, ia concentrar-se no setor industrial, pela simples razão de que este setor era o maior absorvedor de divisas. Consideremos o fenômeno de outro ponto de vista. A baixa relativa dos preços de importação significava, em última instância, que a produtividade econômica do conjunto dos fatores aplicados na economia brasileira estava aumentando, pois com uma mesma quantidade de trabalho realizado no território nacional se podia adquirir maior quantidade de bens importados. Para que se tenha uma ideia da importância desse fenômeno, basta ter em conta que, medida a preços de 1952, a renda real da economia brasileira foi, em 1954, em 237 bilhões de cruzeiros superior à de 1939, enquanto o montante da produção efetivamente realizada aumentou apenas em 209 bilhões. Houve, portanto, um aumento de renda real de 28 bilhões de cruzeiros à disposição da coletividade, devido àquele incremento de produtividade econômica a que nos referimos. Explica-se, assim, que o consumo em 1954 tenha excedido o de 1939 em 201 bilhões de cruzeiros. Dessa forma, praticamente a totalidade do aumento da produção real foi absorvida pelo consumo, sem que isso tenha impedido que a taxa de inversões brutas (proporção das inversões no dispêndio) se haja elevado, entre os dois anos referidos, de 12,9 para 14,3 por cento.

REAJUSTAMENTO DO COEFICIENTE DE IMPORTAÇÕES

A política cambial, baixando relativamente os preços dos equipamentos e assegurando proteção contra concorrentes externos, criou a possibilidade de que esse enorme aumento de produtividade econômica fosse em grande parte capitalizado no setor industrial. Dessa forma, a taxa de capitalização pôde elevar-se sem que com isso se impedisse um crescimento substancial do consumo. É provável que, não fosse o forte estímulo às inversões industriais resultante das circunstâncias que envolveram a política cambial, uma parte bem maior do fruto do aumento de produtividade econômica tivesse sido absorvida pelo consumo. Se o reajustamento do coeficiente de importações tivesse sido feito, não através de controles seletivos diretos, e sim por meio de uma desvalorização monetária, é óbvio que as importações de manufaturas de consumo ter-se-iam reduzido em menor escala. Não se pode, evidentemente, afirmar que o consumo necessariamente se reduz quando se contraem as importações de bens de consumo, pois, não podendo consumir bens importados, a população pode aumentar o consumo de bens e serviços de produção interna. Entretanto, é muito provável que as oportunidades de inversão se reduzissem com as maiores importações de manufaturas de consumo e com a elevação dos preços dos equipamentos importados. A política cambial acompanhada de controle seletivo de importações resultou, destarte, não somente em concentração, na mão do empresário industrial, de parte substancial do aumento de renda de que se beneficiava a economia, mas também em ampliação das oportunidades de inversões que se apresentavam a esse empresário.

35. Os dois lados do processo inflacionário

As observações feitas anteriormente põem em evidência que a aceleração do ritmo de crescimento da economia brasileira no pós-guerra está fundamentalmente ligada à política cambial e ao tipo de controle seletivo que se impôs às importações. Mantendo-se baixos os custos dos equipamentos importados enquanto se elevaram os preços internos das manufaturas produzidas no país, é evidente que aumentava a eficácia marginal das inversões nas indústrias.[182] Não se pode ignorar, entretanto, que um dos fatores que atuavam nesse processo era a alta dos preços das manufaturas de produção interna. É este um ponto de grande interesse, que vale a pena analisar. Chamamos a atenção para o fato de que os capitais adicionais à disposição dos industriais para intensificar suas inversões não foram o fruto de uma simples redistribuição de renda e, portanto, não resultaram do processo inflacionário, isto é, da elevação dos preços. Esses capitais foram

---

182. Vale dizer: melhoravam as perspectivas de rentabilidade dos novos capitais invertidos em indústrias.

criados por assim dizer fora da economia, pelo aumento geral de produtividade econômica que advinha da baixa relativa dos preços de importação. Atribuir à inflação um aumento de capitalização da magnitude do que teve lugar no Brasil entre 1948 e 1952 é uma simplificação grosseira do problema que em nada contribui para esclarecê-lo. A experiência de outros países latino-americanos, onde se tem lançado mão amplamente da inflação, demonstra que esse processo não é capaz, por si só, de aumentar a capitalização de forma persistente e efetiva. Contudo seria errôneo querer ignorar o papel que, no pós-guerra, desempenhou no Brasil a elevação dos preços. Existem aqui dois problemas distintos: a razão pela qual os preços se elevam persistentemente e os efeitos dessa elevação no processo econômico. Consideremos em primeiro lugar este segundo problema.

O aumento na capitalização teve como causa básica o incremento na eficácia marginal do capital, isto é, na melhora das perspectivas que se apresentavam ao empresário industrial com respeito à rentabilidade dos novos capitais que inverteria. Que é que estava por trás dessa perspectiva de maior rentabilidade dos novos capitais invertidos? A taxa de aumento do custo dos equipamentos e a taxa de aumento dos preços das manufaturas que se produziam com esses equipamentos. Fixa a taxa de câmbio, o aumento no custo do equipamento refletia apenas o incremento dos preços de importação. Se o nível dos preços internos acompanhasse o dos preços externos, o custo do equipamento acompanharia os preços de venda do empresário. Por outro lado, sempre que o nível interno de preços se elevasse relativamente (o que ocorreu graças à estabilização da taxa de câmbio), o custo dos equipamentos se reduziria em termos reais, para o empresário. Se os preços tivessem sido estabilizados a partir de 1947, o custo dos equipamentos importados sempre teria sido relativamente baixo no Brasil, pois o equilíbrio entre procura e oferta de divisas estaria sendo obtido à custa de controles diretos. Ora, ao elevarem-se os preços internos, aquele custo relativo dos equipamentos tendeu a baixar ainda mais. É fácil compreender o forte estímulo às inversões que resultava desse movimento para baixo do custo real dos equipamentos. À proporção que se intensificava esse processo, o controle das importações teria que ser mais estrito, pois maior era o desnível entre preços internos e externos. Por outro lado, os empresários iam aumentando a sua cota no rateio das divisas e dessa forma se apropriando de uma parcela maior do fruto do aumento de produtividade econômica através das importações.

A elevação contínua do nível dos preços internos foi, destarte, o instrumento que favoreceu a apropriação pelos empresários — particularmente os industriais — de uma parte crescente do aumento de produtividade econômica de que se estava beneficiando a economia com a melhora na relação de preços do intercâmbio externo. Assim, para que a inflação pudesse desempenhar um papel positivo, no sentido de intensificar as inversões e o crescimento da economia, foi necessário que houvesse algo a redistribuir, cuja origem independia dela. Mas é indubitável que ela pôs em marcha um mecanismo que canalizou para as mãos do empresário uma parte crescente da massa de renda real que a melhora na relação de preços do intercâmbio externo havia formado na economia. Esse processo de transferência teria de chegar a um fim, pois, uma vez alcançada certa composição de importações, a participação dos bens de capital e das matérias-primas já não poderia crescer, pelo menos a curto prazo. Alcançado esse ponto, a elevação relativa dos preços internos já não teria nenhum efeito positivo sobre o processo de capitalização através do estímulo às importações de equipamentos. Não fosse o forte aumento da capacidade para importar, motivado em fins de 1949 pela alta dos preços do café, aquele ponto de saturação

OS DOIS LADOS DO PROCESSO INFLACIONÁRIO

teria sido alcançado no Brasil em níveis mais baixos de capitalização que o atingido em 1951-52. O declínio no ritmo de crescimento que se observa a partir de 1953 reflete em parte o debilitamento desses estímulos. Vejamos agora alguns dos aspectos básicos do problema da elevação do nível de preços. Assinalamos, em capítulo anterior, a tendência histórica da economia brasileira para elevar o seu nível de preços, tendência essa que refletia o processo pelo qual o setor exportador transferia para o conjunto da coletividade as suas perdas nas baixas cíclicas ou nas etapas de superprodução. Indicamos, ademais, como esse mecanismo tendente a fazer subir permanentemente o nível dos preços dificultava o funcionamento do sistema do padrão-ouro. Consideremos agora mais de perto alguns dos aspectos de maior interesse desse problema da instabilidade do nível de preços.

Após a etapa de grandes desequilíbrios que sucedeu imediatamente à guerra, teve início um período de amortecimento dos efeitos desses desequilíbrios e de retorno a um quadro de relativa estabilidade, dentro de um sistema seletivo das importações e de controle das transferências cambiais. Assim, entre 1947 e 1949 os índices de custo de vida se elevaram a uma taxa anual de menos de cinco por cento, o que representava um relativo grau de estabilidade, pois no período 1943-47 a taxa de elevação anual se aproximou de vinte por cento. Ora, a partir de 1949 irrompe nova alta de preços, subindo os índices de custo de vida em cerca de cinquenta por cento entre esse ano e 1952.[183] Observando mais atentamente o processo econômico, vemos que entre 1949 e 1952 o volume da produção real subiu 28 por cento no setor indus-

183. Para medir a pressão inflacionária, utilizamos de preferência os índices de custo de vida. Vejam-se *Anuário estatístico do Brasil*, para o índice de custo de vida da classe operária em São Paulo, e *Conjuntura Econômica*, para o índice de custo de vida na cidade do Rio de Janeiro.

313

trial e apenas dez por cento no setor agropecuário. O aumento da renda monetária foi: 75 por cento na indústria e 69 por cento na agropecuária. Esses dados pareciam indicar que o principal fator de desequilíbrio se teria localizado no setor agropecuário. Entretanto, a realidade não está toda aí. Se é verdade que a produção física do setor agrícola teria aumentado apenas dez por cento, o valor real dessa produção cresceu com a elevação relativa dos preços de exportação. Assim, tendo em conta que aproximadamente a terça parte da produção agropecuária se exporta e que a relação de preços de intercâmbio melhorou trinta por cento e quarenta por cento, se deduz que a produção real do setor agropecuário teria aumentado aproximadamente vinte por cento.

Comparando esses dados se comprova que, na agricultura, para cada unidade de produção real foram criadas 3,4 de renda monetária, e na indústria 2,7. Mas não é somente isso. Enquanto no setor industrial o aumento da renda monetária é seguido de perto pelo incremento da oferta real de bens produzidos pela própria indústria, no setor agrícola esse incremento da oferta depende do aumento das importações. Ora, como as importações estavam sendo controladas com o objetivo de dificultar a entrada de bens de consumo, é evidente que o aumento da renda monetária teria que pressionar sobre a oferta desses bens. Em uma situação de controle seletivo das importações, um aumento de grandes proporções na renda monetária, determinado por uma elevação dos preços de exportação, tende quase necessariamente a resolver-se em alta no nível de preços, pois a oferta de bens de consumo não pode crescer com a mesma rapidez que a renda disponível para consumo. Em primeiro lugar, o aumento da oferta depende de importações, as quais exigem tempo para concretizar-se. Em segundo, a necessidade de selecionar os pedidos dos importadores e a preferência pelas importações de bens de produção tornarão ainda mais longo o período requerido para aumento da oferta de bens de consumo.

OS DOIS LADOS DO PROCESSO INFLACIONÁRIO

As observações feitas no parágrafo anterior põem a descoberto certas articulações básicas do mecanismo da inflação no Brasil. A inflação é o processo pelo qual a economia tenta absorver um excedente de procura monetária. Essa absorção faz-se através da elevação do nível de preços, e tem como principal consequência a redistribuição da renda real. O estudo do processo inflacionário focaliza sempre esses dois problemas: a elevação do nível de preços e a redistribuição da renda. Seria, entretanto, errôneo supor que se trata aí de dois problemas autônomos. A palavra inflação induz a esse erro, pondo em primeiro plano o aspecto monetário do processo, isto é, a expansão da renda monetária. Contudo essa expansão é apenas o meio pelo qual o sistema procura redistribuir a renda real com o fim de alcançar uma nova posição de equilíbrio.[184] Pode-se conceber uma situação na qual todos os grupos sociais desenvolvam mecanismos de defesa, destinados a dificultar ou mesmo a impossibilitar a redistribuição da renda real, exigida pela introdução de um desequilíbrio no sistema. Uma tal situação, se levada ao extremo, poderá dar lugar a uma espécie de inflação neutra, isto é, uma inflação sem efeitos

184. Observando o processo de outro ângulo, pode-se dizer que a elevação do nível de preços é a forma como o sistema reage contra uma redistribuição que já existe virtualmente quando tem lugar o desequilíbrio. Suponha-se, por exemplo, que, através da criação de meios de pagamentos, se aumente a renda monetária de um setor. Opera-se, automaticamente, uma redistribuição da renda em benefício desse setor. Se o grupo beneficiado aumentasse sua liquidez, essa redistribuição poderia continuar como um fenômeno puramente virtual. Entretanto, se a procura inflada pressiona no mercado e encontra uma oferta inelástica, forma-se um desequilíbrio que poderá resolver-se em alta de preços. Se o sistema bancário proporciona aos demais setores recursos para defender-se dessa alta — isto é, para operar em um nível de custos mais elevado —, a redistribuição poderá abortar. Contudo, mesmo que se forme uma espiral inflacionária, o grupo que partiu na frente terá uma vantagem que será tanto maior quanto o for o circuito da inflação.

315

reais. Os preços se elevariam permanentemente sem nenhuma repercussão na forma como se distribui a renda real.

Poder-se-ia argumentar que, se em determinado caso a inflação não tem efeitos reais, não haveria nenhuma dificuldade em suprimi-la, pois nenhum grupo se sentiria prejudicado com a estabilização. Essa observação se funda num dos equívocos que impedem a muitos observadores perceberem a natureza real do processo inflacionário. O equívoco consiste em não conceber a inflação em termos dinâmicos. Na inflação que chamamos de neutra, os efeitos reais existem, se bem que não sejam perceptíveis para um observador que analisa o processo econômico comparando períodos de tempo de certa magnitude. Assim, o período de um ano é suficientemente grande para que todos os grupos sociais que lideram a distribuição da renda realizem o circuito completo na corrida da redistribuição. Ao final do ano, as posições relativas poderão ser praticamente iguais às do final do ano anterior. É apenas nesse sentido que se pode dizer que a inflação não tem efeitos reais sobre a distribuição da renda. Se observamos mais de perto o processo, vemos que esses efeitos existem, mas que se anulam mutuamente dentro do período de um ano. Uma inflação absolutamente neutra seria aquela em que todos os preços crescessem simultaneamente e com o mesmo ritmo. Quando dizemos simultaneamente, queremos significar que o período de observação teria de ser tão curto que dentro dele não se poderiam operar efeitos reais. Ora, uma elevação de preços dessa natureza é um fenômeno totalmente sem sentido para o analista econômico.

A dificuldade que existe em deter a alta de preços, numa inflação neutra de circuito anual, está em que a estabilização teria como resultado aquilo contra o que o sistema econômico se está defendendo, isto é, a redistribuição da renda real. Em qualquer dia ou mês do ano existe um grupo que está na frente, na luta

OS DOIS LADOS DO PROCESSO INFLACIONÁRIO

pela redistribuição da renda. Esse grupo seria o beneficiário da estabilização do nível de preços. Mesmo que fosse possível estabelecer o padrão médio de distribuição da renda no período de um ano, e que se pretendesse estabilizar os preços tomando como base esse padrão — vale dizer, introduzindo uma série de reajustamentos de preços e salários —, dificilmente se lograria contentar a todos os grupos. O padrão médio de distribuição da renda no período de um ano terá que ser totalmente diverso se se começa a contar esse ano no mês de janeiro ou no de junho, e ninguém poderá assegurar em que mês terá começado a elevação dos preços. Quando se cria uma situação desse tipo, isto é, em que todos os grupos sociais estão aparelhados para defender-se e têm uma consciência clara da posição que ocupam em cada momento, a estabilização se torna um problema difícil. A elevação do nível de preços vai deslocando o sistema de uma posição de equilíbrio instável para outra, sem que se forme nenhum processo tendente a reverter o sistema à estabilidade.

As observações que vimos de fazer põem a claro que a inflação é fundamentalmente uma luta entre grupos pela redistribuição da renda real e que a elevação do nível de preços é apenas uma manifestação exterior desse fenômeno. Reconsideremos agora o problema do recrudescimento da inflação no Brasil, a partir de 1949. O desequilíbrio inicial resultou, inegavelmente, da brusca elevação dos preços dos produtos de exportação, mais precisamente os do café.[185] Essa elevação não pode, tecnicamente, ser qualificada de fenômeno inflacionário, uma vez que houve elevação concomitante da renda real. Os maiores preços do café foram pagos em dólares, e estes podiam ser transformados em

185. Os preços dos demais produtos também cresceram fortemente com o início das hostilidades na Coreia. A alta dos preços do café, entretanto, teve lugar vários meses antes.

oferta real de bens e serviços, absorvendo-se, assim, a procura excedente. Se as coisas ocorressem com essa simplicidade, teríamos uma redistribuição efetiva em benefício daqueles que derivam suas rendas da agricultura de exportação. A redistribuição deve ser compreendida, aqui, no sentido dinâmico: não se trata de transferência de renda de um grupo para outro, e sim do aumento da participação de certos grupos em uma renda maior. A redistribuição referida não se opera, entretanto, automaticamente, pois o desequilíbrio inicial dá lugar a uma série de reações de caráter inflacionário que, no quadro da economia brasileira, abrem oportunidade a outros grupos para absorverem uma parte do aumento da renda real. Com efeito, a elevação dos preços de exportação tem repercussão imediata na renda monetária dos grupos beneficiados, pois o produto exportado cria uma maior massa de renda. Esse aumento da renda monetária, de determinados grupos, tem como contrapartida o aumento do poder de compra no exterior do conjunto da coletividade. Existindo, como existia em 1949, um sistema de controle de importações, o incremento de poder de compra no exterior não poderá ser utilizado para expandir a curto prazo a oferta de bens de consumo. Cria-se, destarte, uma procura monetária excedente. A melhora na relação de intercâmbio, se bem que dê origem a um aumento de renda real, por uma questão de ajustamento no tempo, introduz no sistema um desequilíbrio de natureza monetária. E não é somente isso. O incremento da renda disponível para consumo pressiona sobre a oferta, relativamente inelástica, de manufaturas, e cria um clima de antecipações extremamente favorável no setor industrial. Este recorre ao sistema bancário em busca de recursos para expandir suas atividades. O sistema bancário, cuja liquidez se havia elevado com a expansão da renda no setor exportador, cria os meios de pagamentos necessários para que a indústria

OS DOIS LADOS DO PROCESSO INFLACIONÁRIO

e o comércio expandam suas atividades. A expansão da renda monetária no setor ligado ao mercado interno pressiona igualmente sobre o nível geral de preços. Como os preços de exportação independem do nível da procura monetária dentro do país, o processo inflacionário tende a anular o ganho na distribuição da renda proporcionado ao setor exportador pela melhora nos termos de intercâmbio.

A rapidez com que se propaga a inflação no Brasil reflete em grande parte a forma como opera o seu sistema bancário. Poder-se-ia esperar que os efeitos inflacionários do descompasso entre o aumento da renda monetária do setor exportador e o incremento das importações fossem amortecidos pelas autoridades monetárias, as quais poderiam evitar que o sistema bancário, cuja liquidez estava aumentando, expandisse o crédito. Sem embargo, os bancos atuam quase sempre de forma totalmente passiva. Ao represar-se, no setor interno, o aumento de renda monetária, pressionando sobre os preços de artigos manufaturados, gêneros alimentícios e serviços, o sistema bancário subministra os meios de pagamentos necessários para que se propague a elevação dos preços. Seria evidentemente errôneo supor que o sistema bancário é o fator primário da inflação. Esta, conforme vimos, não é em sua origem um fenômeno monetário. Resulta da ação de certos grupos que pretendem aumentar sua participação na renda real. A melhora na relação de preços de intercâmbio abre, algumas vezes, essa possibilidade ao setor exportador. Para que essa melhora tivesse lugar em sua plenitude, seria necessário que a renda acrescida do setor exportador não se deparasse com uma oferta tornada inelástica por uma política autônoma de importações. Encontrada essa resistência de parte da oferta, começam a surgir as manifestações monetárias do desequilíbrio. Pode-se afirmar que, até aquele momento, a elevação da renda monetária do setor exportador era o simples reflexo de um incremento da renda real, pois esse aumento tinha a contrapartida da entrada de divisas.[186] Uma vez manifestada a insuficiência da oferta, surgiu o excedente da renda monetária como fenômeno autônomo. Consequentemente, não estando controlados, os preços tenderiam necessariamente a elevar-se. Como a elevação do nível dos preços exige expansão dos meios de pagamentos, a essa altura do processo as autoridades monetárias poderiam desempenhar um papel autônomo. Esse papel, contudo, não seria de fácil execução, pois significaria, em última instância, a proteção de um grupo contra a ação de outros. Negando crédito para impedir a elevação do nível de preços, as autoridades monetárias estariam assegurando a redistribuição da renda em benefício do setor agrícola exportador. Como os setores industrial e comercial têm uma participação muito mais ativa no controle do sistema bancário, dificilmente se poderia esperar que este favorecesse, mediante uma política ativa, a referida redistribuição.

A elevação dos preços no setor de exportação, particularmente uma elevação brusca como a ocorrida com o café em fins de 1949, se traduz inicialmente em maiores lucros para todos aqueles que detêm estoques do produto. Os intermediários (prestadores de serviços) e logo em seguida os produtores veem sua

---

186. A melhora na relação de preços de intercâmbio é um fenômeno real, da mesma forma que o aumento do rendimento da terra. Condições climáticas favoráveis podem proporcionar um incremento de dez por cento na safra de café, e daí resultar uma elevação da mesma magnitude na renda real de certos grupos. Da mesma forma, uma elevação dos preços do café proporciona um aumento da renda real dos referidos grupos. Ocorre, porém, que, para o conjunto da economia, a elevação dos preços do café só é um fenômeno real se não for acompanhada por uma elevação igual dos preços de importação. Neste segundo caso, aquela elevação poderá beneficiar o setor cafeeiro, mas nem por isso deixará de ser um puro fenômeno monetário.

OS DOIS LADOS DO PROCESSO INFLACIONÁRIO

renda monetária crescer rapidamente. A elevação do preço do produto se comunica do exterior para o interior, onde o consumidor local terá igualmente que pagar mais por ele. Dessa forma, opera-se uma primeira transferência de renda real do conjunto da população consumidora para o setor exportador. Em segundo lugar, na agricultura, os preços do setor exportador tendem a influenciar o setor ligado ao mercado interno. Como os fatores de produção ligados ao setor exportador são beneficiados, forma-se um movimento no sentido da transferência de fatores para o setor onde houve a alta de preços. A produção ligada ao mercado interno é assim prejudicada, o que é bem mais grave quando está crescendo a renda dos consumidores por efeito da elevação dos preços de exportação. Dessa situação, como é natural, terá que resultar um aumento dos preços dos produtos agrícolas destinados ao mercado interno. Se o setor exportador representa, como ocorre no Brasil, uma parte muito importante da agricultura, é perfeitamente natural que os fatores ligados ao mercado interno procurem nivelar suas remunerações pelo padrão estabelecido no setor de exportação, pelo menos em base regional.

A forma como a agricultura se adapta a essa economia de mercado duplo é em parte responsável pela instabilidade crônica da economia brasileira. Ao manifestar-se uma alta nos preços de exportação, os fatores tendem a desviar-se do setor interno para o externo. Assim, ao mesmo tempo que a renda dos consumidores está crescendo, a oferta de produtos agrícolas dentro do país tende a contrair-se por efeito daquele deslocamento de fatores. Como as inversões ligadas ao setor externo exigem, no caso do café, um período de três a cinco anos para madurar, aquela transferência de fatores poderá continuar por algum tempo sem que tenha qualquer efeito sobre a oferta externa. Enquanto se mantiver elevado relativamente o nível dos preços de exportação, haverá tendência à transferência de fatores para o setor externo.

321

FORMAÇÃO ECONÔMICA DO BRASIL

Ao madurarem as inversões nesse setor, cria-se muitas vezes uma situação de superprodução. A essa altura os preços do mercado interno possivelmente já terão subido suficientemente para nivelar-se aos de exportação. Ao caírem estes, tem início um processo inverso de transferência de fatores, aumentando a produção para o mercado interno na etapa em que se comprime a renda dos consumidores. Existe, assim, no setor primário da economia brasileira um mecanismo de ampliação dos desequilíbrios provenientes do exterior. Essa observação põe mais uma vez em evidência as enormes dificuldades com que depara uma economia como a brasileira para lograr um mínimo de estabilidade no seu nível geral de preços. Pretender alcançar essa estabilidade, sem ter em conta a natureza e as dimensões do problema, pode ser totalmente contraproducente do ponto de vista do crescimento da economia. E numa economia de grandes potencialidades e de baixo grau de desenvolvimento, a última coisa a sacrificar deve ser o ritmo de seu crescimento.

36. Perspectiva dos próximos decênios

Assim como a segunda metade do século XIX se caracteriza pela transformação de uma economia escravista de grandes plantações em um sistema econômico baseado no trabalho assalariado, a primeira metade do século XX está marcada pela progressiva emergência de um sistema cujo principal centro dinâmico é o mercado interno.

O desenvolvimento econômico não acarreta necessariamente redução da participação do comércio exterior no produto nacional. Nas primeiras etapas do desenvolvimento das regiões de escassa população e abundantes recursos naturais — conforme observamos ao comparar as experiências do Brasil e dos EUA na primeira metade do século XIX[187] — uma rápida expansão do setor externo possibilita uma alta capitalização e abre o caminho à absorção do progresso técnico. Sem embargo, à medida que uma economia se desenvolve, o papel que nela desempenha o comércio exterior se vai modificando. Na primeira etapa a indução ex-

187. Veja-se capítulo 18.

FORMAÇÃO ECONÔMICA DO BRASIL

terna constitui o fator dinâmico principal na determinação do nível da procura efetiva. Ao debilitar-se o estímulo externo, todo o sistema se contrai em um processo de atrofiamento. As reações ocorridas na etapa de contração não são suficientes, entretanto, para engendrar transformações estruturais cumulativas em sentido inverso. Se se prolonga a contração da procura externa, tem início um processo de desagregação e a consequente reversão a formas de economia de subsistência. Esse tipo de interdependência entre o estímulo externo e o desenvolvimento interno existiu plenamente na economia brasileira até a Primeira Guerra Mundial, e de forma atenuada até fins do terceiro decênio do século XX.

Numa segunda etapa do desenvolvimento, reduz-se progressivamente o papel do comércio exterior como fator determinante do nível da renda, mas, concomitantemente, aumenta sua importância como elemento estratégico no processo de formação de capital. Com efeito, numa economia agrícola extensiva o aumento da capacidade produtiva é, em grande parte, simples decorrência da incorporação de mão de obra e recursos naturais. O desflorestamento, a extensão das plantações, a abertura de estradas, o aumento dos rebanhos, a edificação rural são todas formas de capitalização baseadas numa utilização extensiva de mão de obra e recursos naturais. Entretanto, ao começar a transformação estrutural do sistema, com aumento relativo das inversões no setor industrial e serviços conexos, cresce rapidamente a procura de equipamentos mecânicos. O sistema entra, por conseguinte, numa etapa de intensa assimilação de processos tecnológicos mais complexos, aos quais tem acesso através do intercâmbio externo.

A etapa intermediária de desenvolvimento caracteriza-se, assim, por modificações substanciais na composição das importações e por uma maior dependência do processo de ampliação da capacidade produtiva com respeito ao comércio exterior. A ampliação da capacidade para importar constitui, também nessa

324

PERSPECTIVA DOS PRÓXIMOS DECÊNIOS

etapa, forte estímulo ao desenvolvimento da economia. Sem embargo, pelo fato de que a procura externa já não é o principal fator determinante do nível da renda, o crescimento pode continuar mesmo com estagnação da capacidade para importar. Em tais condições, entretanto, é de esperar que o desenvolvimento seja acompanhado de forte pressão inflacionária. Essa pressão é tanto maior quanto mais amplas sejam as transformações requeridas na composição das importações pelo desenvolvimento, transformações essas que refletem o grau de dependência do processo de capitalização com respeito à importação de equipamentos.

O desenvolvimento da economia brasileira a partir da Primeira Guerra Mundial enquadra-se perfeitamente nesse tipo intermediário. Se se considera o período em seu conjunto, chega-se à conclusão de que o principal fator determinante do nível da procura — e portanto do desenvolvimento — foram as inversões ligadas ao mercado interno. Sem embargo, é somente naqueles períodos em que ocorre uma elevação da capacidade para importar — 1920-29 e 1946-54 — que se alcança um ritmo de crescimento realmente intenso. A base estatística mais sólida de que se dispõe a partir do censo econômico de 1920 permite formar-se uma ideia mais precisa do ritmo de crescimento da economia brasileira. Entre aquele ano e 1929, a taxa média anual de crescimento do produto foi da ordem de 4,5 por cento. No período compreendido entre 1929 e 1937, essa taxa se reduz a 2,3 por cento. No decênio seguinte (1937-47) há uma ligeira elevação para 2,9, e finalmente, no último decênio (1947-57), assinala-se uma elevação substancial para 5,3 por cento.[188] Considerado em

---

188. Se se admite que a população haja aumentado a uma taxa média anual de dois por cento nos dois primeiros períodos, de 2,2 por cento no terceiro e de 2,4 por cento no quarto, as taxas de crescimento per capita são: 1920-29: 2,5; 1929--37: 0,3; 1937-47: 0,7; 1947-57: 2,8; 1920-57: 1,6. A estimativa do produto no período 1920-39 foi feita pelo autor. As séries básicas referentes a esse período

FORMAÇÃO ECONÔMICA DO BRASIL

conjunto o período 1920-57, constata-se uma taxa de 3,9, que corresponde aproximadamente a 1,6 por cento por habitante. A taxa de 1,6 por cento de crescimento anual per capita, a longo prazo, aproxima-se bastante da que obtivemos de forma muito imprecisa para a segunda metade do século XIX. Essa taxa é relativamente elevada, conforme já indicamos, se bem seja algo inferior à que se observa secularmente nos EUA. Dentre os países da América Latina, o único com respeito ao qual se dispõe de séries suficientemente extensas — a Argentina — apresenta uma taxa algo menor na primeira metade do século XX.[189]

O período compreendido entre 1920 e 1957 está assinalado por uma redução substancial da importância relativa da procura externa como fator determinante do nível da renda. Com efeito, enquanto o produto real aumenta ao redor de trezentos por cento, isto é, quadruplica, o quantum das exportações cresce apenas oitenta por cento. Se se tem em conta que nos anos recentes o valor das importações representava aproximadamente nove

---

estão reunidas no *Estudio económico de América Latina*, cit. Os dados referentes ao período 1939-47 são do estudo *O desenvolvimento econômico do Brasil*, cit. Para o período 1947-55, *Revista Brasileira de Economia*, dezembro de 1956, p. 28. Admitiu-se, com base em estimativas recentes, que o produto per capita (excluída a acumulação de estoque) se manteve estacionário em 1956 e 1957.

189. A economia argentina cresceu à taxa anual excepcionalmente elevada de 5,1 por cento no período 1900-29. Não obstante o crescimento da população tenha sido o mais intenso que qualquer país tivesse conhecido nessa época (3,3 por cento anual), o aumento per capita alcançou a taxa de 1,7 por cento. Sem embargo, no período 1929-55, a taxa de crescimento do produto per capita reduziu-se para 0,5 por cento, não obstante a população aumentasse apenas 1,9 por cento. Para o conjunto do período, a taxa de crescimento do produto per capita não supera um por cento. Veja-se, sobre este ponto, ALEXANDER GANZ, *Problems and uses of national wealth estimates in Latin America*. Estudo preparado para a conferência da International Association for Research in Income and Wealth, De Pietersberg, Países Baixos, agosto de 1957.

por cento do produto bruto,[190] pode-se inferir que em 1920 essa participação não era inferior a vinte por cento. Destarte, contrariamente às formas de crescimento extensivo observadas nos séculos anteriores, o desenvolvimento no período indicado caracterizou-se por modificações substanciais na estrutura da economia. Grande parte das inversões realizadas destinou-se a criar capacidade produtiva para atender a uma procura que antes se satisfazia com importações. Não obstante, à medida que crescia a economia com redução do coeficiente de importação, a composição desta se ia modificando, crescendo dentro da mesma a participação dos bens diretamente ligados ao processo de capitalização. Dessa forma, se uma redução brusca da procura externa já não afeta necessariamente o nível de emprego no país, seu efeito na taxa de crescimento é imediato. Mesmo que se tente manter o nível das inversões, mediante uma política de obras públicas, não se poderá evitar que a modificação na estrutura das inversões afete adversamente o ritmo de crescimento da economia.

A transformação estrutural mais importante que possivelmente ocorrerá no terceiro quartel do século xx será a redução progressiva da importância relativa do setor externo no processo de capitalização. Em outras palavras, as indústrias de bens de capital — particularmente as de equipamentos — terão de crescer com intensidade muito maior do que o conjunto do setor industrial. Essa nova modificação estrutural, que já se anuncia claramente nos anos 1950, tornará possível evitar que os efeitos das flutuações da capacidade para importar se concentrem no processo de capitalização. É essa uma condição essencial para que a política econômica se permita visar ao duplo objetivo de defesa do nível de emprego e do ritmo de crescimento. Somente

---

190. Em 1955, o produto nacional bruto alcançou 673 bilhões de cruzeiros (veja-se *Revista Brasileira de Economia*, cit., p. 31), e o valor das importações — incluídos os ágios — foi de 60 bilhões, *Anuário estatístico do Brasil*, 1956, p. 237.

FORMAÇÃO ECONÔMICA DO BRASIL

assim alcançará o sistema econômico uma maior flexibilidade e estará em condições de tirar maiores vantagens do intercâmbio externo, pois poderá mais facilmente adaptar-se às modificações da procura que se exerce nos mercados internacionais. Observado de um ângulo distinto, o desenvolvimento da primeira metade do século XX apresenta-se basicamente como um processo de articulação das distintas regiões do país em um sistema com um mínimo de integração. O rápido crescimento da economia cafeeira — durante o meio século compreendido entre 1880 e 1930 —, se por um lado criou fortes discrepâncias regionais de níveis de renda per capita, por outro dotou o Brasil de um sólido núcleo em torno ao qual as demais regiões tiveram necessariamente de articular-se. Esse processo de articulação começou, conforme já indicamos, com a região sul do país. Por uma feliz circunstância, a região rio-grandense — culturalmente a mais dessemelhante das demais zonas de povoamento[191] — foi a primeira a beneficiar-se da expansão do mercado interno induzida pelo desenvolvimento cafeeiro. É interessante observar que a expansão das vendas rio-grandenses ao resto do mercado brasileiro se fez em concorrência com os países do rio da Prata. Tanto o Uruguai como a Argentina aumentaram fortemente suas vendas ao Brasil na fase da grande expansão cafeeira. Os rio-grandenses tiveram a seu favor a tarifa, e durante toda a primeira metade do século XX lutaram para substituir-se aos concorrentes do sul.[192] A articulação com a região nordestina se faz por intermédio da própria economia açucareira. Neste caso, a luta

191. O Rio Grande do Sul praticamente não conheceu economia escravista, e na formação de sua população o contingente português foi menor que nas demais regiões do país, até fins do século XIX.

192. O último e mais importante capítulo dessa luta da região rio-grandense para reservar-se o mercado das demais regiões do Brasil está representado pela "batalha do trigo". O Rio Grande do Sul é hoje grande exportador de trigo, arroz, carnes, banha e vinho para as demais regiões do país.

PERSPECTIVA DOS PRÓXIMOS DECÊNIOS

pelo mercado em expansão da região cafeeira não se realiza contra concorrentes externos, e sim contra produtores locais. A partir da segunda metade dos anos 1920, o sul do país passa a representar um mercado mais importante para o Nordeste (não incluída a Bahia) que o exterior.[193] Por último, a Amazônia se incluiu entre os beneficiários da grande expansão da região cafeeiro-industrial. O mercado desta passa a absorver a totalidade da produção de borracha e permite a abertura de novas linhas de produção na região amazônica, como foi o caso da juta.

Se, pela metade do século, a economia brasileira havia alcançado um certo grau de articulação entre as distintas regiões, por outro a disparidade de níveis regionais de renda havia aumentado notoriamente. À medida que o desenvolvimento industrial se sucedia à prosperidade cafeeira, acentuava-se a tendência à concentração regional da renda. É da natureza do processo de industrialização que as inversões só alcancem sua máxima eficiência quando se completam mutuamente, isto é, quando se coordenam funcionalmente em um todo maior. Numa economia de livre-empresa essa coordenação se faz um pouco ao acaso, e a probabilidade que tem cada um de fruir o máximo de vantagens indiretas é tanto maior quanto maior é o número de indivíduos que estão atuando simultaneamente.

O processo de industrialização começou no Brasil concomitantemente em quase todas as regiões. Foi no Nordeste que se instalaram, após a reforma tarifária de 1844, as primeiras manufaturas têxteis modernas e ainda em 1910 o número de operários têxteis dessa região se assemelhava ao de São Paulo.[194] Entretanto,

193. Em 1954 as exportações de cabotagem do Nordeste (do Maranhão a Sergipe) foram quatro vezes maiores que as vendas ao exterior. Em 1938 já haviam sido duas vezes maiores. Veja-se *Anuário estatístico do Brasil*, 1956, pp. 240-1 e 281-2.
194. Sobre este ponto, veja-se o cuidadoso estudo de s. j. STEIN, "The Brazilian cotton textile industry, 1850-1950", *in Economic growth: Brazil, India, Japan*, Duke University Press, 1955.

329

FORMAÇÃO ECONÔMICA DO BRASIL

superada a primeira etapa de ensaios, o processo de industrialização tendeu naturalmente a concentrar-se numa região. A etapa decisiva de concentração ocorreu, aparentemente, durante a Primeira Guerra Mundial, época em que teve lugar a primeira fase de aceleração do desenvolvimento industrial. O censo de 1920 já indica que 29,1 por cento dos operários industriais estavam concentrados no estado de São Paulo. Em 1940 essa porcentagem havia subido para 34,9, e em 1950 para 38,6. A participação do Nordeste (incluída a Bahia) se reduz de 27 por cento em 1920 para 17,7 por cento em 1940 e dezessete por cento em 1950. Se se considera, não o número de operários, mas a força motriz instalada (motores secundários), a participação do Nordeste diminui, entre 1940 e 1950, de 15,9 por cento para 12,9 por cento.[195] Os dados da renda nacional parecem indicar que esse processo de concentração se intensificou no pós-guerra. Com efeito, a participação de São Paulo no produto industrial passou de 39,6 por cento para 45,3 por cento, entre 1948 e 1955. Durante o mesmo período a participação do Nordeste (incluída a Bahia) desceu de 16,3 para 9,6 por cento.[196] A consequência tem sido uma disparidade crescente nos níveis de renda per capita. Em 1955, São Paulo, com uma população de 10,33 milhões de habitantes, desfrutou de um produto 2,3 vezes maior que o do Nordeste, cuja população no mesmo ano alcançou 20,1 milhões. A renda per capita na região paulista era, por conseguinte, 4,7 vezes mais alta que a da região nordestina.[197] Essa disparidade de níveis de vida,

195. Para os dados do número de operários e força motriz nas indústrias — censos de 1920, 1940 e 1950 —, veja-se *Anuário estatístico do Brasil*, 1956, apêndice.
196. Para os dados do produto por atividade de origem e por estados, no período 1948-55, veja-se *Revista Brasileira de Economia*, cit.
197. Os dois outros importantes grupos de população, nos estados de Minas Gerais e Rio Grande do Sul, apresentam situações intermediárias. Em 1955 a renda per capita de São Paulo foi 2,1 vezes mais alta que a de Minas Gerais e 3,3 por cento mais elevada que a do Rio Grande do Sul.

330

PERSPECTIVA DOS PRÓXIMOS DECÊNIOS

que se acentua atualmente entre os principais grupos de população do país, poderá dar origem a sérias tensões regionais. Assim como na primeira metade do século xx cresceu a consciência de interdependência econômica — à medida que se articulavam as distintas regiões em torno do centro cafeeiro-industrial em rápida expansão —, na segunda poderá aguçar-se o temor de que o crescimento intenso de uma região é necessariamente a contrapartida da estagnação de outras.

A tendência à concentração regional da renda é fenômeno observado universalmente, sendo amplamente conhecidos os casos da Itália, da França e dos EUA. Uma vez iniciado esse processo, sua reversão espontânea é praticamente impossível. Em um país da extensão geográfica do Brasil, é de esperar que tal processo tenda a prolongar-se extremamente. A causa da formação e do agravamento desse tipo de fenômeno está, via de regra, ligada à pobreza relativa de recursos naturais de uma região. Com efeito, coexistindo duas regiões dentro de uma mesma economia — integradas pelo mesmo sistema monetário —, aquela mais pobre de recursos naturais, particularmente de terras, tenderá a apresentar uma produtividade mais baixa por unidade de capital invertido. Em termos monetários, o salário de subsistência da população tende a ser relativamente mais elevado ali onde é mais baixa a produtividade do homem ocupado na produção de alimentos.[198] A coexistência das duas regiões numa mesma economia tem consequências práticas de grande importância. Assim, o fluxo de mão de obra da região de mais baixa produtividade para a de mais alta, mesmo que não alcance grandes proporções relativas, tenderá a pressionar sobre o nível de salários desta última, impedindo que os mesmos acompanhem a elevação da produ-

---

198. Se a população das duas regiões tivesse que produzir apenas o necessário para subsistir, na região mais pobre de recursos de terra deveria trabalhar um maior número de horas.

FORMAÇÃO ECONÔMICA DO BRASIL

tividade. Essa baixa relativa do nível de salários traduz-se em melhora relativa da rentabilidade média dos capitais invertidos. Em consequência, os próprios capitais que se formam na região mais pobre tendem a emigrar para a mais rica. A concentração das inversões traz economias externas, as quais, por seu lado, contribuem ainda mais para aumentar a rentabilidade relativa dos capitais invertidos na região de mais alta produtividade. Do ponto de vista da região de mais baixa produtividade, o cerne do problema está nos preços relativamente elevados dos gêneros de primeira necessidade, o que é um reflexo da pobreza relativa de terras ou da forma inadequada como estas são utilizadas. Sendo relativamente elevado o custo de subsistência da mão de obra, os salários monetários tendem a ser relativamente altos em função da produtividade, comparativamente à região mais rica em recursos naturais.[199] Não existindo nesse caso a possibilidade de apelar para a tarifa ou subsídios cambiais, com o fim de corrigir a disparidade, a industrialização da região mais pobre passa a encontrar sérios tropeços. À medida que se toma consciência da natureza desse problema no Brasil, as tensões de caráter regional — que se haviam reduzido substancialmente nos decênios anteriores — poderão voltar a apresentar-se.

A solução desse problema constituirá, muito provavelmente, uma das preocupações centrais da política econômica no correr

199. Para que se estabelecesse um equilíbrio entre salário e produtividade, seria necessário que no sul os salários fossem suficientemente mais altos para compensar não somente a diferença de produtividade no próprio setor industrial, mas também a diferença de produtividade no setor agrícola produtor de alimentos. Ora, a existência do excedente de mão de obra na região menos desenvolvida e o fluxo dessa mão de obra para a mais desenvolvida exercem permanente pressão no sentido de aumentar o desequilíbrio. O custo do transporte e outros fatores impedem que o traslado de mão de obra alcance o volume necessário para determinar modificações estruturais, mas é suficientemente grande para condicionar a evolução do salário real na região de mais alta produtividade.

PERSPECTIVA DOS PRÓXIMOS DECÊNIOS

dos próximos anos. Essa solução exigirá uma nova forma de integração da economia nacional, distinta da simples articulação que se processou na primeira metade do século. A articulação significou, simplesmente, desviar para os mercados da região cafeeiro-industrial produtos que antes se colocavam no exterior. Um processo de integração teria de orientar-se no sentido do aproveitamento mais racional de recursos e fatores no conjunto da economia nacional. À medida que se chegar a captar a essência desse problema, se irão eliminando certas suspeitas como essa de que o rápido desenvolvimento de uma região tem como contrapartida necessária o entorpecimento do desenvolvimento de outras. A decadência da região nordestina é um fenômeno secular, muito anterior ao processo de industrialização do sul do Brasil. A causa básica daquela decadência está na incapacidade do sistema para superar as formas de produção e utilização dos recursos estruturados na época colonial. A articulação com a região sul, através de cartelização da economia açucareira, prolongou a vida do velho sistema cuja decadência se iniciou no século XVII, pois contribuiu para preservar as velhas estruturas monoprodutoras.

O sistema de monocultura é, por natureza, antagônico a todo processo de industrialização. Mesmo que, em casos especiais, constitua uma forma racional (do ponto de vista econômico) de utilização dos recursos da terra, a monocultura só é compatível com um alto nível de renda per capita quando a densidade demográfica é relativamente baixa. Ali onde é elevada essa densidade — o que ocorre na faixa úmida do Nordeste — a monocultura impossibilita alcançar formas superiores de organização da produção. Com efeito, nas regiões densamente povoadas uma elevada densidade de capital por homem — condição básica para o aumento de produtividade — só se consegue com a industrialização. Ora, a industrialização vem sempre acampanhada de rápida urbanização, que só pode se efetivar se o setor agrícola res-

333

ponde com uma oferta adequada de alimentos. Se a totalidade das boas terras agrícolas está concentrada em um sistema ancilosado de monocultura, a maior procura de alimentos terá de ser atendida com importações. No caso do Nordeste, a maior procura urbana tende a ser satisfeita com alimentos importados da região sul, o que contribui para agravar a disparidade entre salário nominal e produtividade em prejuízo da região mais pobre. Por maior que seja a vantagem relativa da produção do açúcar no Nordeste,[200] é necessário ter em conta que a mesma ocupa uma pequena parte da população e que a industrialização será impraticável se as populações urbanas dependerem, para alimentar-se, de gêneros parcialmente provenientes do sul do país. Tratando-se de regiões integradas num mesmo sistema monetário, o que determina a rentabilidade industrial é a relação entre a produtividade por operário e o salário monetário pago a este. Ora, como o salário monetário está condicionado pelos preços dos alimentos, a vantagem que tem o Nordeste de "mão de obra barata" é tanto menor quanto menos adequada é a oferta de alimentos produzidos na própria região.

O processo de integração econômica dos próximos decênios, se por um lado exigirá a ruptura de formas arcaicas de aproveitamento de recursos em certas regiões, por outro requererá uma visão de conjunto do aproveitamento de recursos e fatores no país. A oferta crescente de alimentos nas zonas urbanas, exigida pela industrialização, a incorporação de novas terras e os traslados inter-regionais de mão de obra são aspectos de um mes-

---

200. A vantagem relativa do açúcar se baseia, para a empresa, numa comparação da renda produzida por hectare plantado de cana ou de outra qualquer cultura alternativa. Sem embargo, numa região com grande excedente de mão de obra, a maior produtividade da empresa pode estar totalmente em desacordo com a maior produtividade social, isto é, tidas em conta as inversões realizadas não exclusivamente no setor agrícola, e sim no conjunto da economia regional.

PERSPECTIVA DOS PRÓXIMOS DECÊNIOS

mo problema de redistribuição geográfica de fatores. À medida que avançar essa redistribuição, a incorporação de novas terras e recursos naturais permitirá um aproveitamento mais racional da mão de obra disponível no país, mediante menores inversões de capital por unidade de produto. Demais, as inversões de capital na infraestrutura poderão ser mais bem aproveitadas, em razão da menor dispersão de recursos. É de supor que, caso progrida essa integração, a taxa média de crescimento da economia tenderá a elevar-se. Se se admite que a taxa a longo prazo de 1,6 por cento se eleve para dois por cento, a renda per capita do país, ao final do século XX, alcançaria 620 dólares, no nível atual de preços.[201] Por outro lado, se se supõe que o atual ritmo de crescimento da população (2,4 por cento anual) se manterá nos próximos decênios, o número de habitantes do país haverá aumentado, ao término do século, para mais de 225 milhões.[202] Sendo assim, o Brasil por essa época ainda figurará como uma das grandes áreas da terra em que maior é a disparidade entre o grau de desenvolvimento e a constelação de recursos potenciais.

201. O produto bruto per capita, em 1950, foi de aproximadamente 230 dólares. O cálculo foi feito com base nesse ano.
202. Estimativa feita no fim dos anos 1950. A taxa de crescimento da população baixou sensivelmente nos últimos decênios, e a população do Brasil não deve alcançar 170 milhões no fim do século XX.

Apêndice

Este apêndice reúne as traduções de trechos em idioma estrangeiro citados tanto no corpo do texto como nas notas de rodapé.

CORPO DO TEXTO

Página 46. "No início só tivemos uma ideia mestra: a conquista das terras de metais preciosos ou, em sua ausência, das terras que dessem acesso a elas."

Página 47. "Tornava-se urgente ter o quanto antes uma milícia forte, e que fosse duradoura. É desse princípio que se parte, e a esse princípio todos se atêm: é preciso, nas ilhas de colonos numerosos, plantadores e soldados."

Página 57. "A partir do peixe, da madeira e da carne, a Nova Inglaterra, através de um hábil e complexo sistema de vendas e escambos, do qual as Índias Ocidentais [...] formavam o elo fundamental, conseguiu obter do Velho Mundo todas as mercadorias de que precisava."

Página 64. "Portugal tornou-se virtualmente um vassalo comercial da Inglaterra."

Página 67. "[...] neste momento o mais vantajoso que já realizamos em qualquer lugar", ou "o melhor ramo de todo o nosso comércio europeu."

Página 130. "Da Revolução até a revolta das colônias, a regulação do comércio foi considerada não tanto com referência a outros elementos do poder

FORMAÇÃO ECONÔMICA DO BRASIL

nacional, nem mesmo por sua capacidade de fornecer uma renda, mas principalmente do ponto de vista da promoção da indústria."

Página 154. "Estudando esses tempos, a cada novo detalhe revelado fica mais bem definida a hipótese de que, no conjunto, o desenvolvimento industrial das colônias estava no ponto em que estaria se suas políticas econômicas tivessem sido governadas por seus próprios povos."

NOTAS DE RODAPÉ

Nota 2 (p. 28). "[...] foi projetado de início sob o ângulo de defesa colonial e de ataque contra a América espanhola."

Nota 3 (p. 29). "O Brasil foi o primeiro dos assentamentos europeus na América a tentar o cultivo do solo."

Nota 7 (p. 33). "A data em que a primeira refinaria foi construída [em Antuérpia] não está registrada, mas deve ter sido logo depois do início do século XVI. [...] Por volta de 1550 havia treze refinarias, e em 1556 chegavam a dezenove. [...] Depois do fechamento forçado das refinarias de Antuérpia, o comércio continental deslocou-se para Amsterdam. [...] Há fortes indícios de que em 1587 havia certo número de refinarias ativas, das quais algumas tinham sido criadas por refugiados de Antuérpia."

Nota 11 (p. 38). "Quanto mais um Estado faz comércio com os espanhóis, mais tem dinheiro."

Nota 12 (p. 39). "Quase todas as cidades fabris sofreram um catastrófico declínio em termos de população [...]; Valladolid, Toledo e Segóvia, por exemplo, perderam mais da metade de seus habitantes."

Nota 16 (p. 43). "Hoje se admite com segurança que o prático monopólio do transporte e do comércio europeus estabelecido pelos holandeses no começo do século XVII — em razão de sua posição geográfica, da superioridade de sua organização comercial e de sua técnica e do atraso econômico de seus vizinhos — manteve-se intacto até cerca de 1730."

Nota 17 (pp. 43-4). "Foi durante a trégua de 1609-21 que o comércio deles com o Brasil se expandiu imensamente, apesar das proibições explícitas e reiteradas da Coroa espanhola de se fazer comércio exterior com a colônia. Uma representação dos comerciantes holandeses envolvidos nesse negócio, que foi submetida aos Estados Gerais em 1622, explica como se alcançou essa posição invejável. O comércio holandês com o Brasil sempre fora conduzido por intermédio de muitos portugueses bons e honestos, residentes sobretudo em Viana e no Porto; depois da primeira proibição formal da participação holandesa nesse comércio, em 1594, eles se ofereceram espontaneamente para continuá-lo sob a

338

APÊNDICE

cobertura de seus nomes e bandeiras. [...] O magistrado de Viana do Castelo, em particular, sempre 'deu uma mãozinha' aos feitores holandeses locais e aos seus agentes indicando 'como podiam se precaver contra os danos dos espanhóis'. [...] Os negociantes holandeses calcularam ter assegurado de metade a dois terços do transporte comercial entre o Brasil e a Europa."

Nota 21 (p. 47). "Quando se rendiam, esses oficiais eram espancados na cabeça, e a cada dez soldados um era morto, e os outros eram embarcados para Barbados."

"Criminosos políticos, presos de guerra, vagabundos, filhos de vagabundos eram transportados para a América por comerciantes que tinham contrato com o governo. Outros eram sequestrados ou induzidos a partir por meios ilegais."

Nota 22 (p. 48). "Os assentamentos ingleses desenvolvidos durante o século XVII devem sua existência principalmente à imigração de refugiados da intolerância religiosa e política, que deixaram a Inglaterra antes da Lei da Tolerância de 1689. Os puritanos fundaram, em 1620, a primeira colônia bem-sucedida na Nova Inglaterra. Os dissidentes ingleses estabeleceram colônias em Massachusetts, onde em 1629 foi concedida à Companhia da Baía de Massachusetts uma carta patente. A imigração de refugiados levou à fundação de Connecticut, em 1633, e de Rhode Island, em 1636. Por volta da mesma época católicos descontentes se dirigiram para as Índias Ocidentais, onde o conde de Carlisle recebeu uma carta patente."

Nota 23 (p. 49). "A Grã-Bretanha podia se permitir mandar muitos emigrantes para além-mar sem pôr em perigo a vasta oferta de mão de obra barata para sua indústria interna. As mudanças na organização agrícola, particularmente os terrenos cercados, criaram na Inglaterra um excedente de população rural que baixou os salários ao nível de subsistência e gerou uma ampla reserva no mercado de trabalho."

Nota 24 (p. 49). "O aspecto mais significativo dessa questão do tratamento dos servos europeus é a concordância geral entre os escritores contemporâneos sobre o fato de que eles estavam numa posição menos favorável que a do escravo negro."

Nota 25 (p. 50). "Na França, os homens de Estado e os publicistas não sentiram a gravidade dessa perda. [...] Essa população, é verdade, não era rica; vivia de agricultura e de caça. [...] O padre Raynal diz que em 1715 as exportações do Canadá para a França tinham um valor de apenas 300 mil libras, que na época mais florescente não ultrapassavam 1,3 milhão de libras e que, de 1750 a 1760, o governo ali gastou 127,5 milhões, o que não contribuía para tornar o Canadá popular na administração francesa."

Nota 27 (pp. 52-3). "Mais nenhum lucro era possível; enquanto isso, o colono inglês conseguia substituir a mão de obra branca por negros comprados a preço baixo ou a crédito."

FORMAÇÃO ECONÔMICA DO BRASIL

Nota 29 (p. 54). "Foi graças aos refugiados holandeses vindos do Brasil, que agora estava sendo reconquistado pelos portugueses, que a técnica do cultivo e da fabricação do açúcar chegou a Barbados. O capital holandês ajudou os colonos a comprar o equipamento necessário, o crédito holandês forneceu-lhes escravos negros para trabalhar nas fazendas de cana-de-açúcar, e os barcos holandeses compraram seu açúcar e os abasteceram de gêneros alimentícios e outros bens que a Inglaterra não podia mais fornecer devido a seus distúrbios internos."

Nota 30 (p. 55). "Já em 1667 a substituição do escravo negro pelo servo branco atingira um estágio avançado. Nesse ano o major Scott declarou que, depois de ter examinado todos os registros de Barbados, descobriu que desde 1643 nada menos que 12 mil 'bons homens' tinham saído da ilha e ido para outras fazendas, e que o número de proprietários de terras decrescera de 11 200 pequenos proprietários em 1645 para 745 proprietários de grandes fazendas em 1667; ao passo que durante o mesmo período os negros haviam aumentado de 5680 para 82 023. Enfim, ele resumiu a situação dizendo que em 1667 a ilha 'não tinha nem a metade da força, mas era quarenta vezes mais rica que no ano' de 1645."

Nota 31 (pp. 55-6). "Em 1683, operários e operárias especializados são transportados para a Martinica, sementes são distribuídas junto com as árvores, por iniciativa exclusiva do poder central. Em 1685, o rei renova seu desejo, envia mais sementes e quer o estabelecimento de uma manufatura."

"É necessário obrigá-los (aos habitantes) a dividir o cultivo de suas terras entre índigo, urucum, cacau, cássia, gengibre, algodão e outras frutas que eles podem plantar. [...] A perda fatal das ilhas será causada pela quantidade excessiva de pés de cana-de-açúcar."

Nota 33 (p. 57). "Brotaram os engenhos de açúcar para moer as canas, mas Barbados não tinha força hidráulica para acioná-los. A alternativa era usar moendas movidas a cavalos, por isso foram adquiridos cavalos na Nova Inglaterra. Também eram necessários tonéis e barris onde acondicionar o açúcar. Estes foram fornecidos pelas abundantes florestas de Massachusetts e Connecticut."

Nota 35 (p. 60). "Calculou-se que pelo menos metade dos imigrantes brancos antes de 1700 eram *redemptioners* [emigrantes europeus que, em troca da viagem para a América, aceitavam o regime de servidão temporária] ou tiveram suas passagens pagas por outros."

Nota 37 (pp. 64-5): "O tratado que foi assim finalmente ratificado era um triunfo diplomático para a Commonwealth, porque por meio dele Portugal concedeu vantagens comerciais e religiosas. [...] Ele forneceu uma prova convincente da ascendência da Inglaterra, cujos súditos que comercializavam ou residiam em Portugal ficavam, no futuro, em situação melhor que a dos pró-

APÊNDICE

prios portugueses. Aqui a Inglaterra assentou os alicerces de sua posição privilegiada nos domínios ultramarinos de Portugal."

Nota 59 (p. 88). "Alguns autores imaginaram que a organização feudal da Metrópole foi transposta de um só bloco e em sua integridade para as colônias; que ali foram cobrados os direitos senhoriais e estabelecidas as derramas. Na verdade, nada é aqui mais inexato. A companhia tentou arrecadar o dinheiro de *lods* [taxa paga ao suserano sobre a venda de heranças, correspondente a um quinto do valor] e venda em Saint-Christophe, mas de diminuição em diminuição terminou desistindo. Na Martinica, não encontramos nenhum vestígio disso."

Nota 70 (p. 130). "O mais antigo exemplo de proibição de exportações é encontrado na ação do Parlamento de Oxford de 1258. Os barões nesse momento 'decretaram que a lã do país devia ser produzida na Inglaterra, e não devia ser vendida a estrangeiros, e que todos deviam usar tecidos de lã feitos no país'."

"O crescimento da manufatura lanífera durante a segunda metade do século foi estimulado por uma consistente política 'protetora' vigorosamente aplicada. Isso começou com a ascensão ao trono de Eduardo VII, que durante todo o seu reinado confiou nas classes industrial e mercantil. Em 1463, a importação de tecido de lã foi proibida, assim como a de um grande número de outros artigos manufaturados; e a proibição, que naquela lei fora apenas temporária, era especialmente renovada e tornada permanente numa lei do ano seguinte. Além disso, a escala de impostos de exportação foi organizada, se não nesse momento, logo em seguida, de maneira a estimular a exportação de tecidos mais que a de lã."

Nota 71 (p. 131). "A escala em que Portugal importou nossas manufaturas, e assim encorajou a indústria de nosso país, pôde ser calculada pela vasta quantidade de ouro que era anualmente importada de Portugal. Isso era avaliado em 50 mil libras por semana [...] Não é de espantar que, de acordo com as ideias da época, o feito de Methuen tenha sido muitíssimo bem-visto: ele abriu uma vasta demanda externa para nossos bens, e estimulou o emprego da mão de obra interna; ao mesmo tempo, muitas das remessas de Portugal nos chegaram na forma que era a mais necessária para restaurar a moeda, e a mais conveniente para levar adiante a grande guerra europeia."

Nota 72 (p. 133). "Como a extração do ouro atraía trabalhadores, os criadores e fazendeiros foram obrigados a mudar sua técnica produtiva e a adotar dispositivos poupadores de mão de obra. Os criadores cercaram os pastos; substituíram os pastores por vigilantes do perímetro dos terrenos; os fazendeiros passaram a usar arados melhores e métodos de plantação mais científicos [...] Em dez anos (1850-60) o número de carneiros na Austrália aumentou de 16 milhões para 20 milhões, e o valor da lã exportada subiu de 1,995 milhão

FORMAÇÃO ECONÔMICA DO BRASIL

de libras para 4,0253 milhões de libras. A área cultivada dobrou em oito anos (1850-58)."

Nota 73 (p. 137). "O efeito e o significado da lei de 1739 estão em seu poder de elevar o preço do açúcar no mercado britânico."

Nota 76 (pp. 142-3). "Isso não deixaria de causar boa impressão na Inglaterra, mas a satisfação teria sido maior se se tivesse autorizado a admissão dos navios britânicos e se as manufaturas britânicas pudessem entrar em condições mais vantajosas do que aquelas concedidas aos navios e à mercadoria de outras nações estrangeiras."

Nota 86 (p. 153). "Ele [Alexander Hamilton] dava muito mais importância a recompensas e prêmios concedidos diretamente aos vários ramos das indústrias, e insistia em sua adoção, de forma exclusiva ou em conjunto com os direitos alfandegários."

Nota 87 (p. 153). "A primeira dessas [medidas] foi uma lei aprovada em 1699, depois da queixa dos fabricantes e comerciantes ingleses de que os colonos estavam exportando lã e derivados para mercados estrangeiros em concorrência com os produtos da Grã-Bretanha. [...] Em 1732 o Parlamento proibiu a exportação de chapéus fabricados na América de uma colônia para outra, ou das colônias para a Inglaterra ou Europa."

Nota 89 (p. 154). "De acordo com uma estimativa, 30% dos 7700 navios que em 1775 hasteavam bandeira inglesa eram construídos na América, e 75% do comércio americano era transportado em seus próprios navios."

Nota 90 (p. 155). "De 1795 a 1801, a média de receitas líquidas de nossa marinha mercante superaria $32 000 000 por ano, o que por si só pagaria mais bens importados per capita do que aqueles que os colonos tinham consumido antes da revolução."

Nota 91 (p. 156). "A indústria do algodão prestava-se particularmente a ser um campo de experiências. Em relação ao problema da fiação mecânica, ela ofereceu aos inventores condições especialmente favoráveis, pois a fibra do algodão, sendo mais coesiva e menos elástica do que a lã, é mais fácil de ser retorcida e esticada num fio contínuo."

Nota 93 (p. 157). "Da diminuição de custo do fio número 100, [...] cerca de dois terços correspondiam à queda do custo da matéria-prima. [...] A contribuição das matérias-primas para a redução dos custos é proporcionalmente maior nas qualidades mais baixas do fio do que nos produtos mais caros: 71% para o fio número 40; só 5% para o fio número 250."

Nota 95 (p. 160). "O governo britânico tomou todas as precauções para impedir que as novas máquinas, ou um conhecimento prático delas, saíssem daquele país, e os agentes britânicos até embarcaram essas máquinas de volta para a Inglaterra, pois poderiam ser compradas nos Estados Unidos."

342

APÊNDICE

Nota 101 (p. 166). "Quem de nós [...] pode comercializar com segurança com o Brasil ou qualquer outro país, quem pode comprar títulos brasileiros ou estrangeiros de qualquer tipo, quem pode, com prudência normal, investir seu dinheiro nas ações das ferrovias de Estados pequenos e indefesos [...] se minas como esta podem ser colocadas sob seus pés por seu próprio governo?"

Nota 106 (pp. 174-5). "Em muitas fazendas bem administradas havia medidas positivas, embora sempre éticas, para encorajar a taxa de crescimento. A isenção parcial do trabalho durante a gravidez, suprimento extra de comida, roupas e outros confortos depois do parto — havia poderosos estímulos numa direção que coincidia com o interesse pessoal do senhor. Em certas fazendas uma mulher com seis ou mais filhos saudáveis era isenta de qualquer trabalho. Em outras fazendas, dez filhos isentavam a mãe do trabalho no campo."

"Aqui e ali, um fazendeiro pode ter controlado um acasalamento no interesse de uma eugenia industrial ou comercial, mas é bastante improvável que um número considerável de senhores tenha tentado acelerar o crescimento do número de escravos."

Nota 109 (p. 178). "Eles adotaram, em matéria de agricultura, os hábitos do caboclo, isto é, do trabalhador brasileiro nativo. Deixaram-se corromper, disse-me o diretor da colônia."

Nota 113 (p. 182). "Depois da emancipação [...] houve uma grave escassez de mão de obra que foi parcialmente suprida por vários expedientes. Um deles foi a importação de negros libertados de navios negreiros; entre 1840 e 1850, por exemplo, 14 113 escravos libertados foram importados de Serra Leoa. Mais tarde, Trinidad e a Guiana Inglesa importaram em larga escala, da Índia, trabalhadores endividados [contratados para serviços temporários até resgatarem a dívida com o patrão]."

Índice remissivo

abertura dos portos, 140, 142
abolição da escravatura, 198-9, 201-4
acordos de 1810, 69
Acre, 192, 196
açúcar, 26, 31-4, 40, 43, 45, 52-7, 63, 65, 75-8, 88, 91, 93, 96, 99, 102-3, 107, 109, 112, 117-8, 120, 125, 127, 137-8, 141, 145, 161, 166-7, 169-70, 202, 206-7, 213, 334, 340; economia açucareira, 54, 56, 77, 79, 81, 87, 91-3, 95-9, 101-2, 104, 107-9, 112, 120-2, 125, 134, 137, 171, 192, 208, 328, 333; exportação de, 40, 97, 112, 141, 161, 207; preço do, 34, 44, 79, 80, 102, 107, 137, 146, 267, 342; refinação de, 32, 34; refinarias de, 32, 338
agricultura tropical, 52, 73, 117
Alabama, 157
algodão, 51, 139, 141, 146, 152, 155-7, 161, 167, 169, 182, 186, 189,

194, 207-8, 213, 277-8, 340, 342; tecidos de, 152, 156, 278
alimentação, condições de, 105, 174
Amazonas, 66, 108-9, 192, 196
Amazônia, 95, 190-1, 195-7, 211-2, 214, 329
América, 26, 29-30, 36-8, 43, 46, 48-51, 55, 59, 63, 66, 70, 88, 94, 108-9, 112, 119, 140, 151, 169, 184, 187, 256, 260-1, 281, 290, 325-6, 338-40, 342
Andaluzia, 40
Antígua, 200
Antilhas, 28-9, 40, 47, 51-2, 54-6, 58-9, 61, 94-5, 102, 104, 108, 137, 145, 155, 182, 199
Antonil (João Antônio Andreoni), 84, 96-7
Apprenticeship System, 200
Argentina, 221, 326, 328
Arkansas, 157
Ashley, William James, 130

Ásia, 169
Austrália, 132, 221, 295, 341
autonomia regional, 246
Azevedo, João Lúcio de, 75

Bahia, 97, 142, 146-7, 207-8, 211-2, 214, 329-30
balança de pagamentos, 45, 151, 223-7, 229, 235, 244, 247-8, 274-5, 283-4, 287-8
Banda Oriental, guerra na, 148
Barbados, 47, 51, 54-5, 57, 339-40
Barros, Henrique da Gama, 33
Bélgica, 42
bens de capital, 279-80, 283, 304, 306, 312, 327
Bolívar, Simon, 144
Bombaim, 65
Bonaparte, Napoleão, 69
borracha, 190-2, 195-6, 207, 213, 248, 329
Boston, 61
Boxer, Charles R., 43-4, 64, 80
Burns, Alan, 54

caboclo, 178, 343
cacau, 110, 168, 189, 206-8, 212, 340
café, 51, 70, 147, 157, 161, 168-70, 172, 175, 184, 186, 191, 193, 195, 203, 206, 211-2, 229, 234, 236-7, 239-40, 246, 251-8, 260-7, 269, 271, 273, 276-7, 282-3, 288-90, 297, 299, 305, 317, 320-1; economia cafeeira, 71, 164, 169-72, 184, 193, 196, 208, 219, 221-2, 232, 251, 256, 259, 263, 266, 277, 282, 328; estoques de, 253, 261, 263-4, 267, 272-4, 290, 297; política de valorização do, 282; preço do, 170, 186, 232, 236, 240, 258-

9, 264-5, 267, 271, 288, 305, 307, 312, 317, 320
Cairu, visconde de (José da Silva Lisboa), 142, 144, 152-3
câmbio, 148, 151, 157, 236-7, 243, 244, 247, 253, 266, 284, 287, 290, 298, 299-300, 303, 311
Canabrava, Alice P., 53
Canadá, 50, 56, 295, 339
Canning, George, 143
capitais estrangeiros, 151, 202, 225, 229
Caribe, 44, 46, 95, 182
Ceará, 109, 147, 180, 194, 208
Ceilão, 251
centro dinâmico, 123, 274, 323
Cisplatina, província, 148
Clark, Victor S., 153-4, 160
classes dirigentes, 171-2, 184, 246, 264
Colbert, Jean-Baptiste, 38, 55
colônias de povoamento, 28, 46, 53, 55, 56, 93, 118, 186
colonização alemã, 183
comércio exterior, 146, 160, 162, 206, 219, 225, 245, 270, 323-4, 338
Conversão, Caixa de, 261
conversibilidade, 245, 261, 262, 265
Costa, Hypólito José Soares da, 69
couros, 80, 97, 104, 111, 123, 141, 154, 161, 168, 207
Cromwell, Oliver, 47
Cuba, 28, 166, 202
Cunningham, W., 130

Deer, Noel, 32-4
Delawarde, Jean-Baptiste, 47
Denis, Pierre, 178, 185, 251
depreciação monetária, 44-5, 151, 219, 248, 251, 253-4, 265-7, 276, 278-9, 283, 287

ÍNDICE REMISSIVO

desequilíbrio externo, 223, 226, 235, 237, 239, 247, 260, 266, 274-5, 286, 291

Dessalles, Adrien, 55

distribuição da renda, 199-200, 202, 204-5, 243, 296, 316-7, 319

donatários, 75, 118

economia: açucareira, 54, 56, 77, 79, 81, 87, 91-3, 95-9, 101-2, 104, 107-9, 112, 120-2, 125, 134, 137, 171, 192, 208, 328, 333; cafeeira, 71, 164, 169-72, 184, 193, 196, 208, 219, 221-2, 232, 251, 256, 259, 263, 266, 277, 282, 328; de subsistência, 105-6, 113, 123, 132, 134, 163, 167, 177-9, 183, 193-4, 196, 201, 203, 208-9, 220, 233, 240, 324; do ouro, 66-7, 118, 133, 147; escravista, 73, 83, 90, 115, 146, 219, 229, 323, 328; mineira, 91, 118-26, 132, 169, 193; nordestina, 95, 100-1, 104-5, 207

Egito, 26

emigração: alemã, 184; inglesa, 185; italiana, 188

emigrantes nordestinos, 213

empréstimos externos, 148, 165, 244, 260, 262, 283

equipamento açucareiro, 31-2, 38, 53-4, 78, 84, 202

escravidão, 60, 71, 76, 84-6, 89, 99, 110, 120, 133, 139, 148, 170, 183, 185, 198, 201-4, 245

escravos: africanos, 35, 49, 55, 60, 77-8, 94, 127, 145, 166, 340; indígenas, 75, 77, 109, 110; tráfico de, 145-6, 166, 168, 173-5, 186, 246

Espanha, 26-8, 31, 37-40, 42-3, 48, 63, 65-, 108, 112, 119

especiarias, 26, 29, 31, 80, 189

Espírito Santo, 211

Estabilização, Caixa de, 261

EUA, 50, 58, 60-1, 71, 79, 84, 93, 95, 127, 140, 144, 150-3, 155-7, 165-7, 174, 181-2, 185, 186, 194, 202, 215-6, 227, 253, 257, 260, 264, 268, 271-2, 281, 295-6, 323, 326, 331, 342; Guerra da Independência, 139, 140, 154; Guerra de Secessão, 167, 174, 186

Europa, 25-6, 29, 32-4, 36, 38, 40, 43, 50-1, 58, 67-8, 79, 127, 130-1, 139-40, 142, 154, 181-2, 184, 196, 209, 213, 216, 229-30, 339, 342

expansão comercial, 25, 28

expansão pecuária, 99

exportações, 38-9, 44, 59, 87, 105, 112, 121, 127-8, 130, 137, 141, 146, 150, 153, 157, 159-63, 165-7, 169, 184, 191, 206-7, 209-13, 219, 224-6, 228, 237, 240, 244-5, 248, 255-6, 259, 261, 269, 273, 275, 279-81, 290-2, 297, 326, 329, 339, 341

faiscadores, 132, 134

Ferencz, Imre, 49

feudalismo, 87

flamengos, 33-4, 42-3, 64

Flandres, 32

Flórida, 28, 157

fluxo de renda, 38, 84, 86-7, 218-9, 245, 291-2, 294, 297

França, 28, 33, 42, 46, 50-1, 55, 59, 66, 68, 88, 127, 331, 339

fumo, 51-2, 54, 109, 161, 168, 207, 212

Furtado, Celso, 87

gado, 49, 79, 81, 96-8, 100, 103-4, 121-3, 147

Gama, Vasco da, 26

347

FORMAÇÃO ECONÔMICA DO BRASIL

Gandavo, Pêro de Magalhães, 76
Ganz, Alexander, 326
garimpeiros *ver* faiscadores
gastos de consumo, 61, 81, 86, 89, 103, 219, 236
gastos monetários, 78-9, 84, 102, 148, 177
Geórgia, 48
Góis, Damião de, 29
Grande Depressão de 1929, 271, 276
Gray, Lewis Cecil, 174-5
Guerra do Paraguai, 229, 243
Guerra y Sánchez, Ramiro, 38, 167

Haiti, 141, 168
Hamilton, Alexander, 152-3, 158, 342
Hamilton, Jefferson, 38-9
Harlow, Vincent T., 47, 49, 51, 55, 57
Henderson, W. O., 68
Henrique, d., 35
Hobsbawm, Eric J., 176
Holanda, 28, 42, 46, 64-5, 171
holandeses, 33-4, 43-4, 53-4, 59, 63, 77, 80, 93, 108-9, 338, 340

ilhas do Atlântico, 25, 31-2, 78, 82-3, 119
imigração europeia, 60, 181, 192
importações, 38, 40, 56, 61, 65, 68-9, 80, 87, 89, 92, 95, 112, 125, 127, 129, 146, 150, 153-4, 162, 165, 174, 207, 214, 225-9, 235, 237, 243, 245, 260-1, 265, 274-6, 278-80, 283-84, 288, 290-2, 296, 300, 302-5, 308-10, 312-4, 318-9, 324, 326-7, 334
impostos, 68, 80, 112, 128, 139, 146, 165, 226, 243, 247, 254, 255, 341
inconversibilidade monetária, 230
Independência do Brasil, 69-70

Índias Ocidentais, 180, 337, 339
Índias Orientais, 25, 29, 35, 43, 65
indústria, 31, 44, 54, 57, 59, 75-6, 78, 79, 81-2, 84, 89, 102, 126, 152, 155, 159, 168, 174, 187, 190, 201-2, 234, 278-9, 303, 314, 318, 338-9, 341-2; naval, 154; siderúrgica, 159; têxtil, 152, 155-6, 160, 187, 190, 278-9
industrialização, 71, 133, 150, 152, 159, 160, 196, 303, 329, 330, 332-4
inflação, 38, 149, 227, 251, 306, 311-2, 315-7, 319
Inglaterra, 28, 33, 46, 49, 51, 59, 61, 63-7, 69-70, 79, 126-30, 137, 141-7, 150, 152-4, 156-7, 162, 166, 167, 173, 176, 182, 225, 227, 295, 337, 339-42
integração econômica regional, 334
intercâmbio externo, 206, 281, 290, 308, 312, 324, 328
inversão, 34, 78, 80-1, 84-5, 90, 102, 223, 240, 273-, 277, 309
inversões líquidas, 272, 280
Isaac, Julius, 47-9

Jenks, Leland H., 227
jesuítas, 84, 110, 138-9, 189; Pombal e a ordem dos, 139; sistema econômico jesuítico, 138
João VI, d., 159

Keynes, John Maynard, 271
Kirkland, Edward C., 50
Kuznets, Simon, 216

lavra, 120-1, 132
Lei da Tolerância (*Toleration Act*), 47, 339
Levasseur, Emile, 38, 50

ÍNDICE REMISSIVO

Lisboa, 26, 33, 38, 43, 75, 109, 129, 142

Lisboa, José da Silva ver Cairu, visconde de

Londres, 69-70, 131, 137

Louisiana, 157, 166

Madeira, ilha da, 26, 32-3

madeiras, 28, 96, 182

Manchester, Alan K., 64, 67, 143, 166, 227

Mantoux, Paul, 156

Manuel i, d., 33

manufaturas, 25, 38-40, 45, 68, 112, 119, 127-8, 130, 153-6, 182, 207, 304, 306, 309-11, 318, 329, 341-2

mão de obra: escrava, 34-5, 52, 58, 78-9, 84-6, 118, 132, 169-70, 184; indígena, 35, 40, 75-6, 110-1, 138, 189; oferta de, 35, 129, 176-7, 181-2, 184, 197-8, 220, 252, 339

Maranhão, 98, 108-9, 111, 137-9, 141, 146, 149, 164, 167, 176, 208, 329

Martinez Mata, Francisco, 39

Martinica, 47, 54, 55, 340, 341

Mathieson, Law, 200

Mato Grosso, 123, 124, 147, 194, 210

Mauá, visconde de, 180-1, 199

May, Louis-Philippe, 52, 88, 175

mercado interno, 40, 58, 125, 165, 184, 193, 210, 212, 219-21, 240, 248, 268, 277-9, 281-4, 286-9, 291, 304-7, 319, 321-3, 325, 328

Methuen, John, 66, 68, 127-8, 131, 341

Methuen, Tratado de ver Tratado de Methuen

México, 28-9, 40, 50, 95, 119

Minas Gerais, 147, 202, 211, 330

Mississippi, 157

Monbeig, Pierre, 193

monopólio do açúcar, 108

mulas, 122

multiplicador, 128, 214, 226, 261, 269-70, 275

Murtinho, Joaquim, 243, 247

Napoleão ver Bonaparte, Napoleão

Netscher, Pieter Martinus, 80

Nova Granada, 144

Nova Inglaterra, 50, 57, 59, 93-4, 337, 339-40

Nova York, 59, 61

ouro, 26-7, 30, 36, 44, 66-7, 79, 103, 117, 121, 127-30, 132-3, 137-8, 140, 142, 235-6, 243, 247, 254, 261-2, 265, 341; economia do, 66-7, 118, 133, 147; exportação de, 124; preço do, 79, 125, 225

padrão-ouro, 223-4, 227, 229-30, 236, 284, 287, 313

Países Baixos, 34, 42, 326

Pará, 138, 147, 149, 189, 192

pecuária, 92, 99-100, 102, 104-6, 121, 123, 134, 138, 140, 177, 210, 213

Pedro i, d., 143

Pensilvânia, 59

pequena propriedade, 47, 51, 53, 246

Pernambuco, 97, 109, 146-7, 149, 208

Peru, 28, 95, 119, 196

Peytrand, Lucien, 55

Phillips, Ullrich Bonnell, 175

Pin, Sir Alan, 182

Piratininga, 109, 112, 117, 118, 123

FORMAÇÃO ECONÔMICA DO BRASIL

Pitman, Frank Wesley, 137
política cambial: no pós-guerra, 304, 306; nos anos da Segunda Guerra Mundial, 287, 292, 304, 309
política monetária: do governo provisório, 245, 247; no fim do governo imperial, 245-6
Pombal, marquês de, 67, 129, 139, 189
população: do Brasil colonial, 119; do Brasil no século XIX, 161, 208; urbana, 148
Portugal, 25-31, 33-6, 38, 40, 42, 45, 48, 63-6, 68-70, 75, 107, 108, 112, 117-9, 126-9, 131, 143-5, 148, 171, 337, 340-1
Portus, Garnet Vere, 133
Primeira Guerra Mundial, 191, 278, 324-5, 330
procura interna, 167, 182, 220, 277, 282
protecionismo: na Inglaterra, 150; nos EUA, 152

Rabbeno, Ugo, 152-3
reforma: cambial de 1953, 287; monetária de 1888, 247
renda: concentração da, 40, 61, 232, 238; distribuição da, 199-200, 202, 204-5, 243, 296, 316-7, 319; fluxo de, 38, 84, 86-7, 218-9, 245, 291-2, 294, 297; transferência de, 45, 237, 238, 244, 306, 307, 318, 321
renda per capita, 79, 138, 163, 208, 210, 214-5, 291, 296, 328, 330, 333, 335; no final do século XVIII, 138; na primeira metade do século XIX, 147, 162-3; na segunda

metade do século XIX, 208-11, 214; nos EUA, 281; regional, 214-5
República, proclamação da, 172, 246
revoltas armadas, 147, 149
Revolução de 1930, 282
Revolução Francesa, 140
Revolução Industrial, 67, 129-30, 139, 155, 164, 190
Revolução Praieira, 149
Ribeiro, João, 149
Richelieu, cardeal de, 47
Rio de Janeiro, 142, 144, 161-2, 166, 170, 174, 202, 211, 260, 287, 313
Rio Grande do Sul, 122, 147, 183, 193, 210, 328, 330
roça, 110, 177, 178
Rostow, Walt Whitman, 156-7, 162, 167
Rothschild, lorde, 254

Sacramento, Colônia do, 66, 111-2
salário, 79, 186, 200-1, 204, 220-1, 232, 242, 331-2, 334; do trabalhador livre no século XVI, 34; médio, 221, 232; real monetário, 220-1, 242, 332
São Paulo, 76, 122, 138, 147, 188, 193, 202, 211, 251, 255, 313, 329-30
São Vicente, 76, 93-4, 99, 111, 118
seca de 1877, 194
Segunda Guerra Mundial, 299, 302, 306, 310-1, 330
Sérgio, António, 26
Sergipe, 208, 329
servidão temporária, 51, 60, 94, 185, 340
Shannon, Fred Albert, 60, 79, 154
siderurgia, 126, 159
Simonsen, Roberto, 76-7, 80, 84, 97, 107, 110, 113, 137, 151, 160

ÍNDICE REMISSIVO

sistema econômico nordestino *ver* economia nordestina

sistema fiscal, 148, 244

Smith, Adam, 68, 143, 152

Stein, Stanley J., 329

Strangford, visconde de, 142, 144

subsistência, 39, 50, 57, 76, 94, 100, 103, 106, 112, 123, 132, 134, 147, 159, 163, 177-9, 183, 198, 200, 204, 208-10, 212-3, 218, 220-2, 232, 242, 270, 282, 331-2, 339

tarifa, 64, 69-71, 143, 146, 148, 151-2, 160, 202, 243, 328, 332

Taubaté, Convênio de, 253

tensões regionais, 331

Thiriet, Freddy, 26

Toleration Act ver Lei da Tolerância

Tordesilhas, Tratado de, 27, 36, 94

trabalho escravo *ver* escravidão

transumância, 192-3

Tratado: de 1786, da Inglaterra com a França, 68; de 1810, da Inglaterra com Portugal, 69, 143, 145, 150; de 1827, da Inglaterra com o Brasil, 70-1; de Methuen, 68, 126

Uruguai, 148, 328

Utrecht: conferência de, 66; União de, 42

Vergueiro, senador, 184, 185

Vieira, padre Antônio, 110

Vignoles, Léon, 28, 46

Virgínia, 50, 52

Wileman, J. P., 210, 229, 236, 247

Wilson, Charles H., 43

351

1ª EDIÇÃO [2007] 22 reimpressões

ESTA OBRA FOI COMPOSTA PELA PÁGINA VIVA EM MINION
E IMPRESSA EM OFSETE PELA GEOGRÁFICA SOBRE PAPEL PÓLEN NATURAL
DA SUZANO S.A. PARA A EDITORA SCHWARCZ EM NOVEMBRO DE 2023

A marca FSC® é a garantia de que a madeira utilizada na fabricação do papel deste livro provém de florestas que foram gerenciadas de maneira ambientalmente correta, socialmente justa e economicamente viável, além de outras fontes de origem controlada.